MONOGRAFIAS VOL. V

VILÉM/FLUSSER/
O ÚLTIMO JUÍZO: GERAÇÕES II
CASTIGO & PENITÊNCIA

BIBLIOTECA/VILÉM/FLUSSER/

Monografias Vol. V

O Último Juízo: Gerações I – Castigo & Penitência

Título original: *Até a Terceira e Quarta Geração*

Copyright © 1966 by Vilém Flusser.
Todos os direitos reservados.
Copyright da edição brasileira
© 2017 É Realizações Editora

Editor
Edson Manoel de Oliveira Filho

Idealização e revisão técnica
Rodrigo Maltez Novaes

Organização
Rodrigo Maltez Novaes
Rodrigo Petronio

Produção editorial
É Realizações Editora

Preparação de texto
Huendel Viana

Revisão
Jane Pessoa

Capa
Chagrin

Diagramação
Nine Design Gráfico | Mauricio Nisi

Reservados todos os direitos desta obra. Proibida toda e qualquer reprodução desta edição por qualquer meio ou forma, seja ela eletrônica ou mecânica, fotocópia, gravação ou qualquer outro meio de reprodução, sem permissão expressa do editor.

CIP-Brasil. Catalogação na Publicação
Sindicato Nacional dos Editores de Livros, RJ

F668u
v. 2

O último juízo : gerações II : castigo & penitência / Vilém Flusser ; organização Rodrigo Maltez Novaes , Rodrigo Petronio. - I. ed. - São Paulo : É Realizações, 2017.
400 p. ; 21 cm. (Biblioteca Vilém Flusser)

ISBN 978-85-8033-313-8

I. Filosofia. I. Novaes, Rodrigo Maltez.
II. Petronio, Rodrigo. III. Título. IV. Série.

17-45239   CDD: 100
             CDU: I

05/10/2017   11/10/2017

É Realizações Editora, Livraria e Distribuidora Ltda.
Rua França Pinto, 498 São Paulo SP
04016-002
Caixa Postal: 45321 04010-970
Telefax: (5511) 5572 5263
atendimento@erealizacoes.com.br ·
www.erealizacoes.com.br

Este livro foi impresso pela Pancrom Indústria Gráfica em outubro de 2017. Os tipos são da família Code Pro e Jenson Recut. O papel do miolo é o Lux Cream 70 g, e o da capa, Cartão Supremo 250 g.

A GÊNESE DAS GERAÇÕES DE FLUSSER
RODRIGO MALTEZ NOVAES /7

3. CASTIGO /23

- 3.1. FAZER /25
  - 3.1.1. VERBO AUXILIAR /34
  - 3.1.2. OBRA /50
  - 3.1.3. OPERAÇÃO /66
  - 3.1.4. OPERADOR /86

- 3.2. PODER /95
  - 3.2.1. PÓ /97
  - 3.2.2. PÁ /113
  - 3.2.3. COVA /128
  - 3.2.4. CAMPO /140

- 3.3. ETERNO RETORNO /149
  - 3.3.1. MODELO /159
  - 3.3.2. PARÊNTESE /177
  - 3.3.3. SANGUE /188
  - 3.3.4. BANHO /201

4. PENITÊNCIA /207

- 4.1. FUNÇÃO /209
  - 4.1.1. CONSTANTE /214
  - 4.1.2. VARIÁVEL /226
  - 4.1.3. VALORES /240
  - 4.1.4. CURVA /254

- 4.2. FUNCIONÁRIO /261
  - 4.2.1. TESTE /266
  - 4.2.2. CARREIRA /280

4.2.3. **APOSENTADORIA** /301
4.2.4. **DEMISSÃO** /314

4.3. **APARELHO** /325
    4.3.1. **PROGRAMA** /335
    4.3.2. **RUPTURA** /348
    4.3.3. **CONCRETO** /364
    4.3.4. **FIM** /377

POSFÁCIO
AS GERAÇÕES DE FLUSSER
FILOSOFIA COMO ARQUEOBIOGRAFIA
RODRIGO PETRONIO /379

A GÊNESE DAS GERAÇÕES DE FLUSSER

RODRIGO MALTEZ NOVAES

Ironia é método retórico, é uma maneira de falar sobre coisas. (Em grego significa: "falar disfarçado".) Existe a ironia "barata". É quando disfarço sem necessidade, ou para enganar os que me ouvem. A ironia "barata" é método caro à demagogia. Mas existe também ironia tão cara que pode custar os olhos da cara. Não é fácil a distinção entre os dois tipos. Exige ouvido atento.[1]

[1] Flusser, V. "Ironia". Posto Zero, Folha de São Paulo, 26 fev. 1972.

Vilém Flusser iniciou o projeto de *Até a Terceira e Quarta Geração* em 1965, logo após ter traduzido, reescrito e publicado seu livro *A História do Diabo*, escrito originalmente em alemão em 1958. Flusser, que escrevia suas obras em alemão e em português, sempre se autotraduzindo, escreveu *Até a Terceira e Quarta Geração* somente em português e traduziu apenas alguns capítulos para o alemão. E esta, sua maior monografia, com 336 páginas datilografadas, permaneceu inédita como livro por cinquenta e dois anos. Dois de seus capítulos foram publicados parcialmente na revista *Cavalo Azul* em 1965, sob edição de Dora Ferreira da Silva, grande amiga e interlocutora de Flusser durante muitos anos. Este livro é, portanto, a primeira edição integral desta obra-prima do autor.

O título original *Até a Terceira e Quarta Geração* foi inspirado em um versículo da Bíblia e tem também um subtítulo: *Visitarei as transgressões até a terceira e quarta geração daqueles que me aborrecem*. O versículo que inspirou este título é do livro Êxodo do Velho Testamento:

Não te encurvarás diante delas [imagens falsas], *nem as servirás; porque eu, o Senhor teu Deus, sou Deus zeloso, que visito a iniquidade dos pais nos filhos até a terceira e quarta geração daqueles que me odeiam.* (Êxodo 20,5)

Essa frase se repete ainda três vezes no Velho Testamento, nas passagens Êxodo 34,7, Números 14,18 e Deuteronômio 5,9. Uma exegese rápida e superficial do versículo sugere a imagem de uma maldição hereditária, que persegue aqueles que veneram imagens falsas, ou ideias falsas, por gerações. Não é coincidência, portanto, que o título da segunda parte do livro de Flusser seja "maldição". Com seu subtítulo irônico Flusser inverte essa imagem, sugerindo uma viagem ao passado em visita àqueles que nos aborrecem até os dias de hoje através de ideais e valores herdados.

Na introdução da obra Flusser apresenta as duas hipóteses centrais do livro: 1. A investigação do passado pode nos ensinar algo sobre nossa situação atual. 2. A nossa situação atual é uma situação de transição, de fim dos tempos e de renovação. Em suma, hoje atravessaríamos um período de transvaloração, assim como Nietzsche havia previsto, e somente ao analisar o passado poderemos chegar a um melhor entendimento dessa situação de transição e, com isso, enxergar melhor o possível caminho à frente.

Os primeiros capítulos publicados na revista *Cavalo Azul* n. 1, em março de 1965, foram 1.1 Santa Sé, 1.1.1 Escola e 1.1.2 Alquimia. Em nota de rodapé, Flusser informa que o título escolhido para o livro é provisório e, como o livro nunca foi publicado, é impossível especular se Flusser teria realmente escolhido outro título para a obra. Vários de seus livros foram publicados com títulos diferentes dos títulos originais. Por exemplo, *A Filosofia da Caixa Preta* teve como título original *Para uma Filosofia da Fotografia*, título mantido nas versões estrangeiras do livro, em alemão e em inglês. A alteração do título para a versão brasileira foi feita em 1985 pela organizadora da publicação, Maria Lilia Leão, com a aprovação de Flusser. Outras obras, como sua autobiografia *Bodenlos*, tiveram seus títulos originais alterados quando de sua publicação após a morte do autor. Levando em consideração as dúvidas do próprio Flusser em relação ao título original desta obra e o fato de ela não ter sido publicada enquanto estava vivo, achamos que a alteração do título original seria não só possível, mas, também, aconselhável.

Durante a leitura do livro fica claro que a segunda hipótese central de Flusser é a mais frequente. Para Flusser, a visão do presente como um período de transição e a necessidade de obter uma visão mais clara deste são mais intensas do que a análise e a crítica objetiva do passado. O passado, no sentido empregado nesta obra, se apresenta como uma série de alegorias e não como um objeto de estudo.

[2] Foucault esteve no Brasil cinco vezes, sendo a primeira em 1965, na Universidade de São Paulo, a convite de Gérard Lebrun. Depois voltou em quatro anos seguidos: de 1973 a 1976. Nessas suas estadas, excetuando a primeira, em que apresentou uma prévia do que viria a ser seu livro *As Palavras e as Coisas*, discutiu e apresentou conferências que versavam sobre a psiquiatria e as instituições psiquiátricas, a antipsiquiatria, a psicanálise, o poder médico e a história da medicina social. Cf.: Sander, J. (2010). "A caixa de ferramentas de Michel Foucault, a reforma psiquiátrica e os desafios contemporâneos". *Psicologia & Sociedade*, 22 (2), 382-387.

Em outras palavras, Flusser não faz um estudo objetivo, ou uma "arqueologia", da história da ciência Ocidental. Sua análise é subjetiva e, como tal, recorre a uma série de alegorias dos temas sobre os quais trata. E a alegoria mais frequente na obra é a do fim dos tempos, do julgamento final, do último juízo. O reforço desse tema durante toda a obra se fez necessário por uma simples razão: gerar e sustentar o tom irônico-profético do livro.

Suspeitamos que a insatisfação de Flusser com o título inicial se deva ao fato de este não transmitir o tom irônico-profético, tão caro para o autor, em relação ao fim da Idade Moderna. Apesar de conter uma boa dose de ironia, *Até a Terceira e Quarta Geração*, como título principal da obra e seu subtítulo, não se adéqua à imagem irônica almejada pelo autor, ao mesmo tempo sugestiva do fim de uma era. Por esse motivo decidimos alterar o título, com a preocupação de manter a essência do original, para *O Último Juízo: Gerações*.

Flusser escreveu *O Último Juízo: Gerações* entre 1965 e 1966, finalizando-o em maio de 1966. Em outubro de 1965, o filósofo francês Michel Foucault fez sua primeira visita ao Brasil[2] para apresentar o conteúdo de seu projeto em curso que seria publicado em 1966 na França sob o título *As Palavras e as Coisas (Les Mots et les Choses)*. Amigos de Flusser da época, inclusive alguns de seus alunos, relatam ter participado das aulas de Foucault. É possível, portanto, imaginar que Flusser também tenha assistido às aulas, ou que pelo menos tenha tido acesso ao material das aulas, apesar de não haver documentos que o comprovem. Em um ensaio autobiográfico escrito em 1969, intitulado *Em Busca de Significado*, Flusser afirma claramente que escreveu *O Último Juízo: Gerações* influenciado por Foucault, mas sem detalhar em que sentido. Apesar de Flusser ter iniciado o projeto antes da chegada de Foucault ao Brasil, *O Último Juízo: Gerações* apresenta alguns paralelos surpreendentes com o livro do filósofo francês. Há, por exemplo, uma enorme semelhança entre o que Flusser chama de *geração* e o que Foucault chama de *épistèmè*, inclusive o fato de ambos descreverem quatro *gerações/épistèmès*, o que tentadoramente sugere alguma conexão entre as duas obras. Outra semelhança que não pode ser ignorada é o fato de os dois livros abordarem o mesmo período histórico ocidental, a chamada Idade Moderna, a partir da Renascença até o século XX.

Em uma carta escrita para Celso Lafer em dezembro de 1965, Flusser nos dá uma breve descrição da obra em curso e como ele divide a Idade Moderna em *Gerações*:

Estou imerso nas "Gerações", que, como você se lembrará, é um ensaio sobre o desenvolvimento do sentido da realidade no curso da Idade Moderna. As quatro gerações são Renascimento (1350-1600), Barroco e Romantismo (1600-1850), Era Vitoriana (1850-1940) e Atualidade. Estou em 1889 (loucura de Nietzsche e construção da torre Eiffel) e não consigo pensar em outra coisa.

Em março de 1966, em outra carta para Celso Lafer, Flusser anuncia a proximidade do fim da produção do livro: "*Ultrapassei, mas não superei, todas as gerações e estou mergulhado na 'atualidade' (nebbich)*". E finalmente em maio de 1966, também em uma carta para Celso Lafer, Flusser simplesmente declara: "*As* Gerações *já foram entregues*".

Durante alguns anos, após ter finalizado o livro, Flusser lista o título em seus currículos como estando "no prelo", a ser publicado pela editora Martins. Após um tempo, porém, deixa de mencionar o título em suas listas de obras e correspondência. É difícil especular por que o livro não foi publicado, sendo que não há qualquer indicação de que tenha realmente chegado ao prelo – não existem cópias do prelo, ao contrário do que acontece com seus outros títulos da época.

Durante o processo de escrita, Flusser foi convidado pelo Itamaraty a fazer uma viagem pela Europa e pelos Estados Unidos para dar palestras sobre a filosofia contemporânea no Brasil. Essa viagem seria seu primeiro retorno à Europa depois de chegar ao Brasil em 1940 como refugiado da Segunda Guerra e da perseguição nazista. Embarcou para a Europa junto com sua esposa Edith no segundo semestre de 1966 e durante a viagem enviou diversas cartas a seus amigos e alunos, relatando suas impressões do velho continente e seus encontros com pensadores e acadêmicos, dentre eles Max Brod, Max Bense, Theodor Adorno e Hannah Arendt. Um dos propósitos da viagem era angariar interesse junto a editoras europeias e americanas para a publicação de obras de autores brasileiros, dentre eles o próprio Flusser.

Em várias das cartas enviadas ao Brasil durante essa viagem, Flusser menciona diversos projetos de publicação de seus títulos, que nunca se materializaram. Flusser retornou a São Paulo no primeiro semestre de 1967 e logo iniciou um novo livro de reflexões sobre o tema da tradução. Em dezembro do mesmo ano ele escreve uma carta para o professor Leônidas Hegenberg:

Tenho muita coisa a contar-lhe, especialmente sobre meu trabalho atual: "Reflexões sobre a Traduzibilidade". Meu livro "Até a Terceira e Quarta Geração" (história subjetiva da ontologia moderna) será editado pela Grijalbo no âmbito da editora universitária.

O livro sobre tradução se tornou um ensaio estendido de 25 páginas datilografadas e com um novo título: *Problemas em Tradução*. E a editora Grijalbo não publicou o *Gerações*. Então, com esses dois títulos guardados, Flusser subconscientemente concluiu sua primeira fase de produção iniciada em 1957, quando escreveu sua primeira monografia completa: *O Século Vinte*, que também permanece inédita até os dias de hoje. Todas as obras desta primeira fase de produção, que inclui *Língua e Realidade*, *A História do Diabo*, *Da Dúvida*, *Da Religiosidade*, os cursos no Instituto Brasileiro de Filosofia (IBF) e os ensaios para a revista do IBF, se entrelaçam tematicamente em torno da fenomenologia existencial focada na filosofia da língua e na questão da construção do real, formando assim uma grande constelação de textos interligados.

Ao concluir essa primeira fase, Flusser logo deu início à sua segunda fase de produção, focado agora no desenvolvimento de sua teoria da comunicação, pela qual é mais conhecido até hoje. De 1967 a 1970 Flusser continuou produzindo artigos e ensaios para diversos periódicos nacionais e internacionais, mas não escreveu uma nova monografia. Durante esse período Flusser estava focado principalmente em sua participação no processo de criação e implementação da Faculdade de Comunicação e Artes da Fundação Armando Álvares Penteado (FAAP) e no curso de Filosofia da Ciência na Escola Politécnica da Universidade de São Paulo (USP).

Retomou sua produção de monografias somente no final de 1970, quando escreveu *Fenomenologia do Brasileiro: Em Busca de um Novo Homem*, finalizada em 1971, um ano antes de emigrar de volta para a Europa devido, em parte, ao endurecimento da ditadura militar no Brasil.

CURIOSIDADES E OBSERVAÇÕES

Como não existe uma cópia do suposto prelo no Arquivo Vilém Flusser, para editar o livro foi necessário digitar suas 166 mil palavras a partir do datiloscrito original. Todos os datiloscritos de

Flusser foram fotocopiados durante o processo de criação e organização do arquivo de sua obra por sua viúva, Edith Flusser. Entre os anos de 1992 e 1998, todo o material produzido por Flusser foi coletado no Brasil e na Europa por Edith e pelo filho Miguel, com a ajuda de diversos pesquisadores. As fotocópias do material foram eventualmente doadas à Escola de Arte e Meios de Colônia, e os originais, para o Arquivo Histórico da Cidade de Colônia. A doação do material foi motivada, em parte, pela mudança de Edith em 1998 para Barbados, onde sua filha Dinah assumira o posto de Embaixadora do Brasil, ocasião em que achou melhor que uma instituição acadêmica assumisse responsabilidade pela conservação da obra, garantindo seu futuro. Edith manteve consigo uma cópia quase completa do conjunto de fotocópias para continuar seu trabalho pessoal de edição e tradução da obra do marido.

Em 2013, o material do Arquivo Vilém Flusser (agora abrigado na Universidade de Arte em Berlim, para onde foi transferido em 2007) foi digitalizado em sua totalidade, em colaboração com a PUC-SP e a Fapesp. Durante o processo de digitalização, constatou-se a falta de alguns datiloscritos (documentos inteiros e também páginas de alguns documentos) devido a perdas, extravio ou roubo. Por sorte, como Edith manteve um conjunto de cópias, é possível hoje restaurar a maior parte dos documentos e páginas desaparecidas. Como no caso do datiloscrito de O *Último Juízo: Gerações*. Na cópia digital do datiloscrito de Berlim faltavam seis páginas e antes de iniciar o processo de extração do texto foi necessário restaurar essas páginas, usando a cópia em papel da coleção pessoal de Edith, hoje guardada por Miguel Flusser, filho do casal. No processo de restauração do documento completo, foi também necessário redigitalizar algumas páginas antes ilegíveis devido à qualidade das fotocópias antigas, hoje bastante desgastadas. O processo de edição da obra só pôde proceder após esse processo de restauro.

A decisão de iniciar a Biblioteca Vilém Flusser com *O Último Juízo: Gerações* aconteceu naturalmente. Esta obra é o maior livro que Flusser escreveu e, apesar de ter sido escrito em meados da década de 1960, continua atual em sua visão sobre o presente. Na introdução da obra Flusser clara e objetivamente nos apresenta o argumento central do livro – a necessidade de superar a tecnologia através de um processo de transformação da mesma e de nós:

Instrumentos são coisas já manipuladas. Por serem manipulados, parecem pedir de nós atitudes de consumo ou de recusa. Parecem exigir o seu próprio aniquilamento. É esta, a meu ver, a razão ontológica da expectativa de fim do mundo que reina. [...] A atitude que estou descrevendo reside no aceitar dos instrumentos como problemas. Essa atitude é consequência de um momento de escolha. É a escolha existencial do não aceitar os instrumentos passivamente. Reside na abertura vivencial em face do mundo da tecnologia. É a decisão existencial de superar o mundo da tecnologia. Não pelo consumo sempre crescente, nem pela recusa enojada e entediada, mas pela manipulação e transformação da tecnologia. A tecnologia, para ser superada, precisa ser transformada em outra coisa.

A questão da tecnologia continua sendo central. A discussão atual sobre o chamado Antropoceno tem como tema central justamente o efeito da tecnologia humana e seus derivados sobre a Terra. Como Flusser adverte, no entanto, o que importa são as escolhas que faremos para conseguir superar nossa tecnologia através da manipulação e da transformação. Em outras palavras, devemos recusar tanto a tecnofilia como a tecnofobia. Atitudes extremistas não nos servirão nesse momento de transição. É somente através de um mergulho existencial na dimensão programática dos aparelhos que poderemos nos salvar. Daí surge o elemento profético do livro de Flusser, a alegoria do aparelho como o *Übermensch* de Nietzsche, ou como o Messias que veio para nos proporcionar um paraíso técnico. Esse paraíso técnico é o que Flusser chama de pós-história. Porém, a pós-história de Flusser difere do pós-modernismo de Foucault.

No livro *As Palavras e as Coisas*, Foucault apresenta seu conceito de *épistèmè* e J. G. Merquior descreve essa estrutura, de forma sucinta, em seu livro *Foucault, ou o Niilismo de Cátedra*:

> A história que Foucault narra sobre as épistèmès — e que não deve ser confundida, adverte ele, com a história da ciência ou mesmo com uma história mais geral das ideias — sublinha constantemente as descontinuidades entre seus blocos históricos. [...] Tudo que obtemos são "descontinuidades

enigmáticas" (*cap. VII, 1*) *entre quatro épistèmès: a pré-clássica, até meados do século XVII; a "clássica", até o fim do século XVIII; a "moderna"; e uma época verdadeiramente contemporânea, que só tomou forma por volta de 1950.*

A última *épistèmè* de Foucault seria justamente a pós-moderna. Mas a diferença fundamental entre o que Flusser chama de *geração* e o que Foucault chama de *épistèmè* está na maneira como se dão as passagens entre os blocos históricos. Como Merquior descreve, para Foucault há descontinuidades epistemológicas enigmáticas entre os blocos. Para Flusser, não há descontinuidade epistemológica de geração para geração, pois, como descreve José Ortega y Gasset em seu livro *O que É a Filosofia?*, somos todos contemporâneos, mas não somos coevos. Somente aqueles da mesma geração são coevos e a todo momento histórico há sempre três gerações distintas coexistindo contemporaneamente. É devido a este anacronismo histórico que as rodas da história giram. As tensões entre os modelos epistemológicos de cada uma das gerações coexistentes impulsionam o movimento das rodas da história. Por esta razão, não há descontinuidades nos blocos históricos dentro do modelo geracional de Flusser inspirado em Ortega y Gasset.

O filósofo espanhol José Ortega y Gasset foi uma das grandes influências no pensamento e estilo de Flusser. O conceito de *aparelhos técnicos*, por exemplo, do livro *A Rebelião das Massas* (1930) de Ortega y Gasset, é central para toda a obra de Flusser. Em

O Último Juízo: Gerações, Flusser declara já na epígrafe a importância de Galileu Galilei para a obra, sem dúvida influenciado pelo livro *En Torno a Galileu* (1933), de Ortega y Gasset, cujos títulos dos capítulos são indicações sugestivas de como Flusser pode ter sido influenciado, ao menos parcialmente, por essa obra: 1. Galileu e seu efeito na história, 2. A estrutura da vida, a substância da história, 3. A ideia de geração, 4. O método das gerações na história, 5. Novamente o conceito de geração, 6. Mudança e crise, 7. A verdade como o homem em harmonia consigo, 8. Na transição da Cristandade para o Racionalismo, 9. Do extremismo como uma forma de vida, 10. Marcos do pensamento cristão, 11. O homem do séc. XV, 12. Renascença e retorno.

Outra possível influência para *O Último Juízo: Gerações* é o pensamento de David Flusser, primo irmão, três anos mais velho, de Vilém. David Flusser é considerado um dos grandes especialistas na história do início do cristianismo e do período do segundo templo de Israel. Foi professor da Universidade Hebraica de Jerusalém e escreveu vários livros sobre a seita dos essênios do Mar Morto. Vilém e David trocaram cartas a partir da década de 1950, quando restabeleceram contato após terem emigrado da Europa. Dois temas frequentes nos livros de David sobre os essênios — o fenômeno do apocalipse e a crença no messias — ecoam frequentemente na obra e no pensamento de Vilém Flusser. Apesar de não ser possível afirmar com certeza a extensão da influência do pensamento de David Flusser sobre a obra e o pensamento de Vilém Flusser, os paralelos são tentadores. E é inegável que a religiosidade humana e o tema da influência e origem parcial do pensamento ocidental, a partir das religiões do Oriente Médio, são elementos fundamentais e constantes no pensamento e na obra de Vilém Flusser.

Por último, uma curiosidade. Se o leitor ou leitora observar cuidadosamente o sumário dos capítulos de *O Último Juízo: Gerações*, notará rapidamente sua estrutura geométrica e simétrica dividida em 48 subcapítulos, 12 capítulos e 4 partes, sendo essas 4 partes divididas em 2 "livros" (no final da segunda parte, intitulada "maldição", Flusser faz uma clara divisão e por essa razão o livro foi dividido em dois tomos para publicação). Essa simetria geométrica, além de remeter diretamente ao *more geometrico* barroco de Descartes ou Spinoza, sugere também uma geometria escondida, possivelmente ligada à cabala. Não sugiro que Flusser tenha sido diretamente influenciado pelo pensamento cabalístico, mas o elemento lúdico da obra de Flusser nunca deve ser ignorado. Por exemplo, 48 + 12 + 4 = 64, e 64 / 2 = 32. O número 32 representa os caminhos da sabedoria, e estes se manifestam através dos 4 mundos. Portanto, 4 x 32 = 128. O número 128 é 2 à 7ª potência e os números 2 e 7 são números importantes na cabala. Enfim, como já disse Flusser, não é fácil distinguir as diferentes faces da ironia, depende de ouvidos atentos.

2017

O ÚLTIMO JUÍZO:
GERAÇÕES II

3. CASTIGO

3.1. FAZER

A rainha dos sete mares, a casta e um tanto gorda *Britannia*, envolta em sua toga (ou será lençol?), governa as ondas. A sua ilha, outrora horizonte do *orbis terrarum*, é agora umbigo do mundo. (Com permissão dessa palavra impudica, totalmente inapropriada à majestade vitoriana.) Talvez tenha sido esta a meta de toda a Idade Moderna: estender os horizontes do *orbis terrarum*, para colocar a Grã-Bretanha no seu centro. É óbvio que uma tal visão do significado da história é um tanto paroquial, e mais fácil a ser aderida por londrinos que por praguenses ou paulistanos. E é igualmente óbvio que se trata de uma explicação extremamente simplificadora de um processo que é, na realidade, extremamente complexo. Mas façamos o esforço de nos colocar na pele de um londrino de, digamos, 1889. (Perdão, novamente estou recorrendo, ao me utilizar do termo "pele", a uma expressão inapropriada.) Vista assim, tem a explicação da história proposta nada de rebuscado. Qual é a situação que este ponto de vista desfralda? Procuremos subir, no disfarce de um burguês londrino, uma torre de observação para descrever a cena. Não, naturalmente, a *Tower of London*, com suas lembranças medievais que distorcem a nossa visão imperial por associações indesejáveis. Mas subamos, por exemplo, a Torre Eiffel, que oferece várias vantagens. Em primeiro lugar permite um *weekend* em Paris, durante o qual podemos, em companhia das damas da *belle époque*, descansar do fardo do homem branco que carregamos a semana toda. Em segundo lugar é a construção da torre, por si só, um símbolo da nossa época, a saber: uma estrutura rigorosa de ferro, sem finalidade e extremamente feia. E em terceiro lugar podemos, depois de desfrutada a vista, dar um passeio pela *rive gauche* e, quem sabe, ver algumas pinturas impressionistas. Poderemos então, de volta ao nosso clube na *City of London*, contar, entre o segundo e terceiro copo de cherry, as nossas aventuras tanto do espírito como da carne. (Novamente perdão, o termo se infiltrou inadvertidamente.)

Pois subamos.

O globo que estamos contemplando das nossas alturas irônicas oferece um espetáculo que é familiar para nós do século XX. Com efeito, é o espetáculo do qual os nossos professores ginasiais nos queriam fazer crer que persiste até os nossos dias. No centro está a Europa, dividida em Estados nacionais, pelo menos "nacionais" em tese. É verdade que essa tese romântica se dilui quanto mais avançamos do Ocidente em direção ao Oriente. Os Estados que beiram o Atlântico se assemelham muito do ideal da nação soberana, e a Alemanha e Itália são exemplos recentes da conquista desse ideal pela burguesia nacionalmente inflamada. No Oriente europeu existem anacronismos barrocos como o são os Impérios Austro-Húngaro, Russo e Otomano. Mas nessas regiões subdesenvolvidas age, felizmente,

PÁG. 27 o fermento progressivo do nacionalismo libertador, uma das tendências que propelirão o progresso rumo à sua meta, que é, como sabemos nós, a Primeira e a Segunda Guerra. Um olhar penetrante (mais penetrante que aquele do gentleman britânico no qual estamos presentemente encarnados) poderá até descobrir, nesses remanescentes barrocos da Europa, os primeiros sintomas de despertar das duas maiores realizações da época vitoriana: no Império Austro-Húngaro já está se movimentando o embrião tenro e ainda plástico do nazismo, e no Império Russo está brotando, na sua primeira fragrância primaveril, a semente da variante soviética do socialismo. O mesmo chão fértil nutre tanto embrião quanto semente. E digo mais, iluminado que estou pela profecia invertida: um olfato muito sensível poderia cheirar, desde já, no aroma vitoriano, as exalações dos crematórios, e um ouvido muito musical poderia descobrir, desde já, no clamor febril vitoriano, o som surdo do *knout* stalinista. Mas o gentleman inglês que somos não desperdiça, obviamente, a sua atenção na contemplação das regiões tão extremamente continentais como o são a Áustria e a Rússia, e desvia o seu olhar altivo para terrenos mais interessantes. Para aqueles terrenos, com efeito, que os mapas antigamente designavam, com cor vermelha: o Império mesmo.

Infelizmente devemos confessar que essa tinta não se derramou sobre o mapa extraeuropeu inteiro. A rainha Vitória, embora defensora da fé e Imperatriz

3. CASTIGO / 3.1. FAZER

da Índia, não governa, em nome dos lordes, das ladies, e das comunas, toda aquela matéria-prima que são as terras não europeias. Na África, fonte do sabão, do marfim, do algodão, das penas de avestruz e (extraoficialmente) dos músculos negros, concorre conosco, na corrida bela, mas um tanto incômoda do *laisser-faire*, a França. Restam, nesse continente, vestígios das feitorias renascentistas da Espanha e de Portugal, e as nações recém-libertas da Alemanha e da Itália procuram participar da corrida. Na Ásia, a tinta, é verdade, é enganadora. Os interesses comerciais e civilizatórios da rainha se estendem muito além das aparências, infiltram-se pelo Império Otomano em decadência e pelo Império Chinês, que não passa de pretexto. Mas a França reclama o seu quinhão de arroz e de metais, e a Holanda o seu quinhão de borracha, essa matéria-prima cheia de promessas. A América Latina passou, em consequência da nossa vitória sobre Napoleão, da esfera ibérica para a nossa, sob o disfarce transparente de várias independências "nacionais", nas quais o termo "nação" desvenda claramente a sua artificialidade. Mas a América do Norte apresenta problema. Depois de uma guerra civil sangrenta, que era modelo das guerras futuras muito mais que a guerra franco-russa recente. Começa, nos Estados Unidos, um processo de transformação da sociedade e do homem que aponta a realização das metas vitorianas muito mais imediatamente que a própria transformação que se opera na ilha da rainha. Esse problema apresentado pelos Estados Unidos será discutido um pouco mais tarde. No resto não mencionado do globo flutua a *Union Jack*, e não há, portanto, motivo para uma preocupação descabida. Este é, pois, o aspecto político da vista panorâmica que se nos oferece: a Grã-Bretanha como centro manipulador e portanto civilizador da Terra em isolamento esplêndido do continente europeu (levemente subdesenvolvido), em concorrência com esse continente no campo da matéria-prima, e com o problema dos Estados Unidos a se levantar no horizonte. De uma maneira geral podemos dizer que se trata de uma cena sorridente.

Há outros aspectos, e estes não são tão confortadores. Por exemplo, o aspecto social da cena. A burguesia triunfa, mas ao triunfar se problematiza. Os valores burgueses, que são o trabalho e a poupança, e que conseguiram se sobrepor aos valores da aristocracia no curso do romantismo, começam a revelar a sua vacuidade e clamam por uma transvalorização de todos os valores. Essa vacuidade pode ser vivenciada nas duas franjas da burguesia, na superior e na inferior, embora de duas maneiras diferentes. Na alta burguesia reina o clima do querer passar para o outro lado, para o território deixado vago pela aristocracia. É o desejo de despir-se o burguês dos valores que o fizeram galgar a escala social e vestir os valores da aristocracia dos quais sabe, intimamente, que são superados. O gentleman no qual estamos encarnados presentemente, lá no topo da Torre Eiffel, chama-se a si mesmo de gentleman, mas sabe que não pode sê-lo e nem quer sê-lo. A meta da burguesia é deixar de sê-lo sem querer e sem poder, e é, portanto, uma meta absurda; é um mero pretexto a mascarar a futilidade do êxito social alcançado. Esse clima de *nouveau riche* (que é, na realidade, *nouveau* no sentido de não ser medieval, isto é, no sentido de ser moderno) é o clima que caracteriza toda a cultura vitoriana. O ar de *pruderie*, de insinceridade e de moralismo que ligamos automaticamente com a época vitoriana surge na passagem impossível entre alta burguesia e aristocracia. É uma compensação pela frustração sofrida. Mas esse ar é reforçado na outra margem da burguesia, na qual este se choca contra o proletariado.

Se a passagem da burguesia para a aristocracia é impossível, pelo simples fato de ser a aristocracia um remanescente medieval, embora iluminado, é a passagem da burguesia para o proletariado uma eventualidade sempre aberta. O pequeno-burguês passa, portanto, a sua vida angustiado com dois temores constantes: passar para o proletariado, e ser tomado por proletário pelos outros. A sua vida tem, portanto, o seguinte significado: provar a si mesmo e aos outros que se distingue do proletariado. Mas como prová-lo, se a distinção entre burguesia e proletariado é tão difícil, dada a semelhança dos seus valores? Procurei mostrar, no argumento anterior, que essa diferença reside numa questão de acento. Ambas as classes depositam sua fé no trabalho e na poupança. A burguesia acentua a poupança, o proletariado, o trabalho. A tragédia do pequeno-burguês reside no fato de ter que pretender que a poupança da qual dispõe é a sua *rason d'être*, já que é ela, e apenas ela, que o distingue do proletariado. Daí o fato curioso de estar o pequeno-burguês muito mais apegado à poupança que o grande burguês, os valores do pequeno-burguês se distinguem mais dos valores do proletariado que os valores da alta burguesia, e podemos dizer que o pequeno-burguês é mais burguês que o grande burguês, o socialismo luta, na sua investida contra a mentalidade burguesa, muito mais contra o pequeno-burguês que contra o grande burguês. Daí o caráter caricato da imagem do burguês projetada pelo proletariado: é o pequeno-burguês nos trajes do grande burguês.

Quanto ao proletariado, a grande massa de descendentes dos camponeses barrocos que se acumula em redor das máquinas e dos aparelhos, os seus valores se distinguem dos da burguesia apenas negativamente. A consciência do proletariado é a burguesia, e o proletariado existe, como tal, apenas em função da burguesia. A despeito de todas as tentativas de definir o termo "proletariado" é ele, na realidade, um termo relativo. É por isso que o ideal do socialismo não é uma sociedade proletária, mas uma sociedade sem classes. Desaparecida a burguesia, desaparece o proletariado. Os valores do proletariado são a aparente inversão dos valores burgueses, porque são formulados na luta contra a burguesia. Mas uma examinação mais cuidadosa desses valores revelará que a inversão é aparente. Sendo o proletariado uma função da burguesia, são os seus valores na realidade os mesmos valores burgueses: trabalho e poupança. Com o seguinte agravante: a burguesia elaborou os seus valores durante o barroco e o romantismo como resposta ao desafio que lhe lançou a vacuidade do mundo no qual se encontra. São valores artificiais e ocos, mas são, ao menos, valores deliberadamente formulados. Mas o proletariado recebeu esses valores das mãos da burguesia, ao ter sido arrancado do chão milenar da aldeia. Para ele são os valores, além de artificiais, ainda alheios. Todo o clamor revolucionário que se levanta no proletariado em louvor desses valores, e toda a prontidão da juventude proletária de morrer por esses valores nas barricadas, não podem obscurecer esse fato.

Disse que desaparecida a burguesia, desaparece o proletariado. Mas o que surge para substituir as duas classes? Já agora, no ano de 1889, podemos dar uma resposta clara a esta pergunta: surge a pequena burguesia. A meta do proletariado, o destino que demanda "progressivamente", é o seu próprio aburguesamento. Pode-se negar esse fato um tanto desagradável o quanto quiser, a observação da cena o comprova. Nós do século XX sabemos que não há sociedade mais pequeno-burguesa que a sociedade nas chamadas "democracias populares". Mas já a época vitoriana sabia desse fato. É por isso que a pequena burguesia, e não o proletariado, é a verdadeira portadora do estandarte do progresso. O nazismo, esta expressão máxima do progresso do Ocidente, é obviamente baseado na pequena burguesia. E também o é o socialismo soviético, embora isso seja menos óbvio, porque o nega. Mas o que são os funcionários do Estado e do partido, esses *apparatchiks* e comissários, a não ser pequeno-burgueses? Ao descrever, portanto, a tragédia do pequeno-burguês descrevi, portanto, a tragédia daquela forma para a qual tende, doravante, a humanidade ocidental toda.

Este é, pois, o aspecto social da cena que contemplamos: uma aristocracia desprovida de valores que se funde na burguesia. Uma burguesia que tende, absurdamente, a passar para uma aristocracia já inexistente, e que teme, simultaneamente, a sua queda para o proletariado. Um proletariado que luta contra a burguesia e tende para ela. E beirando tudo isso os últimos restos do campesinato, restos patéticos de uma parcela da sociedade para a qual a revolução industrial ainda não estendeu, por enquanto, os seus tentáculos absorventes. Apenas os camponeses, anacronismos à beira das cidades, ainda vivem uma vida significante, porque apenas eles ainda conservam os valores medievais e estão ancorados na realidade. O resto da sociedade vive mergulhada na falsidade, no pretexto, na insinceridade e na pose. Comparada com a política, é a cena social menos sorridente.

E há outros aspectos. E todos eles apontam as hordas bárbaras e uniformizadas que encobrirão, dentro em breve, qual enxame de gafanhotos mentirosos, a superfície da Europa e do globo. Mas o gentleman no topo da Torre Eiffel que somos se recusa a encarar esses aspectos. Prefere descer e contemplar as ligas das dançarinas de cancã, tão mais atraentes que as meias azuis às quais está acostumado em Londres. Nesse instante de sua descida abandonaremos, pesarosos, a nossa encarnação, a fim de adentrarmos a época vitoriana à nossa maneira. Afinal, o ponto de vista do burguês londrino vitoriano é superficial em demasia para as finalidades deste livro.

3.1.1. VERBO AUXILIAR

Ao descrever a passagem do barroco para o romantismo, aventurei a seguinte hipótese ousada: a mudança da estrutura do pensamento e da vida que marca essa passagem é articulada pela tradução do verbo auxiliar francês *"être"* pelo verbo auxiliar alemão *"werden"*. O historicismo, antropologismo, e biologismo do romantismo é uma elaboração da estrutura de um discurso informado pelo verbo *"werden"*. Renovarei agora minha hipótese, ao estendê-la para a época em pauta. Direi que o verbo auxiliar *"werden"* se traduz, agora, para o verbo auxiliar *"to do"* da língua inglesa. Sei que a minha tese é ousada. Sei que no romantismo predomina o pensamento alemão apenas em termos e que, portanto, a influência da língua alemã sobre o romantismo no âmbito da minha hipótese é um exagero. Sei também que na época vitoriana a predominância do inglês é apenas limitada, e darei, logo mais, um pensador alemão, a saber, Nietzsche, como o protótipo do pensamento vitoriano. Mas não reclamo, para a minha hipótese, validade "objetiva". Sei que não "explica" objetivamente os acontecimentos. Afinal, nós da atualidade não temos muita simpatia por explicações objetivas. Por ser exagerada a minha hipótese, talvez eu ilumine a cena dos acontecimentos com luz penetrante, embora cause distorções. É nessa esperança que a lanço.

Mais uma palavra introdutória que procurará enquadrar o meu argumento no universo do discurso dos leitores. Chamarei de "época vitoriana" aquele espaço de tempo que vai, aproximadamente, dos anos 1850 aos 1940. É a essa época que dedicarei este e os dois capítulos seguintes, porque a considero como a terceira geração no sentido do título deste livro. Não é o que estamos acostumados a fazer normalmente. Não consideramos, normalmente, o primeiro terço do nosso século como "vitoriano". Mas tenho as minhas razões de introduzir a ruptura de épocas no começo da Segunda Guerra, razões que o argumento futuro se esforçará por tornar evidentes. E considerem o seguinte: não é a "arte" nazista com a sua *Reichskanzlei* uma típica arte vitoriana, e não é a "arte" stalinista pelo menos igualmente vitoriana com os seus metrôs moscovitas? E não é o pacto Hitler-Stálin o ponto culminante não apenas da época sob consideração, mas em certo sentido também de todo e qualquer progresso? Pode-se imaginar algo que progrida além do extermínio dos judeus e além das limpezas stalinistas? É, pois, neste espírito e dentro desta moldura que conduzirei o argumento seguinte.

A época que delimitei pelas duas datas mencionadas é caracterizada pelo seu pragmatismo, seu psicologismo, e pela sua brutalidade. Essas três características são simultâneas, mas predominam sucessivamente. O primeiro terço da época é predominantemente psicológico e denominado pelos nomes Freud e Kafka. O terceiro terço é predominantemente brutal e os nomes de Hitler e Stálin estão inscritos nas suas bandeiras. Pelo menos é assim que a época se apresenta se insisto em meu esquema. E todos esses três aspectos, simultâneos e sucessivos, estão prefigurados em projeto no verbo auxiliar *"to do"* que considerarei em seguida.

O verbo *"to do"*, que traduzi muito inapropriadamente por "fazer" no título deste capítulo, é um verbo que estrutura a língua inglesa. Com o seu verbo auxiliar formula essa língua as suas sentenças interrogativas e negadoras. A não ser que essas sentenças sejam formuladas com o verbo "ser" ou semelhantes. Sentenças que se formam com o verbo *"to be"* não recorrem ao auxílio do verbo *"to do"*, e não se diz *"does it be?"* nem *"it does not be"*. Mas este verbo *"to be"* foi eliminado do discurso progressivo na passagem do barroco para o romantismo, e foi substituído pelo verbo *"werden"*, ou *"to become"* na língua inglesa. E este verbo exige o auxílio do *"to do"* para formar sentenças interrogativas e negadoras. É necessário dizer "*does it become?*" e "*it does not become*", e não há outra forma de expressar esse pensamento. Ao se traduzir, portanto, o discurso romântico, o discurso antropológico, histórico e biológico (e mais especialmente o discurso das ciências) para a língua inglesa, recorre-se, por imposição da estrutura da língua, para o auxílio de verbo "*to do*", com todas as conotações éticas e estéticas que isso acarreta.

O discurso científico é um discurso que se inicia com determinado tipo de perguntas. Procurei mostrar que no barroco essas perguntas tinham todos, em tese, a forma seguinte: "*Qu'est-ce que c'est?*" ("O que é isso?"). Era um tipo de pergunta que procurava adequar o pensamento aritmético a algo geométrico e duvidoso, demandava respostas causais, e o seu método era o de nomenclatura. A partir de Kant passaram as perguntas iniciais da ciência a ter a seguinte forma: "*Wie wurde das und was wird daraus werden?*" ("Como se tornou isso, e o que resultará disso?"). Traduzido agora, com a época vitoriana, para a língua inglêsa, a pergunta assume a seguinte forma aproximada: "*How did this come to happen and how does it work?*". Creio que nisso resida o germe do espírito vitoriano.

Notem que nessa tradução se preservaram todos os aspectos epistemológicos do "*werden*". As perguntas são tentativas de adequar algo ao pensamento conhecedor para realizá-lo, demandam respostas finalistas e o seu método é a predicação de sujeitos.

3. CASTIGO / 3.1. FAZER / 3.1.1. VERBO AUXILIAR

Nesse sentido, continua romântica a época vitoriana. Nada perde do dinamismo desesperado, daquele dinamismo que resulta da exclamação "para que tudo isso!" que caracteriza o romantismo. Mas notem também que o verbo "*to do*" e o verbo "*to work*", no exemplo, introduziram um novo elemento que se relaciona com a ética e com a estética, em suma: com a práxis. O discurso científico se iniciará, doravante, com perguntas que demandam respostas finalistas, inclusive num sentido prático do termo. Por mais que se teoretize esse discurso, não mais perderá essa conotação vitoriana. A não ser na atualidade. Este é, a meu ver, o primeiro efeito da tradução para a língua inglesa.

Mas na língua inglesa as respostas positivas prescindem do verbo "*to do*", e não têm, portanto, o aspecto prático que as perguntas demandam. São, portanto, respostas que de certa maneira evadem a pergunta. Apenas as respostas negativas são significantes, porque nela o verbo "*to do*" aparece. Doravante será, portanto, o discurso científico um discurso que demanda respostas negativas. Formalmente isso se exprime atualmente ao dizer que a validade da ciência está na sua refutabilidade. Uma teoria científica é válida quando admite ser refutada. Uma teoria irrefutável, porque não resultante em respostas negadoras, será doravante tida como insignificante. A teoria einsteiniana é válida, porque admite refutação, por exemplo, na forma "a luz não se curva no espaço". A teoria da antroposofia não é válida, porque resulta apenas em afirmativas. Não admite a sua negação e não é, portanto, significante. Doravante é, portanto, a estrutura da ciência aproximadamente esta: *"How does it... ?"*, *"It does not..."* e este será doravante o padrão do pensamento ocidental todo. Será este padrão porque o discurso científico continuará sendo o padrão de todo o pensamento. E com esta observação passo a considerar a filosofia nietzschiana, essa filosofia do *"to do"*, embora alemã, e embora anticientífica, pelo menos em sua intencionalidade.

Recapturemos a posição schopenhaueriana. Tudo é vontade. Vontade é sofrimento. O mundo consiste em vontade fracionada pelo *principium individuationis*. É uma triste representação na qual a vontade fracionada se mascara em individualidades. Nesse mundo de representação reina a causalidade. Mas na realidade a vontade apenas tende simplesmente a não ter fundamento. A razão se move dentro do mundo representativo e não atinge a vontade mesma. A ciência, essa razão disciplinada, é uma alienação da realidade. O pensamento schopenhaueriano é, todo ele, um lamento. Pois imaginemos, em face do mesmo mundo, uma atitude diferente. Imaginemos uma atitude que afirme o sofrimento. Uma atitude que glorifique a vontade. Uma atitude para a qual a importância da razão seja motivo de satisfação indisfarçada. Uma atitude que não lamenta a incompetência epistemológica da ciência, mas que seja anticientífica deliberadamente. Teremos imaginado o ponto de partida para o pensamento nietzschiano.

3. CASTIGO / 3.1. FAZER / 3.1.1. VERBO AUXILIAR

Antes de progredir a partir deste ponto, consideremos por um instante a mudança de clima que essa atitude envolve. O romantismo, cuja expressão máxima é Schopenhauer, é um lamento pela maldição que pesa sobre a humanidade. O romantismo sente-se culpado e sofre. Confessa assim, quase expressamente, que admite a justiça da maldição que tem provocado. Está, portanto, embora de maneira obscura, ainda dentro do mundo dos valores abandonados. A razão, embora impotente, continua valor positivo. A vontade, embora a força que tudo pervade e tudo propele nesse processo do devir que é o mundo, continua sendo um valor negativo. Em outras palavras: o romantismo é presa do diabo, mas sabe ainda que é o diabo que tomou posse dele. Mas agora, na hora do castigo, a humanidade ocidental muda de atitude. A época vitoriana, cuja expressão máxima é Nietzsche, canta hinos em louvor do castigo que sobre ela se precipita. Ama o seu destino. Aderiu ao diabo, portanto, de cabeça erguida e de bandeiras ao vento. A razão, essa capacidade humana que eleva o homem acima da sua circunstância para dignificá-lo, passa a ser desprezada, porque transformada em mero instrumento da vontade. E a vontade, essa tendência escura e brutal que propele o homem a rumos inteiramente fúteis, porque imprevisíveis, essa vontade cuja submissão e cujo governo eram tidos como a própria afirmação da dignidade humana, passa a ser glorificada. Trata-se de uma radical transvalorização de valores. O Bem passa a ser o Mal, e o Mal passa a ser o Bem, e não mais o pensamento, mas a Vida (com V maiúsculo) passa a ser o Bem supremo. Não se trata mais de saber para fazer, mas trata-se de fazer sem meta, e o saber é um mero subproduto desprezível do ato. O fazer (a "arte") é melhor que a verdade.

Mas é óbvio que tudo isso não passa de pose. É óbvio que, bem no fundo, a humanidade sabe que é ao diabo que se tem vendida. É óbvio que a transvalorização de valores se passa sobre um fundo inconfessado dos valores do cristianismo. Tudo isso não passa de uma especulação desesperada ("especulação" no sentido que esse termo tem na bolsa de valores). A humanidade descobriu que o castigo é inevitável. Pois resolve apostar nele. Resolve intensificar seu crime, com a esperança desesperada de que esse crime intensificado provocará uma queda dos valores negativos na bolsa. A época vitoriana é uma especulação *a baissé* sobre a graça divina. Pode assim ser formulada: "Pequemos ao máximo, cometamos os crimes mais hediondos e blasfememos. De toda forma já estamos perdidos. E quem sabe essa enormidade das nossas transgressões, essa impossibilidade de ir além no caminho do inferno, esse cumprir-se do progresso, provocarão finalmente a misericórdia divina". Esse clima de loucura completa, esse espumar e ranger de dentes, acompanhados de poses heroicas e belas, este é o clima da filosofia nietzschiana, e da época vitoriana.

Tendemos, pois, nesse clima, a esboçar a cosmovisão nietzschiana. É ela, no fundo, uma transposição do darwinismo para o terreno da especulação ontológica e pseudoteológica, e terá, por sua vez, consequências que serão transposições da mesma cosmovisão para o terreno da psicologia (Freud) e das ciências exatas (Einstein). É esta: tudo é vida no sentido darwiniano, e isso significa que tudo é um emaranhado caótico de vontades que procuram realizar-se em luta umas contra as outras. E essas lutas intestinas da vida é tudo o que há. Uma capa do nada envolve essa cena sangrenta. O pensamento e a fé que procuram ultrapassar a cena são, portanto, niilismo, fugas para o nada. Niilismo é procurar a realidade nas ideias (a variante platônica do niilismo), e niilismo é esperar por uma "vida" no além da vida (variante cristã do niilismo). Uma cosmovisão honesta por ser, portanto, alcançada apenas na recusa a estes niilismos. O primeiro passo da filosofia é, portanto, aquele que nega o niilismo, que é a tradição ocidental pelo menos a partir de Platão, e aquele que afirma a vida.

Quando medito, quando me ensimesmo, descubro em mim a vontade que quer por mim se realizar. Sou, com efeito, uma vontade para o poder, e existo enquanto procuro me realizar. Existir não é uma forma de ser, mas uma forma de tornar-se. O mundo é um campo de luta no qual existências se tornam. E tornam-se, isto é, tendem para a realidade ("o poder") se subjugarem outras. Existo tanto mais poderosamente, isto é, sou tanto mais real, quando mais existenciais subjugo. A realidade num dado momento é a soma dos vencedores num dado momento. Mas esses poderosos, esses aristocratas do ser, que flutuam por sobre a massa amorfa das vontades subjugadas, por sobre o rebanho, serão, por sua vez, subjugados. Assim é a cena da vida um processo que gira, um eterno retorno. Dizer que tudo é vontade para o poder é dizer que tudo retorna eternamente. Assim é a vida, esse conjunto que perfaz toda a realidade, um processo que nunca chega a realizar-se e, portanto, gira eternamente em ponto morto. Mas esse argumento já é especulativo, portanto niilista. É preciso recusá-lo e afirmar, com beleza e orgulho, esse tipo absurdo e violento de vida, porque é o único que descubro em mim honestamente.

As culturas me fornecem escala de valores que dizem como devo me comportar nessa luta pelo poder que é a vida. Fundamentalmente existem dois tipos de escalas. Aquela elaborada pelos poderosos, e aquela elaborada pelos subjugados, a "moral dos senhores" e a "moral do rebanho". Os valores dos senhores são a luta, o heroísmo, a brutalidade, a argúcia e a força que propelem para a ação imediata. Os valores do rebanho são a paz, a humildade, a meiguice, a verdade e o amor fraterno. Os judeus, esse povo escravo, pregavam a moral do rebanho e tornaram-se, assim, os "sacerdotes dos humildes". A moral dos senhores é obviamente preferível à moral do rebanho, porque afirma a vida. A moral do rebanho deve ser recusada, porque é inimiga da vida e mata a força que propele a vontade rumo ao poder, essa meta da vida. Os judeus conseguiram, na forma do cristianismo (esse "veneno da Judeia"), impor a moral do rebanho sobre o Ocidente. Toda a nossa civilização é, portanto, inimiga da vida. É preciso rebelar-se contra essa civilização, na qual o indivíduo glorioso é condenado a se adaptar ao rebanho ou ir para o hospício, único lugar no qual a vontade para o poder ainda se realiza. Tudo aquilo que é o Bem e o Mal do Ocidente é preciso ser recusado. É necessário colocar-se no além desse Bem e desse Mal, e ter-se a coragem de afirmar o Mal, quando este é o instrumento para o poder, esse Bem supremo. E principalmente a verdade no significado ocidental deve ser recusada. A *soit-disant* "verdade objetiva" é uma insinceridade. A única verdade que interessa é aquela que me possibilita subjugar os outros. Se o consigo pela mentira, a mentira passa a ser verdade, a saber, a minha verdade. E também o amor fraternal, a simpatia e a compaixão devem ser recusados, porque tudo isso é um sentimento dos fracos, que temem, no seu "ressentimento" aos poderosos, serem aniquilados. Recusemos, portanto, os próprios fundamentos da civilização ocidental, e construamos, no seu além, uma moral dos fortes. Fortes são aqueles que gostam de sofrer, porque sofrimento é sinônimo de vontade. Fortes são aqueles que amam o seu destino, que é o eterno retorno do sofrimento, porque este amor os propele para a ação que é a única forma da realidade. E estes fortes no além da civilização ocidental serão os super-homens. Serão aquelas bestas loiras que imporão a sua vontade sobre o rebanho, para assim chegarem ao poder e realizarem a sua vontade.

PÁG. 45   Este argumento, tanto no seu aspecto ontológico quanto ético, é obviamente contraditório, e se fosse apenas esta a sua força, poderia ser recusado com facilidade. Se a realidade é a vida, e se a vida é um processo de realização, então dizer que a vida é a realidade é um contrassenso. E se a moral judaica, que é a moral do Ocidente, conseguiu sobrepor-se à moral dos senhores, provou com isso ser ela mais bem-adaptada à vida, e isso prova, por sua vez, que afinal os valores do cristianismo são pragmaticamente superiores aos valores bestiais dos loiros. É claro que Nietzsche recusaria esse tipo de argumento como sendo desonesto, por niilista. Mas não afirma ele próprio a desonestidade, "a argúcia", quando a serviço da vontade? Felizmente não há motivo, nem intelectual e nem ético, para se aceitarem as conclusões nietzschianas, mesmo quando aceitas as suas premissas. Mas a força de convicção que Nietzsche emite não reside nisso. Reside na análise existencial à qual submete a circunstância vitoriana. E na beleza da língua e do pensamento. E sob esses aspectos é Nietzsche, infelizmente, talvez o maior pensador dos tempos modernos.

Deus morreu. Nesta sentença podem ser resumidas tanto a ontologia como a ética nietzschiana. Deus, o fundamento da realidade, é nada. Deus, a fonte dos valores, é uma ilusão que a vivência diária desmente. E fomos nós que matamos Deus. Quem pode negá-lo? O fato dessa afirmativa brada nos nossos ouvidos. Não querer admiti-lo é desonestidade. É desonestidade negar que Nietzsche nos pinta fielmente a situação na qual desemboca a humanidade ocidental depois de ter matado Deus. Todo dia está ficando mais frio. Quem não sente o desejo de fazer aquilo que Nietzsche recomenda? Abandonar essa conversa fiada toda, esses valores todos mentirosos de um rebanho que se precipita sem pastor, em direção ao abismo? Pois não é acaso verdade que apenas os loucos podem viver automaticamente nesta corrida desenfreada rumo ao "progresso"? Não é acaso verdade que a *soit-disant* "verdade objetiva" da ciência deixou de ser interessante para o homem que é condenado a passar a sua vida ínfima no rebanho que se aglomera nas cidades novas? Não é acaso verdade que essa "verdade" é uma mentira despudorada (como o são, aliás, todos esses valores pudicos da era vitoriana), e que uma mentira descarada e confessa é como que um bafo de ar fresco nesse ambiente? Não sentimos, pois, todos os desejos de ir para o além desse Bem e desse Mal todo, para pairarmos, qual Zaratustra, no cume da nossa montanha? Nesse tipo de raciocínio reside o atrativo do pensamento nietzschiano. Trata-se, com efeito, da primeira tomada de consciência de um ocidental em plena decadência de todos os valores. Digo "da primeira tomada", porque relego Kierkegaard, propositadamente, para uma consideração, mas adiante neste argumento.

No entanto, ao termos aderido assim entusiasticamente ao pensamento nietzschiano seduzidos pela sua beleza, teremos falsificado esse pensamento. Nietzsche não recomenda, depois de analisada a situação da forma magistral como o é a dele, um abandono da situação num roteiro zaratustriano, embora tenha sido exatamente essa a sua atitude como pessoa. Recomenda, como pensador, a vida perigosa, a vida plena, a vida exuberante e, para atualizarmos um pouco os termos, a vida empenhada. Nietzsche recomenda, como pensador, o *engagement* em prol do Mal no sentido ocidental desse termo, e que não é menos *engagement* por ser deliberadamente um *engagement* invertido. No fundo não procura superar Nietzsche o Ocidente, mas quer destruí-lo. E quer fazê-lo pela barbarização da sociedade. O que falta a esse visionário é uma forma imaginativa suficiente. A besta loira que invadirá a cena, de acordo com a sua visão, será um atleta alto e belo, sangrento e impiedoso, que varrerá toda essa sujeira de poses e de pretextos da superfície da Terra, e esse atleta terá tido uma educação esmerada nas artes gregas. Essa besta veio exatamente como Nietzsche a previu, e não sem influência sua. Mas como era diferente essa besta da visão nietzschiana. Era talvez loira, embora de um loiro um tanto duvidoso, e esse é o único detalhe que acertou Nietzsche. Mas ao invés de atleta alto e belo, apresentou-se como rebanho uniformizado de pequeno-burgueses gordos. Era sangrento e impiedoso, isso sim, mas no sentido de estar sujo de sangue e de se remexer em excrementos, e no sentido de não sentir piedade por completa falta de capacidade imaginativa. Em vez de varrer as poses e os pretextos da superfície da Terra, levantava essa besta os seus braços coletivos numa pose de saudação romana, os seus brados roucos eram pretextos para aglomerar as poupanças das vítimas de sua idiotice. E quanto à educação desses invasores da superfície a partir da sarjeta, não era grega, nem ao menos inexistente, mas era a educação que fornecem as classes da escola primária e a leitura das revistas ilustradas. O que Nietzsche não previu, em suma, era que a besta loira é o rebanho em corrida desgovernada. Certamente Nietzsche teria sentido arrepio se tivesse assistido à chegada ao poder (*Machtübernahme*) da vontade por ele cantada. Mas não creio que isso o exime da responsabilidade. Não se pode desculpar que Nietzsche não tenha previsto que o desprezo pela razão não resulta em altivez, mas em cretinice, e que o super-homem por ele sonhado é um cretino.

Mas é perfeitamente possível que Nietzsche tenha previsto tudo isso, e o seu ódio aos alemães parece querer prová-lo. É perfeitamente possível imaginar-se que era exatamente isso que Nietzsche pretendia. Acabar finalmente com tudo isso. Provar experimental e pragmaticamente que a nossa civilização não passa de um leve verniz a ser destruído na primeira oportunidade. Provar que no fundo somos todos vermes desprezíveis e nojentos. É perfeitamente imaginável que todo o pensamento nietzschiano é uma humilhação disfarçada em heroísmo. E que a sua insistência sobre a vida plena e gloriosa, enfim, sobre o "fazer" pretende justamente mostrar, de forma inversa, a obscuridade de todo empenho. E com essa observação volto-me para o cerne do seu pensamento, que me parece ser este.

O crime hediondo e gigantesco de termos matado Deus pesa sobre a humanidade e suja as suas mãos com o sangue sagrado. Todas as águas de todos os mares não lavarão esse sangue. Nessa situação a única atitude honesta é aceitar de cabeça erguida e com entusiasmo o castigo. Agir até o fim no papel do assassino. Não vir rastejando pedindo perdão, mas encarar o destino de olhos abertos. Agir até o fim inexorável. Agir, fazer, é este o verbo auxiliar a substituir o majestoso Verbo assassinado. Já que matamos o Cordeiro que carrega os pecados do mundo, desprezar o Cordeiro é admirar o leão em toda a sua beleza. Em outras palavras: procurar transferir o fardo dos pecados do Cordeiro para os nossos próprios ombros. Fazer e pecar são sinônimos, e Nietzsche procura prová-lo. Ao nos convidar para a vida ativa, convida-nos conscientemente para a vida pecaminosa. E confere assim, de maneira incrivelmente bela, valor ao "trabalho", este valor da burguesia e do proletariado, um sabor sagrado. Vista assim, adquire toda a filosofia nietzschiana um outro aspecto. O seu desprezo pela razão adquire o sabor de um sacrifício em prol do Deus assassinado. O seu louvor da vida embriagada adquire o sabor da penitência pelo crime. E o seu eterno retorno do sempre idêntico como vontade para o poder adquire o sabor do inferno deliberadamente escolhido como castigo. Creio que não é exagero dizer o seguinte:

por ter pensado Nietzsche o progresso do Ocidente até o seu fim amargo, é ele o primeiro pensador cristão do Ocidente depois da Idade Média, embora um cristão que penetra a fé pelo caminho inverso.

Tais clareza e penetração não podem ser suportadas. Não se pode existir simultaneamente no mais profundo dos infernos e à porta do céu. Nietzsche enlouqueceu. Prefigurou assim o destino do Ocidente. Enlouqueceu em 1889, ano da construção da Torre Eiffel. É por isso que escolhi essa data como ponto de referência para a observação da cena.

3.1.2. OBRA

O super-homem nietzschiano, aquele ser que realiza a vontade para o poder no além do Bem e do Mal, e para o qual a humanidade não passa de rebanho, está no além da humanidade. Nietzsche não salientava suficientemente o fato de que o super-homem não é homem. O mesmo erro fazem os seus descendentes. Para os nazistas o super-homem era uma espécie de mamífero a ser evoluído pela seleção artificial darwiniana a partir da "raça ariana", portanto ainda um homem, embora animalizado. Para as revistas ilustradas é o *superman* obviamente um homem, embora cretinizado. E mesmo para os socialistas (os quais absorveram todo o pensamento nietzschiano sem se darem conta do fato) é o super-homem um ser não mais condicionado pelas leis da economia (portanto do Bem e do Mal), mas continua sendo um ser humano, a saber, participante daquela sociedade chamada "comunista". O erro é explicável pela tendência biologizante do pensamento ocidental a partir do romantismo. A evolução é concebida como um processo no qual tudo tende para a vida (no sentido darwiniano, portanto no sentido de comportamento de albuminas e ácidos ribonucleicos), e os estágios futuros da evolução são concebidos como futuros desenvolvimentos da vida. O super-homem é, portanto, necessariamente um ser vivo e descendente biológico do homem. Mas a contemplação da cena poderia ter demonstrado mesmo na época vitoriana que se trata de um erro. Já naquela época era visível, o que hoje se tornou evidente: o super-homem não é um ser vivo. O super-homem é produto da evolução, e nesse sentido é descendente do homem, mas *não é* um descendente que evoluiu biologicamente. O super-homem *está* no além do Bem e do Mal, é produto de uma seleção artificial, é cretino, e *está* além das leis da economia, mas *não é* um tipo de comportamento de albuminas. Em outras palavras: nós da atualidade sabemos perfeitamente bem quem é o super-homem, porque com ele comungamos diariamente, e a época vitoriana poderia ter tido o mesmo conhecimento, já que assistia ao seu nascimento e lhe serviu de parteira. É ele o aparelho. Este tópico tratará do super-homem. Não tratará da sua chegada ao poder, porque esta ainda é um acontecimento futuro, embora de um futuro iminente, não tratará da sua luta pelo poder, porque isso é acontecimento da atualidade. Mas tratará da sua subserviência inicial e rancorosa à vontade humana, porque isso é o que se dá na época vitoriana.

O que se impõe, em primeiro lugar, é uma definição de termos, a saber, dos termos "máquina", "instrumento" e "aparelho"; o leitor poderá objetar que essa tentativa de definir ou vem tarde demais, ou cedo demais, no curso do argumento. Os que optam pela primeira objeção dirão que os termos deveriam ter sido definidos nos capítulos renascentistas, quando os fenômenos por eles denominados aparecem, ou pelo menos nos capítulos barrocos, quando a máquina começa a dominar a cosmovisão e a cena. Os que optam pela segunda objeção dirão que os termos deverão ser definidos nos capítulos que tratarão da atualidade, já que é na atualidade que os fenômenos denominados por eles formam o centro do interesse, e já que será o pensamento existencial que procurará defini-los. A estas objeções respondo em defesa: Não procurei definir os termos mais cedo, porque a qualidade super-humana dos fenômenos por eles denominados ainda estava mascarada. E não relego a sua definição para mais tarde, porque sem ela torna-se incompreensível a época vitoriana. Quer seja aceita ou não a minha defesa, procederei com a minha tarefa.

Dou, como ponto de partida, as definições que um dicionário que tenho à mão (que me é "instrumento") fornece: *máquina*: "conjunto que modifica a direção ou a magnitude de uma força, de modo que, conservado o poder (*'Leistung'*), um aumento da força acarreta a diminuição da velocidade, e vice-versa. A finalidade da máquina é substituir a força humana". *Instrumento*: "Ferramenta para a execução da música (por exemplo, 'violino'), para operações científicas (por exemplo, 'bisturi', 'telescópio'), e, na linguagem jurídica, 'documento'". *Aparelho*: "conjunto de instrumentos destinados à execução de uma experiência, também conjunto dos meios destinados a uma tarefa. Na biologia, conjunto de órgãos que participam de uma determinada atividade (por exemplo, 'aparelho respiratório')". A maioria das definições fornecidas pelos dicionários tem a seguinte qualidade: provocam, com sua ingenuidade simplista, toda uma série de especulações meditativas. Foi com essa finalidade que citei as definições, mas sugiro que as ponhamos entre parênteses para uso futuro.

Voltemos para o Renascimento com seus monumentos e seus museus. A existência voltada para o mundo duvidoso da coisa extensa perdeu a fé na imortalidade da alma. Mas não se pode viver sem imortalidade. Se a existência não se imortaliza mais na transcendência, deve forçosamente imortalizar-se no mundo duvidoso. Essa imortalização passa a ser, portanto, uma manipulação da coisa extensa. Manipulação da coisa extensa é trabalho, e o resultado é obra. A partir do Renascimento a existência se imortaliza trabalhando e criando obras, que são, em tese, coisas extensas manipuladas. Essas obras, quando resultados de um trabalho consciente que visa a imortalização (quando resultados de uma vontade consciente do poder), chamam-se monumentos. O conjunto dos monumentos chama-se museu. Há dois tipos de monumento, embora a sua distinção seja, no Renascimento, ainda difícil: os monumentos de arte e os monumentos de tecnologia. A estes correspondem dois tipos de museu: o museu de arte e o laboratório. É óbvio que os monumentos não são, necessariamente, coisas extensas, e que os museus não são, necessariamente, lugares geométricos de coisas extensas. A manipulação pode, por paralelismo, tomar por objeto a coisa pensante. Monumentos de arte desse tipo de manipulação são, por exemplo, tocatas e poemas; e monumentos de tecnologia desse tipo de manipulação são, por exemplo, as leis da queda livre e as teorias da gravidade. Esta a situação no Renascimento, na qual máquinas, instrumentos e aparelhos surgem.

A bifurcação da atividade manipuladora em artística e tecnológica que se inicia com o Renascimento e a procura de imortalização por essa atividade caracterizam a Idade Moderna. É o sintoma do abandono da fé no transcendente. No entanto é curioso notar que o "progresso" (no significado romântico desse termo) se dá apenas no ramo tecnológico da atividade bifurcada. Embora exista uma "história da arte", e embora esta também acelere o seu ritmo geometricamente no curso da história moderna, não é ela progressista no mesmo significado no qual é a tecnologia. Estilos de arte se sucedem, mas não se superam. Devemos, pois, procurar no ramo tecnológico da atividade bifurcada a verdadeira essência da Idade Moderna. É na tecnologia que reside o progresso. E é também na tecnologia que surgem máquinas, instrumentos e aparelhos *sensu stricto*. O problema é, pois, distinguir entre arte e tecnologia.

Creio que a distinção nítida não é possível e que, embora afastem os dois ramos da atividade manipuladora no curso da história moderna, continuam ligados sempre pela ânsia da imortalidade. Mas no barroco já estão suficientemente distanciados para permitir uma distinção relativa. Procuremos formulá-la da seguinte maneira: na atividade artística procura o homem, como ser oposto ao mundo duvidoso, imortalizar-se pela criação de modelos perenes de si mesmo. Na atividade tecnológica procura o mesmo homem imortalizar-se pela criação de modelos do mundo duvidoso. As obras de arte são monumentos, porque são modelos de homem que se projetaram sobre o mundo duvidoso. Há, portanto, nelas um momento subjetivo, já que representam, como modelos, o sujeito do conhecimento. As obras de tecnologia (as "máquinas") são monumentos, porque são modelos do mundo duvidoso sobre o qual o homem se projeta. Há, portanto, nelas um momento objetivo, já que representam, como modelos, o objeto do conhecimento. E assim teremos chegado a uma primeira definição do termo "máquinas", pelo menos no seu significado barroco: máquinas são monumentos, isto é, obras resultantes da manipulação imortalizadora, que são modelos do mundo duvidoso.

Disse que a distinção entre arte e tecnologia é apenas relativa. A seguinte consideração ilustrará essa relatividade: o mundo duvidoso não passa de projeção da coisa pensante, e esse fato se torna evidente no romantismo. O pensamento, ao adequar-se ao mundo duvidoso, adéqua-se, com efeito, a si mesmo. As descobertas da razão são autodescobrimentos. Num processo dessa forma circular não pode haver distinção rigorosa entre sujeito e objeto. Se tentei distinguir entre arte e tecnologia pelo recurso à subjetividade e à objetividade, e se tentei distinguir obras de arte de máquinas ao chamar as primeiras de "modelos do sujeito", e as segundas de "modelos do objeto", procurei apenas salientar duas fases do mesmo processo circular no qual o homem gira a partir do Renascimento. Mas, se mantivermos esse pano de fundo em mente, creio que a distinção proposta é significante.

Máquinas são modelos do mundo duvidoso, e como tais dominam a cena do barroco. Nada produzem essas máquinas e não têm finalidade a não ser esta: imortalizar o homem. Mas como essa finalidade está como que num terreno além da máquina, podemos dizer que, tomada como tal, a máquina barroca não tem finalidade. A máquina é um monumento "puro". O pensamento mecanicista, que é aquele que resulta em máquinas, não é finalista. As máquinas não foram criadas, pelo barroco, visando fins específicos, e uma interpretação finalista das origens da tecnologia é anacronismo romântico e vitoriano. As máquinas não são instrumentos. Instrumentos visam fins, e são produtos de um pensamento finalista. Nesse sentido não há instrumentos no barroco. Há ferramentas, isto sim, e estas visam determinados fins, por exemplo, máquinas sem finalidade. Mas é melhor reservar o uso do termo "instrumento" para o romantismo. Podemos, portanto, dizer que o barroco é dominado pela máquina, e que tudo é máquina para ele. A natureza é máquina, os animais são máquinas, o corpo humano é máquina, Estado é máquina, e finalmente máquina é o próprio pensamento humano. E assim se fecha um ciclo: a máquina, aparentemente modelo do mundo duvidoso, torna-se modelo da coisa pensante.

Com a revolução industrial tudo isso se modifica, as máquinas se põem a transformar matéria-prima em produtos, e nisso reside a revolução industrial toda. Trata-se de uma transformação ontológica da máquina, que passa para outra modalidade do ser, a saber, passa a instrumento. Os teares são máquinas que têm a finalidade de produzir tecidos. São, portanto, máquinas apenas histórica e geneticamente. Mas atualmente são instrumentos. Um tear é um modelo do mundo duvidoso, se considerado historicamente. Mas, se vivenciado atualmente, é ele um instrumento para produzir tecidos. Esse caráter finalístico que a máquina adquire, e graças ao qual fica inserida na correnteza do tempo, transforma a máquina em instrumento. Essa transformação se dá porque o homem transferiu o seu interesse do mundo duvidoso (que deixou de ser duvidoso, por ter deixado de ser mundo) para a coisa pensante (à qual, por isso mesmo, passou de indubitável para duvidosa). Doravante o homem, em vez de adequar-se ao mundo, adéqua os fenômenos a si mesmo. Nessa situação a máquina deixa de ser modelo do mundo e passa a ser o método pelo qual o homem adéqua os fenômenos (a "matéria-prima") a si mesmo, transformando-os em realidade ("produtos"). A máquina vira, torna-se, "*wird*", instrumento. E sugiro, portanto, esta primeira definição do instrumento: instrumento é máquina transformada em método pelo qual o homem se realiza, ao transformar matéria-prima em produto.

Um momento de reflexão, antes de progredir ao argumento. O termo "instrumento" não é romântico, mas barroco. E pertence ao ramo "arte" da manipulação visando imortalidade. Mas o que é um violino? É o produto de um esforço de tornar sensíveis (a saber: audíveis) determinados símbolos do pensamento. O violino é um instrumento, porque visa um determinado fim, a saber: transformar matéria-prima (símbolos) em produto (sons audíveis). Essa reflexão ilustra como a música é o padrão de todo o desenvolvimento da Idade

Moderna, e que a música barroca (e renascentista) já prefigura a atualidade.

Relego a discussão do papel projetor da música para capítulos futuros e retomo o argumento. As máquinas transformadas em instrumentos governam a cena do Ocidente (e, por conquista, da Terra toda) a partir do romantismo. São produtos de um pensamento finalista, isto é, antropológico, historicista e biologista. E resultam no pensamento instrumentalista. É preciso, no entanto, iluminar os instrumentos dos três aspectos finalistas enumerados, antes de passar a discutir o instrumentalismo, tal como o vimos no pensamento de Nietzsche. Vejamos primeiro o aspecto antropológico do instrumento.

O instrumento é uma extensão do corpo humano, o qual é, por sua vez, uma extensão do pensamento humano. Ou, reformulando, o instrumento é para o corpo o que o corpo é para o pensamento. Pelo corpo, e mais especialmente pelos nervos, percebe o pensamento o vir-a-ser dentro do qual se realiza. E pelo corpo, e mais especialmente pelos músculos, age o pensamento no vir-a-ser para realizá-lo. O corpo é um instrumento duplo do pensamento. Pois os instrumentos que surgem com a Revolução Industrial são nervos e músculos estendidos. Graças a eles o corpo se expande para encobrir o campo do vir-a-ser todo. E como o corpo é apenas instrumento do pensamento, expande esse pensamento, graças aos instrumentos da tecnologia (tanto instrumentos de percepção como de transformação), para encobrir o campo do vir-a-ser todo. A revolução inicia, graças aos instrumentos, a expansão total e totalitária do pensamento. A cena é a seguinte: no centro o pensamento humano, em seu redor o corpo, e em redor deste os instrumentos, chupando avidamente o vir-a-ser, para transformá-lo em realidade. Esse é o aspecto antropológico do instrumento.

Mas o instrumento é, ele próprio, um fenômeno, isto é, algo imerso na correnteza do processo do vir-a-ser, da história, portanto. O instrumento, além de extensão do pensamento, é também campo de atividade. Assim é a totalidade dos instrumentos, a totalidade dos testemunhos que atestam a passagem do pensamento pelo seu campo. A totalidade dos instrumentos (a chamada "cultura") é o atestado da passagem (e também de óbito) do pensamento. Com efeito, os instrumentos são o passado do pensamento. São os fenômenos pelos quais o pensamento já passou em seu progresso (rumo à morte). É por isso que o pensamento se sente abrigado pelos instrumentos. Por ter passado por eles, e por ter lhes imprimido a sua marca, sente-se o pensamento livre neles. O futuro do pensamento são os fenômenos ainda não transformados em instrumentos, contra os quais o pensamento se projeta. Esses fenômenos não transformados determinam o pensamento. O pensamento é determinado pelos fenômenos não transformados, e livre nos fenômenos transformados em instrumentos. Os fenômenos não transformados são o futuro, os instrumentos são o passado, o pensamento é o presente. Portanto, apenas o pensamento é real, embora de forma duvidosa. Esse é o aspecto histórico dos instrumentos, e reconsiderarei esse aspecto em outro contexto.

As máquinas transformadas em instrumentos comportam-se como seres vivos. Alimentam-se de matéria-prima, excretam os produtos e multiplicam-se, dando origem a instrumentos que lhes são semelhantes. Não são um comportamento de albuminas e ácidos ribonucleicos, é verdade, e nesse sentido não são "vida". Mas têm a mesma estrutura dos processos biológicos, com apenas uma diferença: o ritmo do processo acelerou-se nelas. O mundo dos instrumentos pode ser, portanto, perfeitamente considerado como uma mutação do mundo biológico. "Mutação", isto é, um termo que designa um fenômeno antigamente designado pelo termo "monstro". Desde a revolução industrial adere às máquinas transformadas em instrumentos, este caráter do monstruoso. A vivência dessa monstruosidade é dupla. De um lado é vivenciada como monstruosa a capacidade das máquinas transformadas em instrumentos de agir em independência crescente de interferência humana, isto é, a sua passagem paulatina do campo da física para o campo da biologia. Do outro lado é vivenciada como monstruosa a completa falta do aspecto ético e estético no comportamento dos instrumentos, a sua "eficiência", é isso que nos apresenta como idiotice. Este segundo aspecto parece provar que a passagem dos instrumentos a partir da física em direção à biologia é defeituosa (do nosso ponto de vista). A completa falta de inibição das máquinas, aliada à sua crescente independência ("automação"), este é o aspecto biológico do instrumento. Também esse aspecto será retomado em contexto futuro.

No momento que estamos considerando, no momento, portanto, do surgir do pensamento instrumental (do pensamento do "*to do*"), começa a evidenciar-se uma tendência dos instrumentos (já agora dominantes) de se juntar e se unir em conjuntos específicos chamados "aparelhos". Para compreendermos essa tendência é preciso que consideremos novamente o aspecto finalístico dos instrumentos. O instrumento é um método que visa uma finalidade. É, portanto, possível falar-se em instrumento "bom" ou "mau", no sentido de "bem" ou "mal" adaptado à sua finalidade (falando darwinianamente). As máquinas não são boas ou más, mas verdadeiras ou falsas, já que são modelos. Mas os instrumentos estão inseridos em escala de valores, são inseridos na práxis. Não interessa se o instrumento é "verdadeiro" (qualquer que seja o significado desse termo), conquanto que funcione. A função é melhor que a verdade. E isso é o sentido real da sentença nietzschiana que estou parafraseando. O pensamento nietzschiano é instrumentalista, no sentido de conceber a vontade como um instrumento para o poder, e no sentido

PÁG. 63 de desprezar os valores mecanicistas (por ele chamados de "niilistas") do passado. É, portanto, falso dizer que a tecnologia é eticamente neutra. Pelo contrário, ela lança os seus próprios valores. Se dizemos que ela é neutra, pretendemos apenas dizer que os fins por ela visados são indeterminados. Mas como estrutura ela valoriza. Daqui em diante não falamos mais (para dar um exemplo significante) em explicações verdadeiras da ciência, mas em explicações "boas".

Pois bem: no momento considerado assume a "função" (que é a adequação do instrumento à sua finalidade) um papel tão preponderante que começa a ofuscar essa finalidade. Instrumentos que se juntam sob a égide da função e começam a perder a sua finalidade. O processo é o seguinte: a função de um instrumento é medida dentro de um processo. Originalmente esse processo visa uma meta, por exemplo: produzir tecidos. Mas pouco a pouco o processo mesmo transforma-se em meta. O instrumento passa a ter por meta não o tecido, mas o tear, e o tecido paira, qual meta transcendente, por sobre o processo. Instrumentos se juntam em função do tear, que funciona, por sua vez, em função do tecido. Mas para o instrumento individual essa meta é transe ardente e não pode ser descoberta nele. A finalidade de um parafuso não é o tecido. Com efeito, o parafuso funcionará igualmente "bem" se o tear deixar de produzir tecidos e correr em ponto morto. Isso não interessa ao parafuso. O parafuso é um instrumento

3. CASTIGO / 3.1. FAZER / 3.1.2. OBRA

enquadrado num aparelho, e o aparelho é a finalidade do instrumento. Ensaiamos, pois, uma primeira definição do termo "aparelho". O aparelho é um processo dentro do qual e em função do qual funcionam instrumentos. Esse aparelho pode, por sua vez, ser instrumento (como o é o tear), mas pode também girar em ponto morto, o aparelho não necessita de meta para ser aparelho. O aparelho está no além do "bem" e do "mal", e impõe esses valores de "senhor" aos instrumentos que funcionam em função dele. E esses instrumentos incluem, progressivamente, não apenas parafusos, mas também funcionários humanos. O aparelho é o super-homem nietzschiano. É verdade que na época sob consideração o aparelho ainda não domina a cena. O pensamento vitoriano é ainda instrumentalista. Mas já se verificam as primeiras tendências para o estabelecimento do seu domínio, um domínio que começa a afirmar-se na atualidade. O nosso pensamento é funcional e funcionalista.

Este é, pois, o coração do progresso, e é neste clima que devemos enquadrar Nietzsche: o homem se lança, no Renascimento, contra o mundo duvidoso para se imortalizar. Nesse empenho cria modelos do mundo chamados "máquinas", e que são monumentos ao seu pensamento. Pela Revolução Industrial essas máquinas se transformam em instrumentos, que são métodos pelos quais o pensamento humano realiza o vir-a-ser, realizando por isso mesmo o seu pensamento. Pela automação e desinibição desses instrumentos, e pela sua dubiedade ontológica, esses instrumentos se juntam para formarem aparelhos, e esses aparelhos transformam o homem em seus instrumentos, isto é, em funcionários que, em vez de viverem, funcionam em função do aparelho. O aparelho cretino, sangrento, eficiente e sem meta, este é o super-homem nietzschiano. O aparelho hitlerista e stalinista, com seus funcionários sub-humanos e com sua eficiência supra-humana, são as primeiras realizações do super-homem. Outras nos estão reservadas.

Comparem as definições que sugeri para os termos "máquina", "instrumento" e "aparelho", com as definições do dicionário que mencionei no início deste argumento. Verificarão o quanto é profético o dicionário sem o saber. Diz que a máquina substitui o homem, e eis que o faz na forma do aparelho. Diz que o instrumento é ferramenta para execução e operação, e eis que executa o homem e opera nele uma mudança ontológica de primeira ordem. Diz que o aparelho é um conjunto de meios destinados a uma tarefa, e eis que essa tarefa é a de castigar a humanidade pelo crime cometido. E eis que o aparelho transforma o homem em meio a instrumento do seu próprio castigo. Mas com essa consideração estou antecipando um pouco o argumento, já que passo do mundo nietzschiano para o kafkiano. Interromperei, portanto, o argumento. Em conclusão permitam que eu diga o seguinte: a obra máxima da humanidade ocidental, o resultado do seu esforço grandioso de imortalizar-se no imanente, é o aparelho. E esse aparelho é a estrutura pela qual e na qual o homem começa a ser triturado e moído já na época vitoriana, embora aparentemente o aparelho ainda funcione em função do homem, isto é, como seu instrumento. Desse primeiro triturar e moer tratará o tópico seguinte.

3.1.3. OPERAÇÃO

Surge, neste instante do argumento, um problema metodológico que precisa ser confessado. Este livro está sendo escrito nos anos 1960. Se a minha diagnose da situação criada pelo aparelho é correta, este livro está sendo escrito por um funcionário, e é o pensamento funcional que o informa. Para o funcionário está o aparelho no além do Bem e do Mal, e a pergunta que demanda pelo significado do aparelho é uma pergunta "metafísica" (para falarmos kantianamente), ou "insignificante" (para falarmos na linguagem apropriada ao formalismo). Como posso, portanto, formular a minha pergunta? Se sou instrumento de um aparelho (doravante chamado "estrutura"), e se esse aparelho é para mim a totalidade dentro da qual funciono, como posso ultrapassar essa totalidade para de lá considerá-la? O problema é característico da atualidade e confunde-se com o problema da língua. O aparelho como estrutura da totalidade é, como sabemos atualmente, a língua, e os computadores o comprovam vivencialmente. Será, portanto, discutido esse problema quando a atualidade for o tema. Para o presente estágio do argumento basta dizer que posso ultrapassar o aparelho e, portanto, posso escrever este livro, porque o aparelho funciona mal e abre, nas suas falhas, janelas pelas quais lhe escapo. As falhas do aparelho do qual sou funcionário são as minhas oportunidades para a rebelião contra ele, e este livro é a tentativa de aproveitar uma dessas oportunidades.

Confessado o problema metodológico, e feita a tentativa de enfrentá-lo, procedo. A tendência dos instrumentos vitorianos para a formação de aparelhos, e a inclusão paulatina do homem nesse processo tendente para o aparelho, podem ser observadas de muitos pontos de vista. Creio que a geografia oferece a plataforma mais conveniente para uma primeira visualização da cena. Vistos assim, apresentam-se os aparelhos em formação como formações geográficas chamadas "metrópoles em crescimento". No Ocidente europeu e no oriente dos Estados Unidos começam a surgir essas formações como continuações aparentes das grandes cidades do romantismo. Transformam assim o Atlântico Norte em lago interior de aparelhos. As metrópoles vitorianas distinguem-se das grandes cidades românticas, das quais surgiram, pelo seu funcionamento. As cidades românticas são lugares geométricos de instrumentos não coordenados. São arquipélagos de indústrias, nos quais as ilhas industriais são ainda banhadas pelas águas da natureza. As metrópoles vitorianas são instrumentos coordenados em aparelhos, e o conjunto dos aparelhos é chamado "parque". São, com efeito, parques industriais, e os parques aparentemente naturais que se localizam nessas metrópoles são aparelhos cujos instrumentos são plantas. O pensamento biologizante compara as metrópoles a organismos. Chama de aparelho muscular o parque das indústrias transformadoras, de aparelho nervoso o parque das indústrias de comunicação e de propaganda, de aparelho cerebral o parque das indústrias de administração e de cultura, e de aparelho respiratório o parque das plantas. Mas essa biologização da metrópole é problemática, e o termo "aparelho" desvenda a problematicidade. As metrópoles não são organismos no sentido romântico do termo. Inversamente passaram os organismos (como corpos das plantas, dos animais e humanos) a ser vivenciados como conjuntos de aparelhos. O pensamento biológico sofreu uma mutação que o transfere para outro nível de significado.

A contemplação da metrópole permite uma hierarquização da cena. Antes de ensaiá-la é importante distingui-la das hierarquias do passado. A hierarquia feudal, estrutura da Idade Média, obedecia ao critério do significado transcendente, e a sua meta era o estabelecimento da autoridade. Essa hierarquia foi destruída pelo Renascimento. A hierarquia barroca obedecia ao critério da clareza e da distinção, e a sua meta era o estabelecimento da razão pura. Essa hierarquia foi destruída pelo romantismo. A hierarquia que se estabelece com a época vitoriana obedece ao critério da função, e a sua meta será o estabelecimento da especialização do funcionamento. O ideal da hierarquia feudal é o senhor, o ideal da hierarquia barroca é o cientista puro, o ideal da hierarquia vitoriana é o funcionário especializado. A meta do senhor é a salvação, a meta do cientista puro é o conhecimento total, a meta do funcionário especializado é a aposentadoria. Trata-se, no fundo, de três concepções do paraíso. Já que a aposentadoria como meta derradeira torna-se óbvia apenas na atualidade, relego a sua discussão para quando a atualidade for o meu tema, e passo a descrever a hierarquia vitoriana.

A metrópole pode ser encarada como aparelho que funciona no geral da economia capitalista, portanto como a maneira pela qual a vontade da economia chega ao poder na forma do aparelho. Essa visão einsteiniana é levemente anacrônica no presente contexto, já que Einstein será tema do capítulo seguinte. Mas recorro a esse anacronismo para evitar uma visão newtoniana da hierarquia a ser descrita. Esse aparelho que é a metrópole acha-se imerso num oceano de uma economia alheia, chamado "agricultura". Na época vitoriana a agricultura não foi ainda chupada para dentro do vórtice que tende para o aparelho. Na metrópole podemos distinguir diversos parques que são bolsões no vórtice geral do superaparelho e funciona em função do superaparelho. Os mais importantes dentre esses parques são o parque da transformação e indústria, o parque da pesquisa e da programação, o parque da comunicação e da propaganda, o parque da administração e da regulamentação, e o parque da recreação e da cultura. Os parques são instrumentos da metrópole, mas consistem, por sua vez, em instrumentos chamados "empresas", ou "institutos", ou " repartições", de acordo com a terminologia do parque em função da qual funcionam. Os parques estão empenhados em lutar pela sobrevivência entre si, mas, embora os parques da pesquisa e da administração tendam para a vitória, e embora o parque da administração alcance essa vitória precariamente no nazismo e no stalinismo, a luta é, na época vitoriana, indecisa. Também as entidades que são instrumentos dos parques apresentam-se como aparelhos em luta fratricida. A luta que as empresas travam entre si é justamente o que o romantismo chamava de "concorrência livre", sem, obviamente, poder prever a sua estrutura vitoriana. O *laissez-faire* e o *laissez-aller* desvendam-se agora como a permissão de fazer e ir em direção ao superaparelho. A luta entre os institutos e repartições é um aspecto de hierarquia vitoriana não previsto pelo capitalismo romântico, mas previsto pelo socialismo como uma "emulação socialista". Também esta luta está projetada no funcionamento do superaparelho.

As entidades como empresas, institutos e repartições, instrumentos dos parques, são, por sua vez, aparelhos que consistem em instrumentos. A hierarquia que estrutura esses instrumentos subalternos é mais nítida que aquela que reina nas esferas superiores. Embora as entidades em funções das quais os instrumentos funcionam tendam para o gigantismo, e embora, portanto, a hierarquia nelas tenda a desfraldar-se pelo princípio da especialização, conserva sempre a sua estrutura. Nesse sentido, podemos fornecer uma medida do "progresso" a partir da época vitoriana. A tendência para o aparelho progride, à medida que instrumentos que funcionam em função das entidades se especializam. Nos países desenvolvidos tendem a desaparecer os instrumentos não especializados, inclusive os instrumentos humanos. A época vitoriana se distingue da nossa estruturalmente pelo grande substrato de instrumentos não especializados sobre o qual os aparelhos repousam. Esse substrato forma a base da hierarquia vitoriana, aquilo, portanto, que era então chamado, na sua forma humana, "proletariado". Por cima dessa camada um tanto amorfa, portanto também conhecida por "massa", assentavam os instrumentos especializados, chamados, na sua forma humana, de "empresários" e "empregados de colarinho-branco" por estes próprios instrumentos, e de "capitalistas" e "lacaios do capitalismo" pelos porta-vozes do proletariado. Importante notar que nem empresários nem proletariado se davam conta, na época vitoriana, da sua qualidade de instrumentos. Tomavam-se ainda por homens, no significado arcaico do termo, embora a vivência cotidiana já começasse a desmentir esse pressuposto. A transformação do homem em funcionário já começava a operar-se.

Essa transformação tinha, no entanto, outra significação ainda, cujo impacto marcará a época da atualidade. Para a época vitoriana a luta entre os instrumentos dentro da hierarquia das empresas, dos institutos e das repartições apresentava-se como "luta de classe", portanto como luta entre instrumentos humanos. Tratava-se de reformular a hierarquia humana das entidades. Mas no projeto do aparelho outra luta, mais significante, estava prefigurada. Trata-se da luta entre o instrumento humano e o instrumento não humano. Comparada com essa luta, perde a luta de classes todo o significado. Ao ter sido transformado em instrumento, foi transferido o homem do palco estritamente darwiniano para outro, no qual é chamado a lutar pela sobrevivência com outro tipo de instrumento. E torna-se óbvio, quanto mais progride a tendência para o aparelho, que o homem é uma espécie de instrumento menos bem-adaptado para essa luta. Os instrumentos não humanos tendem a eliminar os instrumentos humanos do aparelho, portanto da totalidade da realidade. Os instrumentos não humanos funcionam melhor, e essa sentença valorativa equivale a uma sentença condenatória do homem no mundo do aparelho. Tendo esse fato como pano de fundo, está se tornando óbvio atualmente que a luta de classes é anacronismo. Já era anacronismo na época vitoriana, já era então, com efeito, remanescente do romantismo. Mas o processo não tinha, então, evoluído o suficiente para evidenciar o fato. Em outras palavras: o aparelho não tinha desvendado o super-homem.

Por que funcionam os instrumentos não humanos melhor que os humanos? E por que funcionam os instrumentos humanos tanto melhor quanto mais copiam o funcionamento dos não humanos (como o prova Eichmann)? Esta é uma das perguntas fundamentais e existencialmente mais significantes que paira sobre a humanidade ocidental a partir da época vitoriana. Ensaiarei uma resposta, embora tenha que recorrer novamente a um anacronismo, dessa vez ao freudiano. (Também Freud será tema do capítulo seguinte.) Direi que os aparelhos não humanos funcionam melhor (são mais "eficientes"), porque não estão inibidos. E direi que a transformação que se opera no homem, a transformação em instrumento de um aparelho, é no fundo a tendência de suprimir inibições humanas. Discutirei, portanto, agora levemente o conceito da inibição, embora reserve uma discussão mais apurada do conceito para o capítulo seguinte.

A "inibição" é um termo recente, mas como consciência (no sentido do termo inglês *"conscience"*) é um conceito antigo. As atividades e os pensamentos humanos são acompanhados, em surdina, pela voz da consciência que os aprova ou reprova. Podemos, é óbvio, procurar explicar esse fato de diversas maneiras. A Idade Média explicava, por exemplo, a consciência como a revelação da voz Divina no interior da alma. O termo "inibição" é, com efeito, a tradução do termo "consciência" para um determinado discurso explicativo que é a psicologia da atualidade, e que fornece uma explicação diversa daquela dada pela Idade Média, ou mesmo daquela dada pelo Iluminismo. A transvalorização nietzschiana dos valores transferiu a consciência (doravante chamada "inibição") para o outro lado da escola. De um Bem passou para o Mal a inibição, e o progresso tende a eliminá-la. Embora essa transferência se torne óbvia apenas no freudismo, já está claramente implícita em Nietzsche. A inibição freia a vontade na sua tendência para o poder, e é, portanto, um valor negativo para a "vida" na concepção nietzschiana do termo. A moral dos escravos é uma moral baseada na inibição, e o "ressentimento" é o mecanismo pelo qual o escravo reprime a sua vontade para inibir-se. A moral dos senhores é uma moral desinibida. É claro, portanto, que a inibição é um mal a ser superado.

A inibição é um elemento perturbador do pensamento e comportamento. Introduzindo, como introduz, um critério alheio ao processo finalista e instrumental que é o pensamento e comportamento, freia a eficiência desse processo. Se pudéssemos eliminar a inibição do processo do pensamento e comportamento, teríamos criado as condições para um funcionamento eficiente do homem. Todas as virtualidades nele dormentes, isto é, toda a sua vontade para o poder, poderiam desfraldar-se livremente. Com efeito, o homem desinibido seria o super-homem. Mas deixaria de ser homem no sentido medieval do termo, porque tendo aberto mão da consciência, teria perdido a sua alma. E deixaria, inclusive, de ser homem no sentido cartesiano do termo, porque teria perdido a capacidade para a dúvida, que é o critério cartesiano da coisa pensante. A dúvida, quando analisada existencialmente, revela ser a situação na qual se encontra o homem colocado diante de alternativas divergentes. E as alternativas divergem, porque a inibição entra em conflito com a vontade. É possível que existam outros tipos de dúvida, e estes não serão atingidos quando a inibição estiver eliminada. Mas o tipo mencionado me parece ser o fundamental existencialmente. Somos, portanto, conduzidos à conclusão seguinte: quando a dúvida estiver eliminada de pensamento e comportamento, surgirá um novo tipo de pensamento e comportamento, e esse novo tipo será vivenciado por nós, que ainda somos homens, isto é, seres inibidos, como um pensamento e comportamento cretino. Surgirá um novo tipo de inteligência, que para nós será desinteligente. E surgirá um novo tipo de comportamento, que para nós será maníaco, porque totalmente eficiente. Nós, da atualidade, temos a vivência clara e imediata desse novo tipo de inteligência, já que se realizou nos computadores. E temos a vivência clara e imediata desse novo tipo de comportamento, já que se realizou nas máquinas autorizadas. O nosso desespero diante da inteligência cretina do computador, e diante do comportamento monomaníaco dos autômatos, é uma confissão da nossa impotência diante do super-homem. É uma prova que já estamos abandonando a nossa luta contra os instrumentos não humanos, porque somos incapazes (pelo menos até agora) de nos tornarmos desinibidos. Mas na época vitoriana essa luta se esboçava apenas.

Os instrumentos não humanos, por serem desinibidos, são cretinos e eficientes, e funcionam melhor dentro dos aparelhos. Os instrumentos humanos servem apenas provisoriamente naqueles lugares dos aparelhos nos quais instrumentos não humanos ainda não se desenvolveram, e como pontos nos quais instrumentos não humanos se realizam nos humanos. Na atualidade rareiam os lugares não ocupados pelos instrumentos não humanos, e está surgindo a possibilidade de esses instrumentos serem gerados por outros instrumentos. Mas na época vitoriana os instrumentos humanos eram ainda indispensáveis para o funcionamento dos aparelhos e como geradores dos instrumentos não humanos.
Com efeito, na época vitoriana tinha o homem enquanto instrumentos ainda uma meta nítida na vida: funcionar dentro do aparelho e produzir instrumentos. Era uma meta suicida, e muitos já sabiam desse fato. Não obstante, era meta. Justamente nisso residia o castigo que tinha se precipitado sobre a humanidade ocidental: ter no suicídio a única meta. A humanidade achava-se, já agora, enquadrada no aparelho das metrópoles, empenhada no trabalho suicida que aumentava a potência do aparelho, e esta era a sua meta de vida. Triturada assim por entre as rodas e alavancas do aparelho, reagia de maneira variada. Considerarei algumas dessas maneiras.

Disse, no início deste capítulo, ao considerar os aspectos sociais da cena, que, desconsiderando o camponês (este anacronismo medieval), havia duas "classes": a burguesia e o proletariado. Reformulando agora essa classificação, posso chamar a burguesia como aqueles instrumentos humanos que funcionavam em todos os parques da metrópole, e que ocupavam os lugares mais elevados da hierarquia do parque industrial; e posso chamar o proletariado como aqueles instrumentos não especializados, e semiespecializados sobre os quais o parque industrial assentava. A vivência do aparelho era, portanto, ligeiramente diferente entre a burguesia e o proletariado, embora ambas classes já tenham se tornado vítimas virtuais do aparelho. Para o proletariado era o aparelho o inimigo, porque se encontrava "nas mãos" da burguesia. Era preciso arrancá-lo dessas mãos (ilusão ingênua), para que se transformasse em instrumento do proletariado. Para a burguesia a complexidade e a potência super-humana do aparelho eram bem mais óbvias, e tratava-se de não "perder o controle" do aparelho. Se, portanto, o proletariado reagia de maneira ingênua ao aparelho, reagia a burguesia de maneira fictícia, procurando manter a ficção do controle. Como a cultura vitoriana é uma cultura burguesa, marca essa ficção o estilo vitoriano. Desse estilo tratarei em seguida, e relego a reação proletária ao aparelho para um contexto futuro.

Como já disse devemos distinguir na burguesia duas camadas: a grande e a pequena burguesia.

A essas duas camadas correspondem duas culturas: a cultura do *nouveau riche*, e a cultura do *kitsch*, ou reformulando: a cultura da pretensão grandiosa, e a cultura da conversa fiada. Para dar dois exemplos: a cultura do *nouveau riche* é exemplificada pelo castelo pseudogótico no qual reside o fundador das indústrias, e a cultura do *kitsch* é exemplificada pelas frutas tropicais de cera que adornam os lares da pequena burguesia. Entre esses dois extremos (que são irmãos gêmeos na sua inautenticidade), procura articular-se a arte e a cultura autêntica da época vitoriana como reação ao aparelho. E nessa tentativa, que é uma luta desesperada contra essas duas frentes e contra o inimigo comum, encontraremos os primeiros indícios de uma superação do aparelho. Reservarei a discussão do estilo autêntico vitoriano para o tópico seguinte. Como o leitor sabe, esse estilo é chamado, nas histórias da arte, "impressionismo", que é um termo altamente sugestivo da função da arte na época vitoriana. Mas o estilo inautêntico, a cultura do *nouveau riche*, e do *kitsch*, não é uma revolta contra o aparelho, como o é o impressionismo, e a sua função não é, portanto, antifuncional, mas um movimento do próprio aparelho. Esse movimento, esse retorcer-se do instrumento humano dentro da engrenagem do aparelho, será o tema das considerações seguintes.

Devo recorrer, nessa tentativa de esboçar o estilo de vida vitoriano, à terminologia do existencialismo. Recorro, portanto, a um terceiro anacronismo.

O pensamento existencial (como Einstein e Freud) é um desenvolvimento tardio do pensamento vitoriano. Como Einstein e Freud, representa uma variação dos temas nietzschianos. Mas sendo tentativa de analisar a situação vitoriana, é a sua terminologia apropriada para os fins que tenho agora em mente. Pois a terminologia existencial traduz os termos nietzschianos "senhor" e "rebanho" pelos termos "existência decidida" (*"entschlossen"*) e *"man"* ("a gente"). Como toda tradução, também esta altera o significado dos termos primitivos, não apenas pelas conotações novas que aderem aos novos termos, mas também pelo contexto novo no qual aparecem. Redefinirei, portanto, o termo "a gente", essa tradução do rebanho nietzschiano. "A gente" é aquela forma de estar aqui que não está decidida e aberta (*"entschlossen"*) para a morte. A definição é de captação difícil para leitores desacostumados à terminologia do existencialismo. O estilo funcional, no qual a definição está vazada, ainda não penetrou todas as camadas da nossa conversação, e muitos ainda recorrem, atualmente, ao estilo vitoriano. Para o benefício daqueles que ainda participam da terminologia vitoriana, reformularei a minha definição, sacrificando diversos refinamentos nessa tentativa: a gente é aquela massa que habita as metrópoles e que faz de conta que tem coisa melhor a fazer do que pensar na morte. Pois é esta gente que é portadora do estilo de vida vitoriano, e esta coisa que esta gente pretende fazer melhor é a chamada cultura vitoriana.

Toda a Idade Moderna é a tentativa de negar a morte, essa morte que se tornou o único assunto autêntico da humanidade ocidental depois de perdida a fé na imortalidade. Nesse sentido, é toda a Idade Moderna um estilo de vida da "gente". Mas essa tentativa de negar a morte era, até agora, banhada em clima de aventura ou de desespero. A humanidade ocidental procurava negar ou ignorar a morte pelo mergulho na aventura que o mundo extenso oferecia (embora dubiamente), ou pela fuga gloriosa nas diversas direções românticas (embora suspeitas). Mas agora o clima mudou, e a tentativa de negar a morte se passa no tédio do eterno retorno. O tédio é o clima vitoriano, o tédio da fábrica, o tédio da família, o tédio da repartição, e o tédio do domingo. É o tédio sofisticado da alta burguesia que pretende com suas atitudes *blasés* copiar a aristocracia, e é o tédio entorpecente da pequena burguesia que pretende com suas atitudes moles demonstrar que não é proletariado. Em suma: é o tédio do aparelho. Se tomarmos, portanto, o tédio como o critério da inautenticidade e da forma "a gente" do estar aqui, é apenas na época vitoriana que surge o estilo de vida e a cultura da "gente". E uma breve consideração da cena vitoriana comprovará que o tédio é um critério altamente significante.

Que é tédio, no fundo? É a sensação imediata e concreta de não se estar vivendo. O tédio é a suspensão da vida. No tédio o tempo não passa, mas marca passo. É o *nunc stans* medieval virado do avesso. No tédio é vivenciada a face infernal da eternidade. Mas é importante notar que o tédio não é inatividade. No tédio o tempo não passa, mas igualmente não para. Marca passo. A forma mais característica do tédio não é vivenciada nos momentos de inatividade, nos quais a gente fita o abismo do nada em face da gente e dentro da gente. A forma mais característica do tédio é vivenciada nos momentos quando a gente funciona. É quando a gente aperta parafusos, ou arquiva documentos, ou participa dos chás das cinco, que ressoam no ouvido da gente os passos surdos e tediosos que o tempo marca. Com efeito, o tédio da inatividade não passa de variante do tédio funcional, e a inatividade não passa de uma fase do funcionamento. E isso significa que funcionar é não estar vivendo, e que o tédio é a comprovação imediata e concreta desse fato.

A gente não vive, e o seu tédio o prova. Mas com esta afirmativa estamos abandonando o conceito romântico da vida. Como posso dizer que a gente não vive? Acaso não está se alimentando, e alimentando muito mais que em épocas passadas? Acaso não está se propagando, e propagando muito mais que em épocas passadas? Acaso não está concorrendo com outros instrumentos (humanos e não humanos) e concorrendo muito mais obviamente que em épocas passadas? Acaso alimentar-se, propagar-se e lutar não são os sintomas da vida? Não são estes os sintomas da vontade? Não são estes os movimentos da albumina? O tédio prova, de maneira imediata e concreta, que o conceito romântico da vida é falso. Que pode haver um alimentar-se que não é faminto e guloso, mas que deixa o gosto de mata-borrão na boca, e que esse tipo de alimentar-se não é um sintoma da vida. Que pode haver um procriar que não é estático e aventuroso, mas repetitivo e programado, e que esse tipo de procriar não é um sintoma da vida. Que pode haver uma luta que não é violenta e perigosa, mas funcional e automática, e que esse tipo de luta não é sintoma da vida. E que esses movimentos todos de uma vida *Ersatz* resultam em cultura *Ersatz*, que não é articulação de exuberância, mas confissão à vacuidade. E tudo isso prova, negativamente, que vida é algo totalmente diferente, algo perdido e esquecido pela gente, e que esse algo nada tem a ver com vontade, mas com fé e com imortalidade.

A cultura *Ersatz*, produto do tédio e tentativa de matar o tempo para não pensar na própria morte, é a cultura vitoriana. A alta burguesia, consumidora de *obras* dispendiosas, procura matar o tempo com coisas modernas. A pequena burguesia, mais apegada à poupança, procura matar o tempo com coisas de *luxo*. "Moderno" e "luxuoso", "moda" e "luxo", são, portanto, os termos centrais da cultura vitoriana. A cultura é moda, e a cultura é luxo, e isso significa que a cultura se alienou da vida. É preciso, portanto, analisar o significando desses dois termos.

Definirei a moda como o comportamento das camadas sociais que se encontram, num dado momento histórico, na ponta do processo de desenvolvimento, e o qual é elevado a padrão de comportamento das camadas mais baixas. Dessa maneira penetra a moda a hierarquia social em sentido inverso do progresso. A moda é, portanto, a variante vitoriana do *Zeitgeist* hegeliano, e "moderno" é o termo vitoriano que corresponde ao termo romântico "progressista". É óbvio que a tradução de termos românticos para o discurso vitoriano acarreta uma mudança de significado. O progresso é, para o pensamento vitoriano, um processo fútil, já que tende para o eterno retorno nietzschiano. A moda é, portanto, o aspecto fútil do *Zeitgeist*, e o homem moderno é um progressista consciente da sua futilidade. Uma cultura como moda é futilidade. Definirei o luxo como o conjunto de produtos sem finalidade para o funcionamento de um aparelho, portanto como conjunto de produtos fúteis para um aparelho. O mecanismo da poupança paulatina (discutido no capítulo anterior) garante que os aparelhos superproduzam, e os superprodutos transbordam para o campo do supérfluo que é o campo do luxo. A cultura como luxo é supérflua e fútil.

Reconsiderem as duas definições propostas. A moda como comportamento das camadas sociais mais "avançadas" parece querer apontar o além do aparelho, desde que mantenhamos a ficção do controle do aparelho por essas camadas. A cultura como moda parece superar o aparelho. O luxo como conjunto de produtos sem finalidade para o funcionamento de um aparelho parece querer apontar para o além dele, já que produtos de luxo não parecem ser instrumentos. A cultura como luxo parece superar o aparelho. Mas não é o que acontece na realidade. A moda é uma vontade para o poder que supera os aparelhos existentes num dado momento histórico para resultar em novos aparelhos. A moda chega ao poder na forma de novos aparelhos. Modernizar significa criar novos aparelhos. O luxo é o horizonte dos aparelhos no qual novos aparelhos se cristalizam. Os produtos de luxo são instrumentos de aparelhos *in statu nascendi*. Por um período transitório esses aparelhos em formação são vivenciados como "indústrias de luxo", mas depois de enquadrados no superaparelho, são vivenciados como "indústrias de base". A transformação gradativa de luxo em necessidade é chamada "elevação do standard da vida". É uma medida do progresso, porque mede a tendência para o aparelho. A cultura como moda e como luxo é o campo de formação de novos aparelhos, no qual a futilidade do progresso é vivenciada corretamente pelo tédio, esse motivo da cultura. Não é por esta cultura inautêntica da gente que o homem-instrumento escapará ao aparelho. Pelo contrário, será por ela ainda mais solidamente enquadrado.

A moda das camadas superiores é o luxo das camadas inferiores. O que é moda para aquela gente que pretende controlar os aparelhos é luxo para aquela gente que pretende dispor de poupança que a distingue do proletariado. O castelo gótico do capitão de indústrias é moda (ou está na moda), porque pretende provar que o capitão não é capitão (isto é, instrumento), mas é aristocrata (isto é, está no além do aparelho). A maçã de cera do contador é um luxo, porque pretende provar que o contador não é apenas contador (instrumento), mas que ultrapassa, pela futilidade, o aparelho. O castelo gótico, ao penetrar a hierarquia vitoriana no sentido inverso ao desenvolvimento, transforma-se em maçã de cera. A fealdade repulsiva que marca todos os produtos dessa cultura vitoriana para nós, os atuais, e que põe a sua estampa sobre as metrópoles vitorianas todas, é sintoma da sua inautenticidade. Tudo isso não passa de uma pretensão da gente de não ser instrumento, e essa pretensão é consequência do tédio que prova o fato de que ser instrumento significa não estar vivendo. A pseudocultura vitoriana é um *Ersatz* de vida.

O nojo que nos causa é sintoma que nós, os atuais, não somos mais vitorianos. Enfrentamos o tédio como tal, e isso nos causa nojo. Mas esse nojo que nos caracteriza tanto quanto o tédio caracteriza os vitorianos é tema de argumentos futuros.

Uma profunda modificação ontológica opera-se na época vitoriana, no ser do homem. Essa operação transforma o homem em instrumento mal-adaptado para a luta com outros instrumentos. O estilo de vida vitoriano (a sua cultura) é uma pretensão para a negação dessa transformação profunda. Na época vitoriana o homem ainda não se conforma com a sua sorte. A de ser transformado em instrumento, o qual, dada a sua inibição, é relegado pelo progresso a instrumento supérfluo e a humanidade toda em mero luxo dos aparelhos, em mera moda passageira do desenvolvimento. A gente, que é uma nova forma de humanidade que surge como subproduto dos aparelhos, é o refugo triturado da humanidade amontoado naqueles depósitos de lixo chamados "metrópoles vitorianas". O estilo de vida é o estilo do comportamento do lixo. A cultura vitoriana é a tentativa de negar o status de lixo, mas uma tentativa inautêntica, porque não rebelada. Mas uma rebelião autêntica se esboça. Dela tratará o tópico seguinte.

3.1.4. OPERADOR

Todo o meu argumento neste capítulo tem sido instrumental e instrumentalista. Esse caráter programático do meu argumento, que é uma tentativa de captar a estrutura do pensamento vitoriano, me dispensa, creio, da necessidade de discutir a filosofia anglo-americana, a filosofia na qual o verbo auxiliar *"to do"* domina. Creio que a exposição do pensamento nietzschiano serve como padrão do meu argumento. Mas à margem dessa estrutura fundamental do pensamento vitoriano está surgindo outra. Um novo tipo de pensamento está se formulando naquela parte da humanidade que ainda não foi inteiramente englobada pelo aparelho. É um grito de rebelião contra a tendência do progresso, exemplificado pelos aparelhos vitorianos e pela cultura vitoriana. Esse novo tipo de pensamento é chamado, nas histórias da arte, "impressionismo". Mas o seu significado ultrapassa de longe o campo da arte. Embora talvez seja mais fácil atacar o problema oferecido pelo impressionismo a partir do campo da arte, e embora este seja, portanto, o método escolhido neste argumento, é o impressionismo um prenúncio da nossa própria mentalidade toda. Será, pois, tendo isso em mente que procurarei expor a sua estrutura e o seu significado.

A pergunta "por quê?" inicia um discurso causal cujo significado é a explicação do perguntado. A pergunta "para quê?" inicia um discurso finalístico cujo significado é a modificação do perguntado. O pensamento mecanicista é o exemplo mais evoluído do primeiro tipo de discurso. O pensamento instrumentalista é o exemplo mais evoluído do segundo tipo de discurso. Mas há outros tipos de perguntas, que iniciam outros tipos de discursos com outros tipos de significado. Uma análise formal do pensamento dos gregos, ou dos judeus, ou dos medievais, revelaria as perguntas, a estrutura e o significado desses discursos. A história da Idade Moderna é a história dos dois discursos mencionados, e procurei mostrar, no curso deste argumento todo, que as perguntas "por quê?" e "para quê?" são, no fundo, um desviar da atenção e, portanto, do curso do discurso. E que a última resposta dada pelo Ocidente a essas perguntas, a saber, a resposta "a fim de fazer", representa uma rendição ao próprio declive do discurso finalístico, que se torna automático no seu progresso. Se o problema da humanidade ocidental for formalizado dessa maneira, apresenta o seguinte aspecto: dada a automaticidade do discurso finalista, e dada a sua ulterior falta de significado, como é possível ao pensamento escapar ao seu declive? Com efeito, esta pergunta é, de um ponto de vista formal, a pergunta fundante da atualidade. É uma pergunta que demanda não algo externo ao discurso, mas a própria estrutura do discurso. É ela uma rebelião contra a estrutura mesma do pensamento ocidental, uma rebelião que procura penetrar as próprias estranhas da realidade (que é a mesma coisa pensante duvidosa). No instante sob consideração (1889), são feitas as primeiras tentativas de formular esta pergunta pelos matemáticos e pelos lógicos, e cito, como exemplos, os nomes de Frege e Peano. Trata-se, nesta tentativa de desvendar a estrutura do discurso, de uma tentativa de explodir essa estrutura e passar para um pensamento não discursivo. Mas essas formulações puras do problema são ainda embrionárias e irromperão na superfície da cena mais tarde, e o farão de duas formas: a husserliana e a wittgensteiniana. São impressionistas, sem dúvida, essas tentativas (e direi logo mais o que entendo por "impressionista"), mas não são características do impressionismo de 1889. A formulação característica da pergunta fundante pela estrutura do pensamento é ensaiada em 1889, no campo da arte e, mais especificamente, no campo da pintura. É para esta formulação que chamo a atenção dos leitores.

Os empiristas do Iluminismo concebiam a mente como *tabula rasa*, sobre a qual algo se imprimia. Na sua mecanicidade concebiam os empiristas essa cosmovisão não como processo, mas como maquinismo. A mente como chapa sobre a qual a realidade se imprimia. Essa cosmovisão resultou, obviamente, em ceticismo. A mente nada sabe, porque existe *a posteriori*. Os juízos por ela formulados são impressões passivas. Nada prevê a mente. Este é, com efeito, o fim do discurso causal: não há causa. Aquilo que tomamos por causa é um erro do *post hoc, ergo propter hoc*, portanto um defeito na estrutura do discurso. Kant e o romantismo têm essa derrocada do pensamento causal como ponto de partida. Que acontece se retomarmos o empirismo iluminista em novo contexto, no contexto instrumentalista? Que acontece se concebermos a sua cosmovisão não como mecanismo, mas como processo? Não resultará isso em nova derrocada, desta vez em derrocada do pensamento finalista? Não demonstrará que aquilo que tomamos por finalidade é um erro? Que não há finalidade? Não abriremos campo para um novo Kant, mas dessa vez muito mais radical que o primeiro? Essa retomada do empirismo iluminista em contexto instrumentalista é o impressionismo.

Helmholtz, um dos últimos cientistas newtonianos e figura de transição para a ciência da atualidade, sentia que era no campo da óptica e da termodinâmica que a física newtoniana mais se demonstrava falha. Kantiano convicto, procurava aplicar a epistemologia kantiana aos fenômenos observados. Surgia assim, das suas experiências, a primeira intuição nebulosa do campo eletromagnético einsteiniano. O aspecto óptico dessa visão nebulosa helmholtziana apareceu, pela primeira vez, nas telas do salão dos recusados pela pintura. O que se via, nessas telas, era a luz como campo. Que era a pintura até agora, e por que recusou ela essas telas? A pintura era, até agora, uma manipulação de tintas sobre telas em busca da imortalidade, e essa imortalidade era buscada pela criação de modelos do criador sobre a tela. Esses modelos eram, no barroco, máquinas subjetivas, e depois da Revolução Industrial eram meras cópias "acadêmicas" dos modelos barrocos. Com a Revolução Industrial a pintura tinha entrado em crise, porque o pensamento finalista, dinâmico e inserido no fluxo histórico não se articulava apropriadamente no espaço fixo da tela. As artes do romantismo são as artes do tempo, como a música, a poesia e o romance. A pintura acadêmica recusava as telas impressionistas, porque ameaçavam não serem discursivas. Não surgiam elas de perguntas do tipo "por quê?" (do qual surgiam ainda, anacronicamente, as telas acadêmicas), nem de perguntas do tipo "para quê?" (do qual surgiam as outras obras de arte). Com efeito, essas telas novas não pareciam ter surgido de qualquer tipo de pergunta. Não tinham, portanto, significado, a não ser que seu significado sejam as telas mesmas. Eram *nonsense*, e por isso mesmo a serem recusadas.

PÁG. 91

Para nós da atualidade é difícil recaptar os motivos da recusa vitoriana. Postos ante um quadro de Monet, e acostumamos que estamos à pintura abstrata, só percebemos o seu significado externo, o seu "assunto". Para nós, Monet é discursivo. Mas na época a qualidade radicalmente nova dessas telas, a qualidade da revolta contra o discurso, era pensamento sorvível. Tratavam essas telas *de rerum novarum* (para recorremos a um título de uma encíclica vitoriana), a saber: do campo. É preciso aprofundar um pouco esse pseudoassunto das telas que é o campo.

Três conceitos dominam o pensamento atual: o da estrutura, o da função e o do campo. É curioso observar que não é possível definir um desses conceitos sem recurso aos dois outros. Formam um círculo dentro do qual o nosso pensamento gira. Dentro desse círculo o campo pode ser concebido como a estrutura virtual na qual funciona algo. O campo de trigo antes da semeadura é uma estrutura, porque está informado por sulcos. É virtual, porque não ocorreram nele sementes. Mas se sementes ocorrerem, funcionarão como instrumentos do campo em obediência à sua estrutura. Concebemos, nós os atuais, o mundo da natureza e do pensamento como campos que se cruzam. Num esforço de imaginar o concebido podemos dizer que o nosso mundo consiste em campos de trigo sem trigo que se cruzam. Este é o característico do nosso mundo: é concebível como campo, mas é inimaginável, como o fracasso do meu exemplo o prova. Vivemos em mundo concebível, mas inimaginável. Isso nos distingue de outras idades que viviam em mundos imagináveis e imaginados, mas inconcebíveis. Pois o impressionismo vitoriano é a primeira tentativa do pensamento ocidental de imaginar o mundo concebível. Nesse sentido, é o campo o seu assunto. E por ser o campo mera virtualidade, é o assunto do impressionismo um pseudoassunto.

O campo do qual trata a pintura expressionista é o campo da luz, aquele campo que estrutura cores e formas. Cores e formas são as funções desse campo. O que aparece nas telas recusadas pela época vitoriana é a estrutura do campo da luz como cores e formas. Aparece, em outras palavras, o aparelho (o campo), a sua hierarquia (a estrutura) e os seus funcionários (as cores e formas). É verdade que tudo isso ainda não está evidente, porque o impressionismo vitoriano não pinta os campos de trigo no momento anterior à semeadura, mas no momento da colheita. O trigo com suas hastes e espigas ainda obstrui a visão do campo. Ainda aparecem nas telas corpos e histórias, remanescentes do pensamento barroco e do romantismo. Mas esses corpos e essas histórias já não interessam. Não são textos das telas, mas pretextos. Esses pretextos têm ainda estrutura discursiva. Mas o verdadeiro texto, o campo, não discorre. Nada narra, nada conta, nada explica e nada manipula. A tela, cujo pseudoassunto é o aparelho (o campo da luz), não participa do discurso do aparelho. Está no além dele. O aparelho é apenas a impressão que a tela recebe. O aparelho é algo que se imprime sobre a tela e impressiona a tela. É imprimente e impressionante. Mas a tela não está nele, e o fato de ela não discorrer o prova. O aparelho é um processo discursivo, do qual a tela não participa. A tela conseguiu tirar o corpo ao se ter transformada em mera chapa de impressões externas. A tela se transformou em espelho do aparelho. E nesse espelho vemos o aparelho de fora. A tela nos fornece uma visão externa do aparelho. Vemos o aparelho não como conjunto de instrumentos do qual participamos na qualidade de funcionários, mas vemos o aparelho como campo. Temos, portanto, uma visão concreta da futilidade do aparelho.

Wittgenstein analisará essa visão espelhadora e especuladora do aparelho como campo, e chamará o campo de *"Sachverhalt"* e o espelho de *"língua"*. Wittgenstein analisará a visão impressionista. Mas os pintores de 1889 não são analistas, são operadores. Estão na fase do fazer no processo que demanda o aparelho, e não ainda na fase do eterno retorno. Estão empenhados em operação, em intervenção cirúrgica, na extração do eu. Nessa intervenção dolorosa, nessa "egoectomia" violenta, retiram o eu do aparelho e o transformam em espelho. E o eu transformado em espelho transforma o aparelho em impressão, portanto em algo superável. E nisso reside a diferença entre empirismo iluminista e impressionismo vitoriano: para o empirismo tudo é impressão, para o impressionista a impressão é nada. E esta é, no fundo, a operação revolucionária dos rebeldes vitorianos: ao terem extraído o eu do aparelho, abriram o campo para o nada. É na clara noite da angústia do nada, como dirá Heidegger, que as coisas (isto é, o aparelho) se mostram. Nessa abertura para o nada, cujas primeiras fendas se abrem nas telas impressionistas, reside a esperança para a superação do aparelho. A operação cirúrgica que se inicia com o impressionismo é sintoma de penitência da humanidade: começa a perceber o progresso como crescimento canceroso a ser removido.

Mas essa visão cancerosa da tendência para o aparelho é recalcada pela época vitoriana. As telas impressionistas são recusadas. Englobado pelo aparelho, contorce-se o homem transformado em instrumento, e a humanidade transformada em gente, para que alcance o poder o super-homem. O castigo progride inexoravelmente. Já estão sendo retorcidos os arames, e já estão sendo afiadas as farpas, que estruturarão a Europa como campo de luta no qual a máquina de guerra demonstrará que os instrumentos não humanos podem vencer os humanos. A *Big Bertha* já está abrindo a sua goela sobre a Europa e o mundo já sobe o pano para desvendar a cena da primeira guerra entre o homem e o aparelho.

3.2. PODER

Este capítulo tratará, na expressão de Karl Kraus, dos últimos dias da humanidade. Tratará, para resumir o seu assunto em poucas palavras, do fracasso de um brado desesperado do socialismo. Esse brado é o seguinte: "Todas as rodas param se o teu braço poderoso assim o ordenar"[1]. As rodas giram e propelem o veículo do progresso rumo a Verdun, rumo à lama e rumo ao excremento, e o braço supostamente poderoso não consegue nem levantar-se, e muito menos fazer parar as rodas. Disso tratará o capítulo presente. De 1914.

A data evoca o manifesto pelo qual o imperador da Áustria declarava a guerra: "Faço uso do belo direito do mais forte". O descendente dos Habsburgo, o sucessor dos Santos Imperadores Romanos, a Majestade Apostólica, o Rei de Jerusalém, aderiu a Nietzsche. E reduziu assim o poder ao absurdo. A guerra demonstrou pragmaticamente que o mais forte não era aquele que recorreu ao seu belo direito. Mas a redução ao absurdo não residia nisso. O absurdo do poder tornava-se palpável pela uniformização e pelo uniforme, e visível pela cor da uniformização e do uniforme. Essa cor é chamada, pelos povos da língua inglesa, de *khaki*, e pelos povos da língua alemã de *feldgrau*. "*Khaki*" é uma palavra persa e significa "cor da poeira". "*Feldgrau*" significa "cinzento do campo". O poder se uniformiza pela cor da poeira e do campo. A

---

[1] "*Alle Räder stehen still, Wenn dein starker Arm es will.*" Georg Herwegh (1817-1875)

Europa veste o uniforme da cor de pó que era e para o qual está voltando, e parte para o campo cinzento da luta. Fardada no uniforme da cinza, na qual o mundo se dissolve no dia da ira, e protegida por capacetes, esses urinóis invertidos, põe-se a cavar a humanidade ocidental o seu novo habitat, a trincheira: o habitat do verme. Escondida, tremendo, nas estranhas da terra, comendo e cuspindo e revolvendo lama, sangrando e morrendo de lama, prepara a humanidade o húmus para uma safra nova. Esta é, pelo menos, a nossa prece.

Uma comparação das fardas do passado com os uniformes de 1914 ilumina um aspecto do castigo que se abate sobre o Ocidente. Os lutadores do passado avançavam para a contenda em cores reluzentes e berrantes, reminiscentes dos trajes nupciais dos animais em cio. Agora marcham os convocados para o campo na cor neutra e silenciosa, reminiscente do lençol mortuário do outono, no qual se preparam os animais para a hibernação rígida e rigorosa. Os lutadores do passado iam para a luta como para o leito nupcial, para nela abraçarem a vitória, a bem-amada de sorriso doce. Os convocados de agora vão para a luta como para o leito da morte, para nele abraçarem o aniquilamento, a bem-amada de sorriso amargo. Os lutadores do passado iam abrir, com suas espadas, o colo glorioso do futuro. Os convocados de agora vão abrir, com suas pás, a cova sinistra do futuro. Pó, campo e pá são o ambiente no qual o poder reduzido ao absurdo se manifesta. O pó é vontade realizada. O campo é a estrutura da vontade. A pá é o instrumento da vontade. Pó, pá e campo são os símbolos heráldicos do Ocidente uniformizado. Pó, pá e campo são os marcos do caminho que demanda a cova. Pó, pá e campo, e a cova como meta, são os títulos dos tópicos seguintes.

3.2.1. PÓ

A pulverização do mundo da natureza pelas ciências, que será o tema deste tópico, oferece uma dificuldade para quem quiser descrevê-las na linguagem narrativa, isto é, discursiva. Essa dificuldade aparece pela primeira vez no curso deste livro, e isso é significante. Significa que a língua portuguesa (e outras congêneres) é inadequada para a articulação de pensamentos que se originam em outras linguagens (neste caso na linguagem da ciência pós-newtoniana). Até agora, no curso deste livro, todos os pensamentos ocidentais eram, em tese, traduzíveis para o nível discursivo da língua portuguesa. Ou, como se costuma dizer, todos os pensamentos ocidentais tinham um significado imaginável. "Imaginar" significa reduzir para o nível da narração, isto é, para o nível de sentenças que tem nomes próprios por sujeitos. Agora esta tradução torna-se impossível. As sentenças da ciência pós-newtoniana não são reduzíveis ao nível convencional da língua portuguesa. Os termos empregados por essa ciência não são reduzíveis a substantivos portugueses, os quais, por sua vez, podem ser reduzidos a nomes próprios pelos métodos da lógica do discurso. O mundo do qual fala a ciência pós-newtoniana não é imaginável. Considerarei, muito brevemente, essa mudança na estrutura do pensamento ocidental, embora o problema seja tema dos capítulos que tratarão da atualidade.

Disse, ao falar na volta fatídica que se deu no início do Renascimento, que o pensamento tinha se constituído em sujeito do qual o mundo era objeto. A estrutura das sentenças passou a ser "sujeito-objeto". As sentenças passaram a ser projetos que partiam do sujeito em busca do objeto. Procurei mostrar como essa estrutura resultou em duas linguagens que se adequavam. Do lado do sujeito resultou na linguagem aritmética, e do lado do objeto na linguagem da geometria.

A geometria analítica era a adequação entre ambas. Nessa formalização do pensamento renascentista torna-se óbvia a sua profunda problematicidade, a sua "culpa", para recorrermos à terminologia deste livro. A linguagem aritmética não se adéqua à da geometria, porque a aritmética consiste em sentenças discretistas (de séries disjuntas de algarismos), enquanto a geometria consiste em sentenças concretistas (de séries conjuntas de pontos). Se adequarmos uma sentença aritmética a outra geométrica, isto é, se formulamos uma sentença da geometria analítica, arrancamos do contínuo geométrico pedaços disjuntos, e perdemos a sua concretude. A culpa do pensamento renascentista é a de ter perdido o senso da "realidade", ao ter depositado a sua fé na dúvida, isto é, nas sentenças da geometria analítica como articulações do conhecimento.

Essa estrutura "sujeito-objeto" informa o pensamento barroco na forma da nomenclatura. Torna-se óbvio que a geometria analítica é um método de dar nomes ao objeto, isto é, de afixar algarismos a pontos. Assim é introduzido entre o sujeito e o objeto a relação "=", que é a relação da nomenclatura. É o verbo "ser" num determinado sentido do termo. O discurso barroco passa a ser enciclopédico, isto é, uma cadeia de sentenças que tem a estrutura "sujeito = objeto". O resultado é a cosmovisão barroca do mecanismo. Trata-se de uma cosmovisão perfeitamente imaginável, porque perfeitamente traduzível para sentenças da língua portuguesa. Esse cosmos consiste em sentenças como "o gato é mamífero", ou como "o sol atrai a Terra". Os verbos que aparecem nos predicados dessas sentenças são todos reduzíveis ao verbo "ser" no significado de "=", e os substantivos são todos reduzíveis a nomes próprios da língua portuguesa.

A revolução que separa o barroco do romantismo é, se vista formalmente, a descoberta kantiana da inadequação e adequabilidade do sujeito ao objeto. Doravante o objeto é eliminado do discurso, e as sentenças adquirem a estrutura "sujeito-predicado", na qual o predicado é um verbo reduzível ao verbo "tornar-se". As sentenças passam a ter a forma de flecha, cuja meta é a adequação do predicado ao sujeito. O resultado dessa estrutura das sentenças é a cosmovisão romântica do vitalismo e historicismo. Trata-se ainda de uma cosmovisão imaginável, porque ainda traduzível para sentenças da língua portuguesa. Esse cosmos consiste em sentenças como "o gato surgiu de um marsupial" ou como "o sol atrairá a Terra". Essa cosmovisão não consiste mais em pontos concretos, já que o marsupial não é mais um nome do gato, mas uma tendência para o gato. O cosmos não consiste mais em coisas, mas em vetores. Nesse sentido, é difícil imaginá-lo, isto é, reduzi-lo a nomes próprios da língua portuguesa. Mas como a sua estrutura é ainda a da língua portuguesa, podemos imaginar este mundo como tendência para o nome próprio, como evolução em direção ao nome.

Com o pensamento instrumental o sujeito é eliminado do discurso. Este passa a ser meramente predicativo. E os verbos que aparecem nos predicados são reduzíveis ao verbo auxiliar "*to do*" da língua inglesa. A cosmovisão que resulta dessa estrutura (se é que ainda podemos chamá-la de "cosmovisão") não é imaginável, porque não traduzível para sentenças da língua portuguesa. Consiste em sentenças de uma aritmética marwelliana e de uma geometria riemanniana que são linguagens elaboradas como respostas ao desafio da inadequabilidade da aritmética cartesiana à geometria cartesiana. Essas linguagens, embora elaborações da língua portuguesa, não se prestam para traduções nessa língua. Apenas sentenças como "chove", as quais consistem apenas em predicados, dão uma leve ideia da estrutura do mundo pós-newtoniano. Todas as nossas traduções das sentenças da ciência pós-newtoniana resultam em sentenças como "a chuva chove água" e dão origem às perguntas como "que é chuva?", "que é água?" e "qual a relação entre chuva e água". Mas essas perguntas são falsas, todas elas, porque resultaram de uma tradução defeituosa da sentença "chove". São perguntas insignificantes. Se digo que o cosmos ficou reduzido a pó, não tenho em mente apenas a poeira radioativa. Pretendo, muito mais, apontar o fato de que a ciência reduziu, por sua estrutura mesma, todos os nomes a verbos, e pulverizou assim o universo.

Não obstante, farei o esforço de visualizar aquele universo que costumamos chamar de "einsteiniano". Vejo-me forçado a isso porque os nossos poetas e filósofos ainda não conseguiram elaborar sua linguagem adequada a esse mundo, embora estejam empenhados na tarefa. Terei sempre em mente a problematicidade deste meu esforço, dada a inadequabilidade da estrutura do meu pensamento (que é português) à estrutura do pensamento científico (que é apenas predicativo).

Enforcarei a ciência da natureza do ano de 1914 de um ponto de vista nietzschiano. Direi que Einstein e Planck são consequências do pensamento nietzschiano. Acredito que dois são os conceitos que distinguem a física atual da "clássica", e que ambos são nietzschianos. É o conceito da entropia, e o conceito da unidade fundamental de matéria e energia. Elaborarei primeiro esses dois conceitos, para depois procurar enquadrá-los no universo do discurso nietzschiano. Não terei dado uma visão da ciência que se formula, mas espero ter dado uma visão do seu clima.

A segunda lei da termodinâmica, se traduzida da linguagem matemática para o português, pode ser formulada aproximadamente nos termos seguintes: aquele processo do vir-a-ser, que é assunto das ciências da natureza, é, se analisado mais de perto, um processo do vir-a-não-ser. É ele um processo pelo qual energias diversificadas tendem a se uniformizar. De um estágio primitivo de diversidade tende para um estágio derradeiro de simplicidade. De um estágio primitivo de desequilíbrio tende para um equilíbrio derradeiro. De uma infinidade de oportunidades para a realização tende para a perda total de oportunidades. Ou, para recorrermos à linguagem cibernética (anacrônica no presente contexto), é ele um processo que tende de um ruído inicial, passando por sistemas informativos provisórios, para a redundância derradeira. A medida da tendência desse processo chama-se "entropia". Se digo que no processo chamado "natureza" aumenta a entropia, digo que diminuem as oportunidades. Entropia é sinônimo de tempo. Tempo é a perda progressiva de oportunidades. Se Kant diz que a razão pura contempla os fenômenos na forma do tempo, diz, com efeito, que os contempla na forma de perda de oportunidades. "*Sed fugit interea, fugit irrevocabile tempus.*"[2] O processo chamado "natureza" é a forma

[2] *Investigação Filosófica sobre a Origem de nossas Ideias do Sublime e da Beleza,* Edmund Burke, 1757.

pela qual contemplamos a irrevocabilidade das oportunidades perdidas. As ciências da natureza são *recherches du temps perdu*, são saudades. A natureza se inicia com uma infinidade de oportunidades (início do tempo), e tende para a morte térmica (plenitude dos tempos). Trata-se, na segunda lei da termodinâmica, de um darwinismo ao avesso. Com efeito, o mundo do darwinismo (o mundo dos seres vivos) é uma ilha dentro do mundo da entropia, na qual esta é invertida precariamente. "Vida" é inversão do tempo. Mas como tende para a morte, é inversão passageira. Está superado finalmente o relógio barroco. Tempo é a medida do progresso rumo à morte. A vida é uma vontade que chega ao poder na morte.

Mas o processo chamado "natureza" não se nos apresenta apenas na forma de energia. Kant diz que contemplamos os fenômenos também na forma "espaço". Percebemos a natureza também na forma de corpos materiais, na forma de objetos. A equação einsteiniana, se traduzida da linguagem matemática para o português, assume aproximadamente a formulação seguinte: os corpos que percebemos são centros de campos energéticos, e não passam de concentrações das linhas energéticas que estruturam o campo. Com efeito, "corpo" é uma maneira de se dizer "centro de campo". O termo "centro de campo" é um termo relativo e depende do ponto de vista. Onde estou, lá está o centro do campo. Ou, como dizia Bismarck: "*Wo ich sitze, ist immer oben.*" ("Onde estou sentado é sempre o topo"). Corpos são, portanto, uma maneira como energias se me apresentam do meu ponto de vista. Mudando esse ponto de vista, o que era corpo passa a ser energia, e o que era energia passa a ser corpo. Aquilo que chamo "espaço" é função do meu ponto de vista. As duas formas intuitivas kantianas se fundem. Já que "corpo" é uma maneira pela qual energia se apresenta relativamente a mim, "espaço" é uma maneira como o tempo é contemplado do meu ponto de vista relativo. Relativo a quê? Perguntas falsas, resultando da tradução falsificadora. Einstein parece sugerir que o absoluto ao qual se referem os pontos de vista relativos é a velocidade da luz, na qual não há absolutamente corpos. Mas essa velocidade da luz é uma maneira física de dizer "nada". Os pontos de vista são relativos a nada.

Os conceitos da entropia e da unidade "matéria-energia" sugerem a seguinte cosmovisão cinzenta, embora violenta: o espaço-tempo chamado "natureza" é uma explosão observada por nós de um determinado ponto de vista. Esse ponto de vista é a Terra (embora isso seja um nome um tanto fantasista e irreal que estamos cunhando). Desse ponto de vista o espaço-tempo se iniciou com um estágio de infinitas oportunidades. Isto é, não havia entropia, não havia tempo e, portanto, não havia espaço. Podemos visualizar esse estágio como um ponto material infinitamente pesado. "Ponto", isto é, não espaço. "Infinitamente pesado", isto é, energia concentrada, não tempo. Esse ponto explodiu, dando início a tempo e espaço, isto é (do nosso ponto de vista), a energia e corpos. A energia se estruturava em duas formas, em dois tipos de campo: o eletromagnético e o gravitacional, e ainda não conseguimos unificar esses dois tipos de campo. Os corpos (centros desses campos do nosso ponto de vista) formavam ilhas chamadas "nebulosas" que flutuam no nada para dentro do qual a explosão se deu. As nebulosas fugiam do seu centro imaginário (do ponto infinitamente pesado) com uma velocidade que se aproxima da velocidade da luz, portanto do estágio do nada. Ainda estão fugindo, e o nosso ponto de vista (isto é, os nossos instrumentos astronômicos) o comprova. As nebulosas mais afastadas de nós desviam-se, nos nossos espectrogramas, para o lado vermelho do espectro. O mundo se expande. Forma assim uma espécie de bolha em expansão em cuja superfície curva estão as nebulosas, em cuja vacuidade está nada e além de cuja superfície está o nada para dentro do qual a bolha se expande. Podemos comprovar essa curvatura do espaço-tempo pela curvatura da luz que viaja na superfície da bolha. Já que o espaço-tempo é a superfície curva de uma bolha, podemos conceber que dois raios emitidos em direções divergentes alcancem o mesmo campo, pelo caminho "curto" e pelo caminho "comprido" através do cosmos. Podemos, portanto, conceber que aquilo que tomamos por duas nebulosas diferentes são uma, percebida pelo caminho curto e pelo caminho comprido.

No estágio atual da explosão são as dimensões espaço-temporais do cosmo finitas. Podemos calcular essas dimensões pela velocidade da luz, esse "absoluto". A idade do cosmo é idêntica com a distância em anos-luz das nebulosas mais afastadas. Não pode ser menor, porque do contrário as nebulosas não teriam tido tempo para se afastarem tanto. E não pode ser maior, porque do contrário existiriam outras mais afastadas. E não podemos conceber que haja outras mais afastadas e não percebidas por nós, porque lá na beira do cosmo os corpos alcançam a própria velocidade da luz e dissolvem-se no pó do nada. A idade do cosmos pode ser, portanto, calculada com relativa precisão, pelo menos do nosso ponto de vista. Quanto ao peso do cosmos, é consequência (ou correlato) da idade do cosmos e pode ser calculado pela equação einsteiniana. O peso é o resíduo do ponto infinitamente pesado que se transforma em campos. Sabendo a idade do cosmos, temos a medida do processo entrópico e podemos calcular o peso dos cosmos. O cosmos é finito quanto ao tempo e quanto ao espaço, é um espaço-tempo finito. É óbvio que tudo isso é inimaginável. É apenas resultado da tradução de equações matemáticas para a língua portuguesa.

O espaço-tempo curvo e finito expande-se em direção do infinito. Tende para o infinito, isto é, para o não tempo e o não espaço. Esgotadas todas as oportunidades, realizada a entropia, não haverá tempo. Podemos visualizar esse estágio derradeiro (se é que "visualizar" é o termo) como a derradeira diluição e desestruturação dos campos. Campos desestruturados não possuem centro. No derradeiro estágio não haverá corpos. Haverá apenas uma uniformidade total de energia desestruturada. Esta é a morte térmica para a qual o mundo tende, a cosmovisão das ciências físicas pós-newtonianas é uma visão suicida, pelo menos se traduzida para a língua portuguesa. Na sua linguagem original é ela existencialmente insignificante. O clima suicida da cosmovisão é resultado da tradução para a camada existencialmente significante da língua. Em outras palavras: a ciência teórica é um discurso existencialmente insignificante, que adquire significado quando transformada em sistema referencial da língua portuguesa. A ciência teórica é o discurso que fornece "modelos" à conversação portuguesa, e é apenas como tal que é existencialmente significante. Relego a discussão do termo "modelo" para capítulos futuros, e passo a considerar a cosmovisão pós-newtoniana como modelo.

As dimensões da cosmovisão esboçada são dimensões do macrocosmos. As ciências pós-newtonianas nos fornecem outros modelos, a saber, atômicos. Estes têm dimensões microcósmicas, mas estrutura paralela ao do modelo do macrocosmos. Também nos modelos atômicos age a entropia e confundem-se partículas com ondas (isto é, matéria com energia). Traduzidas as dimensões macrocósmicas e microcósmicas dos modelos para as dimensões do mediocosmos que são as nossas, e tornados assim existencialmente significantes os modelos, torna-se óbvio o significado existencial do conhecimento que as ciências nos fornecem. Esse significado pode ser resumido na seguinte sentença: não temos objeto. As coisas que nos cercam, e as quais tomamos, a partir do Renascimento, como objetos da nossa atenção e da nossa atividade, desfazem-se, quando apreendidas e compreendidas, em pó cinzento do nada. A nossa circunstância, vivenciada como rica e variável no Renascimento, tornou-se transparente. Estamos lançados em ambiente de vidro. Em qualquer direção que queiramos estender a mão para alcançar algo, penetramos o nada. O nada infiltra-se não apenas no tecido das galáxias e das estrelas, no tecido das partículas e dos átomos, mas também no tecido que estrutura a nossa relação com as coisas e os homens que nos cercam. Podemos sentir, compreender e virtualmente apalpar, que aquele conjunto de coisas chamado "natureza", e que tem absorvido todo o nosso interesse existencial a partir do Renascimento, é literalmente nada. As ciências da natureza o provam não apenas racional, mas ainda empiricamente. Racionalmente são as conclusões da ciência inatacáveis, porque resultaram de um raciocínio claro e distinto, embora as últimas fases desse raciocínio tenham se processado em linguagem inacessível. E empiricamente são inatacáveis não apenas pelas experiências que realizam, e que são experiências controladas e controláveis, mas ainda pelo funcionamento dos aparelhos, que são ciência aplicada. As ciências provam, portanto, de maneira inatacável que o desvio do interesse da humanidade ocidental do transcendente para o imanente era um desvio para o nada.

Mas este é apenas um aspecto do modelo que as ciências fornecem. O outro pode ser resumido na seguinte sentença: existimos para a morte. Fomos lançados para cá, joguetes de forças cegas e fortuitas, as quais tendem, por nós e conosco, para o aniquilamento. A nossa vida é um contínuo perder de oportunidades (fortuitas para começar), e ao realizarmos essas oportunidades, estamos nos matando aos poucos. Como dirá Ortega y Gasset dentro em breve: desvivemos. Somos, com efeito, instrumentos de um aparelho cretino e mortal que nos destrói no processo de seu funcionamento, que é, por sua vez, um funcionamento em demanda da autodestruição do aparelho. Nesse aspecto do modelo ressurge, dessa vez indisfarçado, o fatalismo pessimista que informa o pensamento moderno desde o Renascimento.

Certamente não se assemelha essa cosmovisão melancólica com a atitude ardente de Nietzsche. No entanto, uma leve reconsideração demonstrará que a cosmovisão é a mesma. A atitude nietzschiana pode ser vivenciada na música de Wagner, o clima melancólico de 1914 na música de Richard Strauss e mais especialmente nos acordes finais do *Cavaleiro da Rosa*. E nessa transposição para a linguagem musical torna-se óbvia a identidade de estrutura. Trata-se apenas de uma deslocação do acento. Tudo é vontade para o poder que é o eterno retorno. Em 1889 o acento dessa sentença repousa sobre a palavra "vontade". Daí o fervor das atitudes. E 1914 é a palavra "poder" que focaliza o acento. As atitudes melancólicas e empoeiradas são consequência da sensação do poder ao alcance, porque este já desvenda o eterno retorno. Em suma: 1914 começa a vivenciar o absurdo de 1889. Para ilustrar essa afirmativa, reformulemos a cosmovisão einsteiniana em termos nietzschianos.

Tudo é vontade, chamada, no contexto da ciência da natureza pelo termo "energia". Essa vontade tende para o poder, chamado, no contexto da ciência da natureza, pelo termo "corpo". Poder é vontade concentrada. No poder converge o campo da vontade. A vontade é entrópica, isto é, perde oportunidades. A luta entre vontades diversificadas tende a uniformizar-se pela perda de oportunidades. O poder é um aspecto relativo da vontade. Está, portanto, além de um Bem e um Mal absoluto. O que é verdade de um ponto de vista não o é de outro. A verdade é uma função do poder, e a arte (isto é, a maneira como a vontade chega ao poder num campo) é melhor que a verdade absoluta. O conjunto da vontade, que é o cosmos, tende para a diluição de vontade, e esse é o seu destino. Ao enquadrar-se o poder no centro do seu campo de vontade, ama o poder o seu destino. Nada há além da vontade, e esta se expande para dentro desse nada. Mas esse nada infiltra-se na própria vontade. O poder, por ser vontade concentrada, é uma oposição ao nada. A ordem que reina no cosmos é um estágio passageiro na sua evolução rumo à morte térmica, que é a difusão desestruturada. A ordem (Deus) morrerá, e, com efeito, já morreu nas equações que apontam o desfecho. A ciência da natureza assassinou a ordem. O corpo é o super-homem que impõe a sua moral de senhor, a sua estrutura ao campo que o cerca. Dentro do campo prevalecem as ordens do corpo. A física newtoniana era uma moral de senhor, na qual o senhor era o sol como centro de campo. Mas a física einsteiniana está no além do Bem e do Mal desse campo. Desse além vislumbra a meta de todos os poderes. É ela a morte térmica, a vontade difusa, portanto o rebanho. O cosmos como vontades para poderes tende para o rebanho. A física einsteiniana é um Zaratustra que enxerga para além do poder, e vislumbra o eterno retorno. Concorda com o Zaratustra nietzschiano que a vontade é tudo, e que tende para o poder, estruturando assim o campo. Mas salienta o caráter entrópico dessa tendência toda. A relatividade de todos os valores, essa transvalorização dos valores newtonianos, desvenda a vitória final do rebanho. Essa cosmovisão preserva toda a dramaticidade da cena nietzschiana. A luta sangrenta entre vontades, o cruzar dos campos e a explosão violenta de poderes são conservados. O poder é uma besta loira que, dentro em breve, desfraldará a sua bandeira luminosa em forma de cogumelo. Mas Einstein vê mais longe que Nietzsche. Vê, por trás da besta loira, a poeira radioativa. E, por trás da poeira, vê o nada. Nietzsche diz que Deus morreu. Einstein mostra o lugar deixado vago por Deus.

É nesse clima, pois, no clima do poder ao alcance da mão, que a visão nietzschiana começa a realizar-se. É o clima do absurdo. Pois não é absurdo, por exemplo, que a visão nietzschiana se articula cientificamente? Não é absurdo que a Vida, glorificada por Nietzsche, seja desvendada por essa ciência como a força que propele a matéria tida por inerte? E que a Vida no significado existencial do termo é algo oposto à Vida nietzschiana? Não é absurdo que o vitalista Nietzsche é desvendado instrumentalista? A Vida que Nietzsche canta é o funcionamento. O poder que Nietzsche prega é o funcionar do aparelho. O homem empenhado na Vida nietzschiana é um funcionário de um aparelho absurdo que tende entropicamente para o aniquilamento. O amor do destino glorioso que Nietzsche canta é kafkiano. Kafka, o coveiro do Ocidente, é Nietzsche realizado. Mas antes de considerarmos a cova, é preciso considerarmos a pá que a cava. É preciso considerarmos o segundo rosto de Janus, oposto ao einsteiniano. Einstein reduz a pó a circunstância dentro da qual o homem moderno existe. O seu oposto, Freud, vira-se contra o homem moderno mesmo, para desenterrar as suas estranhas. Não basta mostrar que o homem peca ao interessar-se pelo chamado "mundo". É preciso também mostrar o pecado mesmo.

3.2.2. PÁ

Voltemos a nossa vista para a Viena vitoriana. Aquela Viena na qual ressoa o brado do imperador barroco em prol do belo direito do mais forte. Aquela Viena na qual surgem os edifícios modernos do *art nouveau*, lá chamados "secessionistas". Aquela Viena em cujos cafés intelectuais alienados, refugiados socialistas e anarquistas russos compram cartões ilustrados do pintor Adolf Hitler. Aquela Viena que convoca os *Feldgraue* (cinzentos do campo) para cavarem trincheiras na Galícia, um dentre os quais é Wittgenstein, o destrinchador da língua. Em suma: aquela Viena em cujos salões burgueses de péssimo gosto morre a Idade Moderna. Nas praias do belo Danúbio Azul, cujas ondas levam, em tempo de valsas, os alicerces do pensamento moderno, está sendo construída, qual segunda Torre Eiffel, a estrutura do "além do princípio do prazer" freudiana. Contemplem a torre invertida, que perfura o solo da mente. Que é o homem, esse sujeito duvidoso que realiza o nada? Vontade. Concordará o leitor que esse tipo de resposta à pergunta ontológica já está começando a tornar-se tedioso. Dizer que tudo é vontade, como o faz a humanidade a partir do romantismo, é formular uma sentença isenta de significado. Que é "vontade?" É um termo do discurso psicológico, e neste seu contexto pode ser definido. Se transferido esse termo para o discurso ontológico, a sua definição torna-se insignificante. Dizer que tudo é vontade é articular uma sentença que procura desviar a especulação ontológica para o campo da psicologia, e esta intenção da sentença é seu único significado. O historicismo, o biologismo e o antropologismo no que substituem o mecanismo a partir do romantismo são reduzidos, agora, a um puro psicologismo. E essa redução do pensamento ocidental para o psicologismo é a realização de uma tendência que lhe é inerente desde o Renascimento. Como historicismo essa redução derradeira para o psicologismo pode ser observada em Dilthey. Como biologismo a mesma redução pode ser observada em Bergson. Freud é o exemplo do antropologismo psicologizado. É, pois, nele que a tendência se torna mais palpável. Remontemos ao Renascimento para avaliá-lo.

Ao tratar das fontes do Renascimento falei da influência hindu sobre o empirismo renascentista. Procurei sugerir que o aparente platonismo renascentista era tentativa, por certo "subconsciente", de se encontrar um compromisso entre o racionalismo cristão e o empirismo indiano. Platão representava, para o Renascimento, uma superação do pensamento aristotélico porque apontava (inconscientemente para o Renascimento) para as suas fontes órficas, que por sua vez brotaram do manancial indiano. E o pensamento indiano é tão fundamentalmente empirista quanto é racionalista o fundamento do pensamento do Ocidente. O *Eros* platônico é uma sublimação tardia e mascarada racionalmente da sensualidade empírica e libidinosa do pensamento indiano que resulta na técnica da ioga. Se Nietzsche condena o niilismo platônico, é que não descobriu o elemento "dionisíaco" no platonismo. Ao se considerar reencarnação de Dionísio nos seus momentos de loucura, é, no entanto, platônico o próprio Nietzsche. O empirismo sensual e libidinoso da Índia toma posse de Nietzsche, embora de forma alienada.

O empirismo indiano é um psicologismo. Todo empirismo é, no fundo, psicologismo, e os iluministas ingleses o provam. Mas no Ocidente moderno esse psicologismo era tocado em surdina, porque a meta do pensamento continuava sendo conhecimento no significado racional do termo. O conhecimento empírico e sensual, subjetivo e, *a posteriori*, prático e não discursível, não era tido como conhecimento pelo pensamento ocidental com sua estrutura dedutiva, objetivizante, apriorística e discursiva. Essa profunda aporia do pensamento moderno, e que se manifesta no caráter empírico da experiência científica e no caráter racional das suas teorias, foi discutida quando Kant era o nosso tema. Com efeito, Kant e Hegel são as últimas tentativas modernas de suprimir a aporia e evitar a queda do pensamento ocidental para dentro do psicologismo. É uma queda do ponto de vista ocidental, porque confissão da falência da razão, que é uma manifestação do transcendente.

Com Schopenhauer o mergulho se realiza, e surge, imediatamente, o fundo indiano de todo empirismo, mantido suprimido durante centenas de anos. Todo pensamento romântico e vitoriano, inclusive o marxista (e disso falarei mais tarde), pode ser concebido como irrupção da Índia na superfície racional do Ocidente. As tendências atuais para a despsicologização, empreendidas de um lado por Husserl e pelos existencialistas, e do outro por Wittgenstein e pelos neopositivistas, podem ser concebidas como tentativas de retorno para a estrutura racional e medieval do Ocidente. Arriscam, no entanto, a queda para o budismo, e a substituição de uma loucura por outra. Porque tanto Índia quanto o Extremo Oriente são loucuras, se traduzidas para o Ocidente. Mas isso é tema de capítulos futuros.

A psicanálise freudiana e as "escolas" psicológicas que são seu desenvolvimento são reestilizações da sentença "tudo é vontade". São, com efeito, reestilizações da sentença platônica "tudo é *Eros*" e da vedanta "tudo é *atman*". As cosmovisões que resultam das análises da *psyche* (e que não é "alma" no significado cristão do termo, mas é vontade no significado indiano do termo) é uma reestilização das cosmovisões indianas. Não procurarei esboçar essas cosmovisões, porque são de conhecimento geral, e porque são fluidas e sujeitas a rápidas reformulações pelas diversas "escolas". Termos como "sublimação", "complexo", "censor" e "compensação" são parte da conversação diária e penetraram as revistas ilustradas. O único termo que procurarei analisar mais demoradamente será o termo "inibição", mas quero dirigir a atenção do leitor para um aspecto diferente, antes de fazê-lo.

Todos conhecemos a técnica analista. O paciente está deitado num sofá, e o analisador sentado atrás do paciente. O diálogo entre ambos não tem, portanto, a estrutura de um diálogo face a face. A voz do analisador vem do além do horizonte do paciente, e a voz do paciente dirige-se rumo ao vazio. Neste curioso tipo de diálogo é desvendado o tecido da *psyche* do paciente, as diversas contorções da sua vontade libidinosa e suicida são expostas, e, se a análise tiver êxito, esses espasmos da vontade são eliminados, para que se derrame doravante rumo ao poder sem maiores transtornos. Comparem essa estrutura da técnica psicanalítica com a técnica empregada na Índia, e que é meditativa. O paciente assume uma posição determinada do corpo (por exemplo, a posição conhecida por "lótus") e inverte os pensamentos contra a sua própria mente. O diálogo é interno. A sua meta é a mesma da psicanálise: libertar a vontade das suas contorções e permitir que desfralde as suas potencialidades insuspeitadas. Mas a diferença da estrutura técnica denota, a meu ver, uma profunda diferença não apenas de atitude, mas ainda de significado. A técnica da psicanálise é estruturalmente ocidental, porque procura estabelecer uma relação "sujeito-objeto". O paciente é o objeto da análise, o analisador, o sujeito. As descobertas da psicanálise são "objetivas" e discursivas. Fazem parte do discurso das ciências no significado ocidental do termo. Mas muito cedo se verifica que esta técnica não passa de pose. No diálogo curioso e *ad hoc* construído pela análise verifica-se cedo que o analisador fica envolvido no processo. Cedo se estabelece uma relação bipolar entre analisador e paciente. Os dois subconscientes envolvidos começam a influenciar-se mutuamente, e a distinção entre sujeito e objeto da pesquisa torna-se duvidosa. Cedo perde a pesquisa o seu caráter objetivo. E isso acontece a despeito da estrutura elaborada, que visa evitar esse perigo. Este fato é de importância primordial para a última fase do pensamento moderno. O caráter subjetivo de todo conhecimento empírico surge à tona na psicanálise, mas dentro em breve aparecerá também na física na forma do fator de Heisenberg. É, portanto, necessário analisar esse fato mais de perto.

A ioga, que é o método pelo qual a vontade se retorce para torna-se livre e chegar ao poder, é uma disciplina conscientemente empírica e pragmática, alheia à teoria. Esse caráter pragmático da técnica indiana faz com que, do nosso ponto de vista, não seja a cosmovisão indiana nem "científica" nem "religiosa". Não é científica, porque falta-lhe a dimensão teórica (e isto significa: transcendental) do nosso pensamento. E não é religiosa, porque falta-lhe a dimensão transcendental (e isso significa: teórica) das nossas fés religiosas. O conhecimento que essa disciplina proporciona é prático, subjetivo e discursivamente incomunicável. E a modificação que opera no homem e no seu ambiente é igualmente prática, subjetiva e incomunicável. Pois quando o pensamento ocidental se virou, no Renascimento, para o imanente, quando procurou desinteressar-se no transcendente, devia ter se decidido, se tivesse sido autêntica a sua virada, para uma técnica semelhante à ioga. Deveria ter abandonado a teoria, herança dos gregos, e deveria ter abandonado a fé no transcendente, herança dos judeus. Em suma: deveria ter abandonado o niilismo no sentido nietzschiano do termo. Mas não foi o que aconteceu, já que o Ocidente continuava cristão no seu fundamento. Pelo contrário: a ciência ocidental era a tentativa de fazer-se ioga objetivada, isto é, expelida do sujeito. Uma tentativa de desexistencializar-se a ioga. Os métodos empíricos eram empregados para chegar-se a conhecimentos racionais e discursivamente comunicáveis. As sentenças observacionais, que são a articulação da vivência empírica, eram tomadas como premissas de teorias. As modificações que a ciência aplicada operava no homem e na sua circunstância eram enquadradas no discurso, e tornaram-se cumulativas, isto é, progressivas. Enfim, o imanente era pesquisado e modificado para revelar o transcendente. A ciência ocidental como ioga era uma inversão do cristianismo. É óbvio que essa tentativa era absurda. Não se pode chegar empiricamente a um conhecimento objetivo. Não se pode chegar pela práxis a uma teoria. Não se pode chegar de sentenças observacionais para sentenças teóricas, e o método indutivo (que é o suposto método dessa subida da observação para a teoria) não é um método teoricamente justificável. A ciência como disciplina que proporciona conhecimento no significado racional do termo é uma tentativa absurda. A época vitoriana descobre, finalmente este fato (mascarado durante todas as épocas anteriores). A época vitoriana descobre, finalmente, que a ciência não passa de instrumento da vontade. As teorias científicas não são verdades, mas são regras pelas quais a vontade se impõe sobre a circunstância humana. São equivalentes das técnicas de respiração indianas. A ciência é uma ioga que liberta à vontade em sua tendência para o poder, e isso é o seu único significado. E isso quer dizer que a ciência é inteiramente insignificante de um ponto de vista transcendental, que é o ponto de vista do cristianismo.

O aspecto formal da incompetência da ciência como método de conhecimento será elaborado pelas análises linguísticas da atualidade. Mas o aspecto operacional aparece claramente, e, pela primeira vez, no freudismo. A técnica freudiana demonstra que a objetivação do conhecimento na ciência é impossível, porque na experiência observador e observado se confundem. A curiosa estrutura da experiência freudiana (o sujeito atrás do objeto) foi projetada para tentar conservar objetividade. O sujeito foi posto para o além da situação analisada. E, no entanto, o projeto demonstrou-se ser falho. O sujeito é sugado para dentro da situação pela observação mesma. E ao ser sugado assim, modifica o observador o observado. O paciente se revela de forma diferente a diferentes analisadores. O paciente se modifica de forma diferente se manipulado por diferentes analisadores. E o que é pior: o próprio analisador se modifica pelos diferentes pacientes que manipula. Isso explica a pluralidade das escolhas. Todo analisador tem experiência diferente e, portanto, cosmovisão diferente e altamente subjetiva. No fundo não é comunicável essa experiência de forma discursiva, mas apenas na forma de alegorias. As diversas escolas não formulam, portanto, teorias no significado estrito do termo. Formulam mitos. O critério da teoria é sua falsificabilidade. Os depoimentos dos psicólogos da profundidade não são falsificáveis. Não são teorias. Não são ciência no significado ocidental do termo. São técnicas no significado de ioga. Dizer que tudo é vontade, ou libido, ou tendência para o poder, ou manifestação de arquétipos, não é formular teorias. Com a psicanálise inicia-se o processo do abandono da teoria. Esse processo vai se alastrar e invade atualmente o próprio campo das ciências ditas exatas. No fundo, trata-se de uma confissão do fracasso da razão no campo do imanente.

É curioso observar que essa demonstração do fracasso da razão é feita por Freud muito racionalmente. Também isso é característico da atualidade. É pela razão que a razão é conduzida ao absurdo. Freud não é romântico, e não se rebela contra a razão sentimentalmente. Pelo contrário, penetra friamente as camadas soterradas da mente, para demonstrar racionalmente a sua irracionalidade. Cava a mente com a pá da razão, para desenterrar as estranhas do absurdo. Demonstra que a razão é uma fina camada superficial que encobre a vontade sem fundamento (*grundlosen Willen* schopenhaueriano). Com efeito, o razoável é uma racionalização da vontade, e isso significa que é vontade falsificada. Razão é pose. As explicações razoáveis que dou do meu comportamento são desculpas. O meu comportamento não tem "motivos" razoáveis. A única força motriz é a vontade inconfessável. A razão é o método de evitar a confissão do inconfessável. A análise como técnica é a eliminação dos pretextos que a razão fornece. Abre assim o campo para a vontade mesma. A psicanálise é a técnica de Nietzsche. Freud é um Nietzsche que usa a razão para que a vontade possa chegar ao poder e realizar-se. E é um Nietzsche radical porque pretende transformar o rebanho de ovelhas todo em massa de leões famintos. É possível que não se dê conta disso. É possível que não preveja a consequência da eliminação da inibição, a consequência de uma "sociedade sadia". Mas Jung a preverá e será nazista. A relação entre Freud e Jung é tipicamente edipiana. Freud desmaia ao ouvir de Jung que o imperador egípcio mandou eliminar todas as referências ao seu predecessor, para suprimi-lo. Tem a primeira premonição das consequências do seu pensamento. E isso merece ser considerado.

A civilização é, para Freud, o conjunto das atividades sublimadas pela inibição que se opõe à vontade. A civilização surge quando, em vez de matar meu pai, escrevo um poema. O poema é uma racionalização da minha vontade de matar meu pai, e nesse sentido é o poema vontade desviada. Civilização é vontade desviada. Civilização é pose. Ou, para falarmos clinicamente, civilização é doença. É neurose coletiva. Disso deveríamos concluir que a psicanálise é uma técnica que procura libertar a humanidade da doença da civilização, e torná-la sadia. Mas não é o que acontece. A transvalorização dos valores que

PÁG. 123 Freud estabelece não tem essa radicalidade. Embora diagnosticada como doença, continua sendo a civilização valorizada positivamente. Com efeito, constitui o valor supremo. A meta da psicanálise não é abolir a civilização, mas capacitar o paciente a participar dela. A psicanálise procura transformar todas as doenças (distorções da vontade) para torná-las compatíveis com a distorção geral da vontade que é a civilização como doença. Em suma: a meta da psicanálise é uniformizar a doença. A horda de leões famintos que é a meta freudiana é, no fundo, um rebanho. A moral de senhor, quando uniformizada, é uma moral do rebanho. É por isso que Jung chamará a psicanálise de "ciência judaica". É judaica (isto é, cristã) porque recusa-se a tirar as últimas consequências do seu pensamento. Diagnostica a inibição como doença, a valoriza positivamente. Não adere à vontade, embora ela seja tudo. Embora matar meu pai seja sintoma de sanidade, e escrever poemas sintoma de loucura, adere Freud a este tipo de loucura. Jung será muito mais honesto. Quando Freud desmaia, carrega-o nos seus braços filiais fortes. E depois procura matá-lo o melhor que pode. Como se explica a inibição freudiana, e a desinibição jungiana?

Esse termo "inibição", que me parece ser o central no contexto do pensamento freudiano, introduz-se nesse contexto como cunha. Não apenas figurativamente, no sentido de separar o consciente do subconsciente. Mas ainda ontologicamente. Se a vontade é tudo, de onde vem a inibição, essa força oposta? Freud dirá que a inibição é outra vontade, ou melhor, a vontade do outro. A minha vontade é inibida pela vontade do outro. A inibição geral que sobre mim pesa, e que é a responsável pela civilização, é o campo geral das vontades dos outros que sobre mim agem. Sou centro de um campo einsteiniano, no sentido de ser centro dos vetores das vontades alheias que sobre mim convergem. E chegarei ao poder ao superar essas vontades pela minha. Eis uma explicação puramente imanentista e "ateísta" da inibição como força. Os agentes da inibição são a ama que me tira a mamadeira, e a mãe que me espanca quando molho a cama.

Mas essa "explicação" da inibição não explica a adesão freudiana a ela. Não se poder aderir à civilização porque ela me tira a mamadeira. Posso me empenhar na civilização apenas se admitir (embora não o confesse) que a inibição, ao tirar-me a mamadeira, tem um propósito que me supera. E esta é, com efeito, a posição freudiana. Embora inconfessa, é a inibição uma força que se introduz de fora na cena das vontades em luta. É ela que dignifica a luta e dá propósito a suas convulsões absurdas. O ateu Freud, ao elevar a civilização em Deus, ainda não admite o assassino de Deus. Nesse sentido, é ele um passo para trás a partir de Nietzsche. E a radicalidade da sua análise sofre, destarte, uma distorção que a torna inconsequente, e inconsistente.

Estamos assistindo, ao lermos Freud, e especialmente "A Civilização e Seus Descontentes", a uma derradeira tentativa, desesperada, de negar o assassínio de Deus. É uma última tentativa de escapar ao castigo. Mas essa tentativa já não é mais viável. As profundidades do pecado que Freud desenterrou com a sua pá analítica desafiam qualquer tentativa de escapar ao castigo. O homem é um joguete de forças cegas, brutais e fúteis, que o propelem ao crime. Freud é e descobridor do pecado original, e simultaneamente o descobridor de que a salvação desse pecado é uma doença. Ainda advoga uma forma dessa doença e, portanto, advoga a salvação, mas já não convence. É no pecado e pelo pecado que o homem se realiza. O fato de ter insistido Freud no aspecto sexual desse pecado é de menor importância. Está se revelando judeu nessa sua insistência sobre o sexo. Também a Bíblia sugere que o pecado original é um ato do sexo. No contexto vitoriano essa sexualização do pecado tinha um impacto radical, dada a *pruderie* dos vitorianos. Mas para nós, atuais, é óbvio que o que importa na descoberta freudiana é o pecado como fundamento de tudo. Pelo simples fato de existirmos, já estamos culpados e condenados. Não há como escapar a isso. Se Freud não o admite, os seus discípulos o farão e matarão o pai ortodoxamente.

O clima carregado de pecado, o clima na hora do castigo supremo, que se espalha pelo mundo e que tem Freud por um dos seus centros, é articulado, magistralmente, por Rilke. "O fundamento do nosso ser não nos tem amor. Arrisca-nos." Rilke, mais que os poetas malditos franceses, torna-se porta-voz do desespero. Sob o seu prisma todo otimismo aparente de Freud desaparece. Todo anjo é terrível. Está revirada toda a interioridade humana, e, da mesma forma como o fez a análise das ciências da natureza com o mundo externo, foi verificada vazia. Quando o significado transcendente foi subtraído à realidade, tanto a circunstância como a existência são verificadas ocas. Já que nada tem significado numa situação na qual o homem vazio encara o vazio do mundo, tudo é permitido. A transvalorização de valores é verificada como aniquilamento de todos os valores. Por enquanto essa verificação da libertação de toda responsabilidade num ambiente vazio é ainda reservada a uma elite de intelectuais, cientistas e artistas. A grande massa dos burgueses ainda vegeta na moral do rebanho com sua moral falsa. E a massa ainda maior do proletariado ainda se prepara para o golpe, pelo qual deverá tomar posse, aparentemente, dos aparelhos da burguesia. Mas as vanguardas do Ocidente já se desinteressam pelo processo que era tido até agora como progresso. Já estão no abismo. Rilke formula esta atitude nos seguintes versos: *"Die Könige der Welt sind alt / und werden keine Erben haben. / Die Söhne sterben schon als Knaben, / und ihre bleichen Töchter gaben / die kranken Kronen der Gewalt"*.[3] A humanidade fardada de cinza sai para o campo com pás para cavar as suas covas, propelida pelas forças cegas de um aparelho que já não mais controla, e que assumirá o controle ainda mais pela guerra que dilacera o Ocidente. Mas as vanguardas não estão mais interessadas. Já sabem que o campo para o

[3] "Os reis do mundo estão velhos / e não terão herdeiros. / Os filhos morreram meninos, / e suas filhas pálidas entregaram / as coroas doentes à violência". Rilke, *Die Könige der Welt sind alt*, 1901.

qual a humanidade se dirige é relativo e sujeito à entropia, e que as trincheiras, por profundas que sejam, somente desenterrarão a vontade cega e pecaminosa que é o fundamento fútil de tudo. Os grandes impérios ocidentais caem em ruínas, o poder que a Europa exerce sobre o globo é minado e mantém apenas as aparências de continuidade, enormes aparelhos automáticos surgem nos dois lados da Europa, nos Estados Unidos e na futura União Soviética, aos trancos e barrancos enterra-se o carro do progresso sempre mais na lama sangrenta e nojenta da derrota. Mas as elites não estão mais interessadas. Estão prontas a se suicidarem.

Mas esse desinteresse das elites é engano. O que tomam por castigo supremo ainda não o é, pois outras realizações do destino irrevogável estão reservadas. Toda essa barbarização e uniformização da cena não passa de um prelúdio da verdadeira carnificina para a qual o Ocidente se dirige. A primeira guerra é apenas uma leve amostra daquilo que a sorte reserva. E surge um profeta, iluminado pelo desespero, que prevê, com clareza assombrosa, o futuro imediato da humanidade. Surge um profeta que tem a coragem, e a inspiração, de olhar para o fundo da cova que a humanidade está cavando para si mesma. Este profeta é Kafka. Com ele é como se o destino quisesse anunciar-se. Nas suas obras se precipita não apenas o último ato do drama da Idade Moderna, mas ainda o prenúncio de uma Idade nova. Kafka não é apenas profeta no seu tempo. É também do nosso. É, pois, para a cova desvendada por Kafka que se dirige o argumento, com respiração entrecortada. Pois nele aparece, finalmente, em toda a sua glória, a visitação que o Senhor reservou para aqueles que O aborrecem.

3.2.3. COVA

A mudança de Viena para Praga, que o nome de Rilke sugeriu, completa-se com Kafka. E confesso que o meu propósito ao transferir o argumento das praias do Danúbio para as colinas sem torres é premeditado. Não escolhi Kafka como coveiro da Idade Moderna cegamente. A história da visitação chamada "História da Idade Moderna" tem estrutura. Já confessei que fiz o seu desenho antes de começar a escrever este livro. Essa estrutura é uma espécie de círculo de giz mal traçado. Tem o seu início na cidade medieval vista do avião, e essa cidade medieval é Praga. A catedral que descrevi é a catedral de São Vito. A escola da qual tratei é pré-hussita. A rua dos alquimistas que invoquei está no Hradschin e pode ser vista ainda atualmente. E a espada que saquei é a espada imperial dos luxemburgueses. Pois esse círculo de giz mal traçado procura agora fechar-se novamente em Praga. A capital Imperial, a sede dos santos imperadores na qual culminava a Idade Média e despertava a Idade Moderna no século XIV, é também a cidade na qual a Idade Moderna morre no século XX. O círculo de giz mal traçado une Jan Hus a Kafka. A catedral em cuja defesa Hus saiu para a luta e que acabou destruindo está localizada no centro do Castelo de Kafka.

Disse que o círculo de giz deste livro foi mal traçado. Depois de alcançado Kafka, sairá a linha do argumento pela tangente. Afastará o pensamento sempre mais de Praga e demandará horizontes inexplorados de uma Idade vindoura. Esses horizontes novos serão vagamente brasileiros. O círculo de giz praguense com sua tangente brasileira (a História da Idade Moderna como pré-história da Idade Vindoura) é a linha da minha história vivida, pensada e sofrida. Mas é, em certo sentido, também a linha da história de todos os participantes da atualidade. Somos todos, em certo sentido, praguenses expulsos pelo flagelo Divino na direção brasileira. Em certo sentido Praga é o berço e a cova de todos nós, e o Brasil é um prenúncio de ressurreição de toda a humanidade. E Kafka é, em certo sentido, o coveiro de todos nós, e o profeta do flagelo que nos chicoteia a todos. Será, pois, neste espírito altamente subjetivo, e por isso mesmo pensamento intersubjetivo, que abordarei a figura de Kafka.

"Lutei a minha vida toda", diz ele, "contra o meu desejo de acabar com ela." Esta sentença que evoca em tantos de nós o eco da simpatia, e que será elevada por Camus em sentença central da filosofia, provoca duas perguntas. A primeira é esta: "Por que o desejo de acabar com a vida?". E a segunda é esta: "Por que lutar contra esse desejo?". A obra de Kafka é uma corrente de respostas conexas e desconexas, diretas e indiretas, a essas duas perguntas. É uma corrente de respostas, mas não é um discurso. Não parte das duas perguntas para desenvolvê-las de acordo com um método claro e distinto. Não é um argumento que cresce e se desenvolve organicamente a partir das suas raízes. Não é um pensamento cartesiano nem hegeliano. Pelo contrário: esta corrente rompe o discurso e desdenha a distinção e clareza. Pelo contrário: esta corrente rompe com as raízes e as desdenha. É uma corrente absurda no sentido exato do termo: absurdo = sem rima, sem sentido, contrário ao senso comum, insensato. Isso já deixou de ser moderno. Já não se enquadra mais no clima da modernidade. Neste tipo de corrente deixou de haver progresso. Longe de adequar algo a algo, trata-se de um pensamento inadequado a tudo. As duas perguntas não são respondidas de maneira adequada. A mensagem de Kafka não é traduzível para o nível do discurso. Numa tradução, como aquela que ensaiarei logo em seguida, perde-se o seu clima, e isso é o que importa em Kafka. Nesse aspecto há uma semelhança curiosa entre Kafka e as ciências puras. São ambos intraduzíveis para o nível da narrativa. Ressurge, pela segunda vez, o problema linguístico, característico da atualidade. Não obstante, e com as mesmas reservas que mencionei ao expor a cosmovisão da física pós-clássica, passarei a esboçar o mundo kafkiano.

Deus morreu, diz Nietzsche? Ingenuidade. Deus funciona, e continua funcionando como funcionava sempre. Funciona como sempre funcionava o aparelho cretino, brutal e onipotente. E continua funcionando mal, como sempre. Apenas nós, os seus funcionários, começamos a nos fartar. Apenas nós, os funcionários, começamos a funcionar sempre menos. É apenas nesse sentido que Deus morreu. Amor ao destino, diz Nietzsche? Ingenuidade. O destino, que é o funcionamento do aparelho, é inatingível pelo funcionário englobado. Não pode ser amado. O que Nietzsche toma pelo destino, não passa de funções subalternas do aparelho. E como amar essas funções, se são nojentas no seu eterno retorno absurdo? Nietzsche confunde amor com nojo. Vontade para o poder, diz Nietzsche? Ingenuidade. A vontade que propele tudo é o funcionamento cretino do aparelho, e o poder para a qual tende é o próprio aparelho. A minha vontade não passa do movimento do aparelho, e mesmo ao me rebelar, enquadro-me nele. O poder que alcanço é função do aparelho. Senhor e rebanho, diz Nietzsche? Ingenuidade. É na hierarquia dos funcionários que está falando, e senhor e rebanho são termos relativos. Todos somos lobos uns para os outros, e nesse sentido senhores. Todos somos ovelhas do aparelho, e nesse sentido rebanho. Senhor e rebanho são duas formas de verme. Moral de senhor, diz Nietzsche? Ingenuidade. Toda moral é um aspecto subalterno da imoral do aparelho. Toda moral é uma medida do funcionamento absurdo de tudo. Além do Bem e do Mal e do Super-Homem, diz Nietzsche? Ingenuidade. Estamos todos dentro do aparelho e não podemos escapar-lhe, e nem imaginar poder escapar-lhe. Além do Bem e do Mal está apenas o aparelho, e isso significa que o aparelho está, do nosso ponto de vista, no Mal. Super-homem é apenas o aparelho, e isso significa que é desumano e anti-humano. Viver perigosamente a vida, diz

Nietzsche? Ingenuidade. Não há perigo, e não pode haver perigo. Há apenas o funcionamento e as falhas no funcionamento. O que Nietzsche glorifica são essas falhas porque lhe dão a ilusão de liberdade. Mas nem pelas falhas escapamos ao aparelho. Não há perigo. No fim, o aparelho nos pega de toda forma. Isso não é perigo, mas destino. E quanto à "vida", o que significa esse termo? Função do aparelho. Não se pode funcionar dentro de um aparelho nojento. E não se pode deixar de funcionar dentro de um aparelho todo-poderoso. "Não posso viver e não posso morrer. Somos todos assim", dirá Artaud dentro em breve. E nisso se resume toda a vida bela e perigosa cantada por Nietzsche. E, finalmente, Nietzsche diz que devemos amar o sofrimento? Ingenuidade. Pois que o ame. Ninguém e nada pode objetar algo a isso. Que ame o sofrimento, ou que o deteste. Que opte pela beleza loira ou pela bondade judaica. Que seja orgulhoso ou seja humilde. Que saque a espada ou vista a cogula. Que cerque a testa de louros ou cubra a cabeça de cinzas. O aparelho é totalmente indiferente a todas essas poses. Continua funcionando com desprezo total pelas decisões que tomamos. Nada perturba a sua soberania cretina. É automático e imperturbável. O resto é conversa fiada. A transvalorização de valores e metamorfoses que resulta em barata. O seu único efeito é o único que lubrifica o aparelho.

Que cosmovisão é esta? Religiosa. Se a compararmos com as cosmovisões que esbocei no curso deste livro, verificamos que se trata da primeira articulação religiosa depois do Renascimento. Sei que esta minha afirmativa é inaceitável mesmo para aqueles que aceitam a subjetividade da minha exposição, porque fere obviamente os fatos. A cosmovisão luterana não seria religiosa? Não seria religiosa a cosmovisão daqueles que se bateram na Guerra dos Trinta Anos? Não haveria toda uma dimensão religiosa ao pensamento iluminista? O romantismo não seria, em certo sentido, uma volta para a religiosidade? Não tenho confessado, eu próprio, que considerava Nietzsche um pensador cristão, embora invertido? E isso são apenas aqueles aspectos da Idade Moderna mencionados neste livro. E quanto aos suprimidos? A Contrarreforma não é por acaso resultado de uma visão religiosa do mundo? E os jesuítas? E Pascal? E os místicos protestantes? E os grandes santos barrocos? E Espinosa? E Kierkegaard, a quem mencionei diversas vezes para sempre relegá-lo ao futuro? E até a "vontade para crer" dos pragmáticos, não seria tudo isso um aspecto de religiosidade? Como posso ousar dizer que Kafka é a primeira articulação religiosa depois do Renascimento? Justamente Kafka? Que confessa não poder ser cristão porque demasiadamente judeu, e não poder ser judeu por sê-lo de maneira insuficiente? Que ostenta uma atitude antirreligiosa? Cujo "Deus" é um buraco dentro da realidade para dentro do qual deslizamos ou rolamos? Cuja fé é literalmente em nada? Este Kafka seria o primeiro a articular uma cosmovisão religiosa? Para justificar, pelo menos parcialmente, a minha afirmativa, volto para a discussão do papel da religião na Idade Moderna.

Disse, ao tratar do Renascimento, que para a mentalidade moderna a religião é um problema. Problema significa objeto. A mentalidade moderna encara a religião, preocupa-se com a religião, procura tomar atitude em face da religião, porque a ela está oposta. Não está dentro da religião, como o era a mentalidade medieval, para a qual a religião não representava problema. Pois bem: do ponto de vista moderno, isto é, externo à religião, podemos distinguir várias atitudes em face do problema. Podemos chamar de "religiosas" as atitudes que se preocupam seriamente com o problema, e de "não religiosas" aquelas que negam, ou desprezam, ou ignoram o problema. Nesse sentido, há, obviamente, cosmovisões religiosas modernas. Considerem, por exemplo, a pascalina. Numa atitude rebelde, desesperadamente oposta à fé geral na razão que caracteriza o seu tempo, aposta Pascal na fé religiosa e lança-se nela. Posto ante a alternativa "razão/coração", escolhe, livre e deliberadamente. Parte de uma posição de liberdade, e empenha-se na religião e na fé no transcendente. E creio que uma análise existencial de todas as atitudes autenticamente religiosas modernas revelaria a mesma escolha, o mesmo ato de decisão existencial em prol da fé ("decisão em prol de Cristo", como dizem os pregadores protestantes). Isso não é o que acontece com Kafka. Kafka se decide por absolutamente nada. Não há sequer uma "conversão" na hagiografia kafkiana. A religião não é problema para Kafka. O judaísmo, o cristianismo, todas as religiões de um passado remoto e não mais alcançável, isso sim representa problemas. Mas a religião como tal, isto é, a religião como clima que respiro e dentro do qual conheço, atuo, vivo e morro, não é problema. É esta a minha justificativa por considerar Kafka a primeira cosmovisão religiosa depois do Renascimento.

Mas de que tipo de religiosidade se trata? Permitam que recorra, para ilustrá-la, a um anacronismo e a um exemplo por certo inapropriado. Para nós que habitamos os países ditos "livres" do Ocidente, isto é, os países do neocapitalismo ou semicapitalistas, o comunismo é um problema. Para aqueles que nasceram e se criaram nos países ditos "democracias populares" o comunismo não é um problema. Não se discute lá, como aqui, a decisão em prol do comunismo ou em prol da luta anticomunista. Pois Kafka vive num país no qual a religião não se discute. O meu exemplo é falho por várias razões, mas uma delas é a seguinte: o comunismo não se instalou universalmente. É, portanto, embora negativamente, vivenciado como problema também nos países "socialistas". Mas no país kafkiano a religião se instalou universalmente. Kafka é profeta e vive no país do futuro. No seu país a religião não é problema. Que tipo de "comunistas" são os habitantes das "democracias populares"? Certamente de um tipo diferente dos comunistas revolucionários do lado de cá da cortina. Digamos, para definir o seu tipo, que são "comunistas automatizados" e "desencantados". Não são comunistas do nosso ponto de vista, mas apenas funcionários de um aparelho em funcionamento. Pois este é o tipo de religiosidade kafkiana. Kafka não parece ser religioso do ponto de vista moderno, daquele ponto de vista do lado de fora da cortina. A sua religiosidade é automática e desencantada. E isso é que a torna religiosidade autêntica, porque espaço dentro do qual se dá e tudo se perde. O clima kafkiano não é mais o clima moderno, no qual o homem é chamado a decidir-se. Nem é o clima medieval, no qual o homem se enquadra automaticamente no tudo. É o clima pós-moderno, no qual o homem se enquadra automaticamente, mas absurdamente, no nada. É o clima da cova da Idade Moderna.

O próximo capítulo deste livro procurará descrever o castigo pelo qual Deus visitou o Ocidente ao encarnar-se em aparelho. Aparecerá, nesse capítulo, o progresso realizado na forma do nazismo e do stalinismo, o ideal humanista realizado na forma do funcionário perfeito Eichmann, e a vitória do imanente sobre o transcendente na forma do Zyklon B como meta. Mas em Kafka tudo isso já está previsto. Kafka já sofreu, na carne e na alma, os acontecimentos dos anos 1940. Era profeta no sentido bíblico do termo. E como tal concordava com a justiça do castigo. A transformação do homem em verme, ou em cafetão da morte, essa derradeira dissolução da dignidade humana, Kafka a vivenciava diariamente. O campo no qual Kafka cavava a sua cova, já era o campo da concentração das forças Divinas que se abatem, qual aves de rapina, sobre a humanidade culposa. O SS e a sua vítima aparente já são vivenciados, os dois, como vítimas nojentas de um processo cretino, mas justo. Mas a visão kafkiana vai além dos anos 1940, e além do programa deste livro. Kafka vive em país no qual também o nosso futuro está realizado. Com a mesma falta de misericórdia que caracteriza os seus depoimentos quanto ao futuro imediato da sua geração, desfralda Kafka diante de nós o nosso próprio futuro. Essa falta de misericórdia é uma nova forma de amor (a despeito de Nietzsche). Kafka sente nojo por nós, como o sente por si mesmo, mas esse nojo é um movimento de amor, porque é um sentimento religioso. E esta é a sua visão nojenta do nosso futuro.

O aparelho se instalará definitivamente. Definitivamente, e sem possibilidade a recurso, girarão as rodas e oscilarão as alavancas de um destino cruel e cego. A humanidade será triturada a pó cinzento. Mas o aparelho terá sido mal projetado e funcionará pessimamente. A humanidade transformada em funcionalismo será mal ajustada e desleixada. O destino funcionará mal, e mal serão aplicados os seus castigos, todos eles justos. O aparelho será um computador moroso, e sua memória será falha. Pouco a pouco será esquecida a humanidade pela memória do aparelho. É desta forma, pelo esquecimento, que o aparelho superará a humanidade. O super-homem esquecerá que ainda há homens. A meta da vida dos homens será a de se fazerem lembrados pelo aparelho. Será a tentativa de chamar a atenção do aparelho sobre a humanidade, a fim de castigá-la. A humanidade existirá em função do aparelho que funcionará em total desprezo pela humanidade. Instâncias hierárquicas do funcionalismo espionarão as atividades e os pensamentos dos seus subordinados e dos seus superiores, para poder denunciar rebeliões *a priori* frustradas e chamar assim sobre si a atenção do aparelho. O aparelho desprezará os denunciantes, mas castigará os denunciados. Um tédio gigantesco cobrirá, qual poeira, todas as repartições do aparelho e mergulhará todos os seus documentos condenatórios no clima da morte. Essa poeira do tédio entravará ainda mais o funcionamento das rodas. O movimento todo do aparelho será vivenciado, por ele mesmo, como um movimento intestino do tédio insuportável. As sentenças condenatórias, que serão do ponto de vista da humanidade as metas do funcionamento do aparelho, serão emitidas com ineficiência excruciante para os que por elas esperam. Esta será, pois, a única esperança da humanidade: ser condenada com eficiência maior, provocar e apressar a execução da sentença. Como se vê: o mundo kafkiano é a derradeira realização da cosmovisão nietzschiana. A humanidade esperando por seu castigo e procurando provocá-lo. E a vontade para o poder, o aparelho, como o eterno retorno. Esse é o futuro que nos é reservado na visão kafkiana.

Na época vitoriana essa visão não era vivenciável. O aparelho que se preparava para assumir o poder apresentava-se como sumamente eficiente. Com eficiência sempre crescente funcionavam os seus instrumentos. E iam funcionar ainda melhor no futuro imediato. Rápidos, eficientes e brutais eram os castigos que o destino infligia sobre a humanidade. O tédio e o mal funcionamento não podiam ser vivenciados como agravamento do castigo, mas sim como válvulas de escape. Mas nós, os atuais, começamos a perceber o que Kafka profetizava. No nosso horizonte começa a surgir o aparelho de mau funcionamento. É apenas atualmente que Kafka se torna plenamente significante. A sua voz se torna, para nós, um brado desesperado de alerta. Mas em certo sentido podemos dizer que Kafka não previu tudo. A sua visão, embora potente, é limitada. A sua religiosidade, embora profunda, não abrange todas as dimensões da existência humana. Vivenciando a fundo a cosmovisão kafkiana, podemos talvez ultrapassá-la. Podemos ver, no fundo da cova aberta, um canal estreito que talvez conduza em direção de algo novo. O desespero de Kafka não é, para nós, a última palavra. Mas corretamente é necessário passarmos por ele, no nosso caminho em busca de outros horizontes.

Kafka é nosso profeta. Mas não é contemporâneo nosso. Vê certos aspectos do nosso futuro, mas não vê todo o nosso presente. É, a despeito de tudo, ainda vitoriano. Nele começa a articular-se uma Idade vindoura, mas ainda o faz em estilo moderno. Nele começa a despertar a nova religiosidade, mas ainda o faz nas roupas da irreligiosidade moderna. Com Kafka cumpre-se o destino, mas não se supera. Kafka enterra toda uma maneira de vida, e ser moderno depois de Kafka é ser anacrônico e "atrasado". Mas com Kafka ainda não é possível ser outra coisa que não moderno. Em suma: Kafka é o fim, e depois dele só resta o nada. Mas nós vivemos depois dele. Talvez vivamos às custas dele e graças a ele. Mas vivemos a despeito dele. Algo novo começa conosco às custas de Kafka, graças a ele e a despeito dele. Algo que a Idade Média chamaria de "ressurreição da tumba". Ou que pode ser chamado, em clima um pouco diferente, de "Renascimento". Disse que depois de Kafka só resta o nada. E isso talvez seja o "novo" que está renascendo conosco. Somos renascentistas em sentido muito mais significante que os quatrocentistas. Conosco não estão renascendo gregos ou romanos. Conosco renasce o nada. E renasce da cova aberta por Kafka.

3.2.4. CAMPO

Na introdução ao terceiro capítulo procurarei comparar as sociedades humanas com campos de trigo. Procurarei definir a Idade Moderna como cadeias de gerações sucessivas de hastes que apontam, com suas espigas, para o próprio campo. Como cadeia de gerações invertidas, portanto. Tendo perdido o horizonte do além do campo, cresciam essas gerações, desenvolviam-se e progrediam tendo o campo por única realidade. Os seus grãos cresciam nas espigas, multiplicavam-se e caíam ao solo para dar origem a hastes novas e mais numerosas. O campo se expandia. As fileiras das hastes se estendiam a perder de vista, e um mar de trigo ondulava ao vento. Enquanto esse vento transportava o pólen de espiga para espiga e fertilizava o campo em crescimento, repousavam as asas dos moinhos de vento que cercam o campo. Era como se não existissem. Os grãos de trigo não foram recolhidos, não foram transportados aos moinhos, não foram transformados em farinha. O ceifador vinha, do além do campo, para cortar as hastes na hora da grande ceifa, mas não vinha para colher, senão para espalhar os grãos no próprio campo. A sua foice cortava absurdamente e sem propósito nem meta. A foice era a meta. Era em busca da foice que cresciam, se desenvolviam, progrediam e se multiplicavam as hastes. É verdade que o campo crescia, se desenvolvia, progredia com cada um desses cortes absurdos. É verdade, portanto, que o campo parecia ser meta. Mas que meta triste. O campo como eterno retorno do ceifador, como vítima sempre crescente da foice. Esta é a história da Idade Moderna.

Mas os moinhos que cercam o campo não estavam parados. Moíam vagarosos, silenciosos, mais impiedosos. Nada moíam, esperavam. Esperavam pela grande colheita. E eis que ela se aproxima. Já estão prontas a entrar em ação as enormes máquinas colhedeiras que cortarão automaticamente milhões de hastes de um só golpe. Já se levanta o vendaval a impulsionar o maquinismo dos moinhos. O campo se retorce em ondas debaixo do céu carregado de nuvens pretas. Está chegando a hora.

Lancemos um último olhar sobre o campo ainda intacto, antes que as foices mecanizadas cruzadas com martelos hidráulicos o devastem, e antes que as rodas mortíferas das suásticas rotativas o aniquilem. Lancemos um último olhar sobre o campo moderno ainda não demolido, sobre o campo de 1914. A história tem uma maneira irônica e sutil de marcar simbolicamente as censuras que a informam. Três caravelas minúsculas simbolizam irônica e sutilmente o início da Idade Moderna. Zarpam em busca das Índias, descobrem o Mundo novo, e chamam-se *Pinta, Nina* e *Santa Maria*. Um transatlântico gigantesco simboliza irônica e sutilmente o fim da Idade Moderna. Zarpa em busca da América, naufraga num iceberg, e chama-se *Titanic*. A lenda do navio fantasma cumpre o seu curso. Olhemos, pois, o *Titanic* em seu curso rumo ao iceberg.

Ante a nossa visão desfralda-se uma cena que se distingue, superficialmente, muito pouco daquela que admiramos ao termos subido a Torre Eiffel na nossa encarnação como gentleman londrino. Apenas se tornaram um pouco mais nítidos os contornos das coisas novas. Um pouco mais nítida tornou-se a silhueta do aparelho dominador e onipresente. Um pouco mais nítida tornou-se a função do homem dentro do aparelho. Um pouco mais nítido tornou-se o ritmo da massificação da humanidade em sua metamorfose para o instrumento. E começa a delinear uma divisão celular (para falarmos biologicamente), ou uma fissão nuclear (para falarmos profeticamente), pela qual o campo ocidental explodirá para dar origem a dois campos periféricos: o soviético e o americano.

De centro de campo, de convergência das vontades tendentes para o poder, começa a transformar-se a Europa em cruzamento de campos, portanto em campo de luta. A primeira guerra é, com efeito, uma operação de limpeza e de terra arrasada, que prepara o campo europeu para sua transformação em campo de ação dos dois aparelhos gigantescos *in statu nascendi*. Ainda está concentrada a atenção da história sobre a Europa. Mas já mudou de perspectivas. Ao aparelho em progressão já não convém as dimensões meramente humanas da geografia europeia. Os vales estreitos dos seus rios modestos já não contêm a pujança dos seus tanques e seus tratores. As colinas suaves dos seus bosques e prados já não satisfazem a vontade de expansão da sua teia de asfalto e arame de cobre. A sua articulação variada em culturas e mentalidades distintas já não constitui base para a sua tendência centralizadora e titanizadora. A Europa deixou de ser o campo adequado para a chegada ao poder do aparelho. É demasiadamente humana. Outras são as dimensões agora exigidas. Do Tâmisa e do Reno transplanta-se o aparelho para o Hudson e o Mississippi. Do Danúbio e do Elba ao Dão e ao Volga. Das planícies modestas da Île-de-France às planícies titânicas do Middle West, e da Floresta Negra à floresta gigantesca da Taiga, o processo de aparelhamento transplanta os seus centros. E a Europa interessa apenas como o ponto de partida do aparelho em sua marcha rumo à vitória definitiva. No campo de batalha de Flandres surgirão as bandeiras do aparelho do Middle West em sua primeira incursão com vontade vitoriosa. E no campo de batalha do lago masúrico começará a articular-se a vontade do aparelho da taiga. Em Compiégne será ouvida, pela primeira vez, a voz imperial do aparelho americano. Em Brest-Litovsk, surgirá, pela primeira vez, a articulação do aparelho dos soviéticos. Doravante será posta entre parênteses a Europa, nuns parênteses cujo lado ocidental se chama Wilson, e cujo lado oriental se chama Lênin. Passarão trinta anos até que a Europa aceite esse seu confinamento, trinta anos sangrentos até que a Europa confesse a sua metamorfose de campo do poder em campo de luta. Mas a decisão já foi tomada.

Com a transferência dos aparelhos para terrenos mais amplos surge uma mudança sutil no estilo do seu funcionamento. Imagino que um aumento de dimensões sempre traz uma modificação qualitativa e que uma cópia ampliada sempre difere do original qualitativamente. Imagino, por exemplo, que se modificou qualitativamente o estilo da vida grega pela mudança das dimensões áticas nas dimensões helenistas, ou que se modificou qualitativamente o estilo da vida romana pela mudança das dimensões italianas para as dimensões bizantinas. Essa mudança qualitativa do aparelho em seus dois novos ambientes não reside apenas na sua tendência para o titanismo perpendicular, exemplificado em Manhattan. Reside muito mais no clima da amplidão e da vastidão de todos os movimentos e gestos. Esse clima é confundido com a liberdade pelos que dele participam. Os americanos que penetram a Europa nos seus tanques vivenciam o ambiente europeu como mesquinho e restrito, e demasiadamente apegado a detalhes desprezíveis. Sentem-se superiores a essa vidinha limitada e preconcebida. Desprezam a Europa como campo da pequena burguesia. Na realidade, no entanto, são os próprios americanos os que representam, a esta altura, a vitória da pequena burguesia. O seu *way of life* parece mais amplo e livre que a vidinha dos europeus, mas na realidade é apenas mais bem-adaptado a um aparelho mais amplo. A mesquinhez europeia é, na realidade, vestígio de elementos humanos no comportamento dos funcionários, e a amplidão americana é, na realidade, consequência da eliminação desses elementos humanos. O *rugged individualism* dos americanos não é, como parece ser, um sintoma de liberdade humana, mas é, pelo contrário, sintoma da liberdade do aparelho e da escravidão do homem especializado. E é, no fundo, este o motivo da transferência do aparelho para novos campos: eliminar vestígios humanos que aderem, obstinadamente, ao funcionário em ambiente europeu.

O aparelho americano terá um funcionamento ligeiramente diferente do aparelho soviético, já que no seu projeto colaboraram motivos calvinistas, e no projeto soviético motivos ortodoxos. Mas essa diferença inicial e sua gradual superação pela automaticidade uniformizante do funcionamento de todo aparelho são temas dos decênios do pós-guerra. Agora, em 1914, trata-se ainda de premonições nebulosas, profetizadas por espíritos isolados como Kafka. Ainda é na Europa que os destinos do Ocidente se cumprem e se decidem. Ainda é o Campo de Marte parisiense que solta os primeiros aparelhos voadores. Ainda é o campo universitário de Oxford que projeta os primeiros aparelhos demolidores dos núcleos atômicos. Ainda é o campo de batalha alsaciano que experimenta os primeiros aparelhos assassinos em massa. E ainda são os Campos Elíseos parisienses que articulam os primeiros aparelhos cinematográficos, que serão tão característicos da atualidade. Em suma: a Europa ainda é o campo de decolagem do aparelho. A imagem que se impõe é, pois, a seguinte: a Europa como campo recortado por trincheiras abertas pelas pás da análise destruidora, coberto pelo pó do tédio e do desespero, habitado por vermes uniformizados de cinza e que representam a metamorfose do homem em funcionário, e do qual se levantam dois aparelhos titânicos em busca do naufrágio: o soviético e o americano. É nesta cena que se trava a primeira guerra.

É claro que os motivos da guerra são racionalizados. Não se admite, é claro, que a guerra seja consequência da perda da fé no transcendente e, portanto, derradeira manifestação do castigo. As potências ditas centrais declaram que lutam por um lugar ao sol que lhes está sendo negado pela perfídia albiônica, pelo chauvinismo galês, pela traição italiana e pela barbárie russa. As potências ditas aliadas lutam para tornar o mundo seguro para a democracia, posta em perigo pela arrogância guilhermina, pelo obscurantismo habsburguiano, e pelo despotismo da Sublime Porta. A burguesia luta para manter abertos os mercados e permitir que as matérias-primas continuem sendo transformadas pela Europa em produtos acabados pelo belo jogo da concorrência livre. O proletariado luta porque essa guerra é a última luta na qual a burguesia se degola intestinamente, como o previa Marx, e abre o campo para a sociedade comunista. Nós, da distância que cinquenta anos nos proporcionam, sabemos que todas essas razões são pretextos. Sabemos que ninguém queria a guerra. Ninguém, isto é, nenhum ser humano. A guerra veio não por vontade humana, ou por choque de vontades humanas. Veio por vontade do aparelho. A surpresa incrédula que se apoderou dos nossos pais naquele agosto de 1914, a sua impossibilidade de compreender a catástrofe aparentemente não provocada, eram a vivência ante a primeira manifestação automática da vontade do aparelho. Era a vivência da chegada ao poder do aparelho; Guilherme, surpreso, prometia uma guerra tradicional nos moldes românticos e de acordo com o plano Schlieffen. "Antes de caírem as folhas estaremos de volta." As folhas caíram, mas nuca mais voltou a humanidade. Um outono sangrento ia ser seguido por um inverno mortífero e impiedoso. Somos nós talvez os primeiros a presenciar o brotar dos primeiros germes tenros de uma nova primavera.

As potências aliadas chamavam as potências centrais de "hunos". As potências centrais chamavam o exército czarista de "hordas". Termos proféticos estes. Como no fim da Antiguidade, assim também agora hordas de hunos iam devastar o campo da sociedade civilizada, para semear os germes de uma colheita nova. Morria a Idade Moderna. Mas havia uma diferença. Os hunos pré-medievais eram bárbaros vindos de fora, dos confins da China, para injetar numa sociedade cansada um novo vigor e agir, destarte, como catalizador de um processo novo. Os hunos atuais vêm de baixo, e Ortega y Gasset dirá, dentro em breve, que a nossa invasão bárbara é uma invasão interna. Não é dos confins da China, mas dos esgotos das nossas cidades e dos nossos subconscientes que a barbárie se projeta. Isso distingue o nosso "Renascimento" do surgir da Idade Média e do Ocidente no sentido estrito do termo. Nada devemos esperar de fora. É em nós mesmos, nas nossas entranhas, que devemos encontrar o nosso caminho. O nosso projeto doravante é uma procura de autodescobrimento consciente. E é tendo o aparelho como pano de fundo e como sistema referencial que devemos tentar fazê-lo.

O próximo capítulo tratará do ano de 1940. Do ano da desgraça. Mas, a despeito disso, já estará banhado em clima diferente e, ouso dizê-lo, mais otimista. Procurará mostrar que no instante do castigo mais severo já começam a despertar os primeiros sintomas de uma nova aurora. E com esta observação procuro aliviar um pouco a pressão quase insuportável de uma atmosfera carregada que prenuncia a tormenta. É esta a esperança que me inspira a progredir nesta minha tarefa.

3.3. ETERNO RETORNO

Uma mudança radical no método da exposição impõe-se nesta altura do argumento. Todos os capítulos anteriores são tentativas de evocar um passado que é "nosso" num sentido arqueológico, isto é, um passado enterrado. As nossas vidas e os nossos pensamentos são resultado desse passado, e toda a nossa maneira de ser é informada por ele. Nesse sentido, está presente esse passado. A tarefa dos capítulos anteriores era a de desenterrar em nossas mentes alguns dos movimentos desse passado, no esforço de compreender o presente. O método era, portanto, este: mergulhar nas camadas inconscientes do nosso eu, e procurar adequar os fósseis assim desenterrados às informações ditas "objetivas" que nos fornece a conversação geral da qual participamos. Por exemplo: se encontro, na minha autoanálise, elementos românticos que continuam a determinar o meu pensamento e comportamento, embora saiba que conscientemente já superei o romantismo com a idade de quinze anos, devo procurar compreender essa força determinante ao adequá-la ao romantismo que conheço da leitura direta e indireta. Os capítulos anteriores seguem esse método comparativo. Desenterram movimentos subconscientes, e procuram adequá-los aos dados da conversação geral e *soit-disant* "objetiva".
Mas com o ano de 1940 esse método torna-se inaplicável. Participei conscientemente desse

tipo de passado. Não posso doravante comparar dados subjetivos com dados objetivos. Tudo está mergulhado em subjetividade, porque tudo se passa na camada consciente da minha mente. Lembro-me subjetivamente de tudo, e toda tentativa de objetivar é doravante inautenticidade.

No entanto, em outro sentido, é o ano de 1940 uma época passada. Participei dela, e isso é verdade. Mas está soterrada pelo meu desejo de esquecê-la. As lembranças que suscita são tão insuportáveis, que é necessário um esforço para evocá-las. O meu método continuará, portanto, sendo o do desenterro. Mas os obstáculos a serem vencidos serão outros. Procurarei doravante adequar aquilo que encontro dentro de mim às vivências que estou procurando esquecer, e não mais às informações que recebo de outros. Não lutarei mais contra a objetividade das informações, mas contra a minha recusa de encarar aquilo por que passei para me tornar o que sou agora. A minha exposição deverá ser daqui em diante um exercício de superação de inibições conscientes. O argumento todo se desenvolverá, doravante, no pleno consciente, e com plena responsabilidade. Embora os responsáveis pelo ano de 1940 ainda fossem os da geração passada, já não posso me eximir inteiramente. Estive lá, e presenciei tudo. Não tenho desculpa.

O que acabo de dizer refere-se a todos nós maiores de quarenta anos. É totalmente subjetivo, mas por isso mesmo totalmente intersubjetivo. Todos nós, maiores de quarenta anos, podemos lembrar. E todos nós, creio, participamos da sensação de que o ano de 1940 não pode ter sido como o lembramos. Apesar de termos dele participado, não podemos crer nele. Algo como o ano de 1940 não pode ter acontecido. Parece pesadelo. É, no entanto um pesadelo intersubjetivo. Todos nós participamos desse sonho. E somos, todos, como que sobreviventes. Ainda existimos, apesar de 1940. Escapamos. Somos a quarta geração, a que escapou ao ano de 1940. Por isso o ano de 1940 é "nosso" passado num sentido diferente. É "nosso" passado, porque conseguimos passar por ele. Pois desse passado falarei em seguida.

Escolhi como título deste capítulo o termo "eterno retorno". Ao fazê-lo pensei, obviamente, em Nietzsche. Mas pensei também na fugacidade e na efemeridade de toda civilização com todos os seus valores e com que facilidade retornam para o eterno fundamento bestial que se esconde no homem. Agora me ocorre que a suástica é o símbolo da roda eterna, de *samsara*, do eterno retorno. Uma segunda consideração elucida, no entanto, que estes três significados do eterno retorno não são coincidência, mas se completam. O eterno retorno nietzschiano é a volta, sempre renovada, para tudo o que há de bestial e desprezível no homem. A queda sempre nova, e sempre surpreendente, para o fundo lamacento é como chega ao poder a vontade humana. E a suástica é o símbolo não apenas da bestialidade, mas também daquilo que sempre volta. Ao ser desfraldada essa bandeira sangrenta com o símbolo sinistro no centro, no coração da Europa, a reação unânime de uma humanidade perplexa era a seguinte: isso não pode durar, uma cretinice tão abismal não pode se firmar. E as partes da Europa que ainda não tinham caído sob a sombra dessa bandeira reagiam com a seguinte afirmativa: isso não pode acontecer aqui, isso é impossível. E, no entanto, isso pode durar, isso pode firmar-se, isso pode acontecer aqui e agora. Isso pode acontecer sempre, porque é isso que sempre acontece. É o eterno retorno. É o encerrar-se de um ciclo. É a meta do progresso. O ano de 1940 é a meta de todo progresso: Eichmann, o funcionário; Streicher, o assassino idiota; Himmler, o homem sem rosto e sem qualidade; em suma: o uniforme cobrindo um corpo sem alma e sem espírito, mas com meta monomaníaca, a saber: o aparelho, isto é, o produto derradeiro do progresso. Com o nazismo cumpre-se o destino do Ocidente. Cumpre-se o castigo. Hitler declarava que o seu reino era de mil anos. Efetivamente cumpriu a sua palavra. Os doze verões e invernos que durou o banho de sangue, excremento e idiotice eram mil anos para nós todos, que por eles passamos. Durante mil anos sofremos o castigo que se abateu sobre o Ocidente. Somos os sobreviventes que passaram pelos mil anos. Somos muito velhos, os pretensos fundadores da Idade vindoura.

A primeira barreira a ser vencida pelo esforço de lembrar-se é a barreira do desprezo e do asco.

O nazismo como teoria é algo cretino demais para poder ser discutido seriamente. E o nazismo como práxis é algo nojento demais para poder ser analisado desapaixonadamente. O esforço é necessário, porque a teoria nazista é consequência do cientificismo, e a práxis nazista é o primeiro exemplo do funcionamento do aparelho. O esforço consiste na decisão de não virar as costas ao nazismo para vomitar, mas de encará-lo para tratar dele com seriedade. Devemos levar a sério as articulações roucas e histéricas dos semialfabetizados, devemos ler e discutir como textos as publicações cheias de erros de gramática e de insinceridade estilísticas dos teóricos do partido, devemos analisar e ponderar as conclusões às quais chegaram os criminosos e a ralé disfarçados em intelectuais do movimento nacional socialista. E devemos procurar compreender os motivos que resultaram nas reuniões em cervejarias, nas quais canções sentimentais se alternavam com gritos convidando ao assassinato em massa, que resultaram no baque mecânico de dezenas de milhares de botas pisando as ruas das cidades majestosas e fazendo tremer os alicerces da civilidade, e que resultaram na transformação das moças e mulheres de uma grande nação em rebanho de ovelhas histéricas, vestidas de meias de lã e emprenhadas para satisfazer o guia. Em suma: devemos discutir o nacional-socialismo.

No entanto, não podemos fazê-lo com espírito distanciado. Não podemos tentar descrever o nazismo como se fôssemos tratar dos mitos e dos costumes dos aborígines australianos. Participamos todos da responsabilidade pelo nazismo, porque somos espíritos informados pelas mesmas tendências que informam os nazistas. Nada nos é alheio daquilo que motiva o comportamento nazista, e podemos compreender esse movimento todo introspectivamente. Há uma dimensão dentro de nós todos que é uma dimensão nazista. Por mais que queiramos afirmar a nós mesmos que o nazismo representa, para nós, tudo o que há de mais alheio ao nosso pensamento e comportamento, não seríamos honestos se não admitíssemos que, a despeito de tudo, o nazismo é um produto tão organicamente crescido do húmus ocidental que nos fundamenta quanto o são as demais teorias e práticas da nossa cultura. Com efeito, devemos admitir que o nazismo é o produto mais desinibido e, nesse sentido, o mais autêntico de todos.

O nazismo é a meta da Idade Moderna. Quando a humanidade medieval abandonou a catedral para adentrar o mundo imanente, era em direção ao nazismo que se dirigia. Ao ter abandonado a cruz que sustenta o Salvador que carrega os pecados do mundo, já escolheu a humanidade, sem sabê-lo, a cruz gamada que simboliza os pecados do mundo. É neste espírito subjetivo e carregado da sensação de responsabilidade que devemos tratar do nazismo.

Em primeiro lugar devemos admitir que o nazismo é um socialismo. Não é, como nos querem fazer crer os marxistas, um truque derradeiro e desesperado da burguesia para evitar o socialismo, mas é, pelo contrário, a chegada ao poder de um autêntico socialismo. Um socialismo, é verdade, no qual o elemento darwiniano predomina sobre o hegeliano (enquanto no marxismo predomina o elemento hegeliano sobre o darwiniano), mas isso não o torna menos socialista. A teoria da raça é tão "científica" quanto o é a teoria da classe, e é igualmente "materialista". É uma biologia tão vulgarizada e deformada quanto é vulgarizada e deformada a economia no marxismo. É uma teoria tão empenhada na modificação do mundo quanto o é o marxismo. É um convite para a luta final que estabelecerá uma nova ordem e uma nova sociedade perfeita, quanto o é o marxismo. Se temos a sensação de que o nazismo trai o espírito científico e humanístico do Ocidente (e que é, portanto, nesse sentido reacionário), enquanto o marxismo afirma esse espírito científico e humanista, estamos enganados. Ambos são igualmente científicos, porque ambos existencializam uma determinada ciência, elevam-na à pseudorreligião, e assim a deformam e transformam em seu contrário e em caricatura. E ambos são igualmente humanistas, porque concebem o homem como um ser imanente, articulação da vontade criadora de realidade, embora um conceba o homem como animal, e o outro como instrumento. Ambos são, portanto, consequências lógicas e necessárias do humanismo. Sentimos certa repugnância em assim equiparar totalmente marxismo com nazismo. Mas essa repugnância é a segunda barreira a ser vencida. Não quero negar que há diferenças éticas e estéticas entre nazismo e marxismo. Os valores do marxismo são valores cristãos, apenas sem o fundo transcendente que dá significado a esses valores. Os valores nazistas são todos negativos de um ponto de vista cristão, são todos uma franca admissão da total falta de significado e, portanto, da total aniquilação de toda responsabilidade. Mas uma análise demonstrará que essa diferença é apenas formal, e que na prática o comportamento da sociedade nazista se assemelha ao comportamento da sociedade marxista. Tirando o fundo transcendente, tornam-se vazios todos os valores, sejam positivos, sejam negativos, e tudo passa a ser permitido. E quanto às diferenças estéticas, é óbvio que as articulações dos intelectuais marxistas, e mesmo dos líderes políticos marxistas, são muito mais correntes, refinados e esteticamente elaborados que as articulações dos seus pares nazistas. Não se pode negar que ler um teórico marxista proporciona um prazer estético, enquanto ler um teórico nazista causa apenas nojo. Mas essa diferença estética é uma visão que temos como intelectuais que somos. Posso perfeitamente imaginar que há pessoas que vivenciam como sendo mais belos os pronunciamentos nazistas. O nazismo é um marxismo dos semialfabetizados. Aproxima-se, portanto, do ideal marxista da "comunicação com as massas". E, no fundo, ambos são igualmente anti-intelectuais, porque traem, ambos, o espírito do desempenho e da distância irônica que caracteriza o autêntico intelecto. Apenas é o marxismo uma traição em nível mais elevado. De um ponto de vista da seriedade não preconceituosa do intelecto puro são ambos igualmente repulsivos. Não há distinção essencial entre ambos.

Ao termos admitido a semelhança entre nazismo e marxismo, demos, conforme creio, um passo decisivo em direção à superação da Idade Moderna. Foi um passo muito penoso. É muito fácil desprezar o nazismo, porque ofende todas as nossas escalas de valores. É muito difícil desprezar o marxismo, porque este representa, conforme me esforcei por mostrar nos argumentos anteriores, a última forma de uma pseudofé do Ocidente. Ao admitir a fundamental identidade de nazismo e marxismo, estamos, com efeito, admitindo a falência da Idade Moderna e anunciamos a nossa recusa de participarmos dessa Idade. Se o marxismo é a articulação do progresso, e o nazismo a articulação da reação, e se ambos são fundamentalmente idênticos, passam a ser idênticos "reação" e "progresso". O próprio termo "progresso" perde todo significado, e com isso estamos abandonando a Idade Moderna. A contemplação dos acontecimentos históricos auxilia esse nosso abandono. Nos anos 1930 houve várias aproximações entre nazismo e marxismo, como se ambos sentissem visceralmente o seu parentesco. O ano de 1940, que é o tema deste capítulo, é o ano da aliança Hitler-Stálin. E nessa aliança, aparentemente absurda, mas fundamentalmente justificada, culmina o progresso que é a Idade Moderna. É por isso que escolhi esse ano.

Não nego que há um perigo nessa identificação entre marxismo e nazismo. A consciência desse perigo é a terceira barreira a ser por nós vencida. O perigo é este: o nazismo é obviamente um fenômeno sem paralelo na história da humanidade. Nunca antes, e até agora nunca depois, alcançou o aparelho tamanha automaticidade. Nunca antes, e até agora nunca depois, foram perpetrados atos de tamanha futilidade com tamanha brutalidade. Dizer que o nazismo é fundamentalmente idêntico ao marxismo representa o perigo de eximir o nazismo da sua responsabilidade pela unicidade dos seus pensamentos e atos. O perigo precisa ser enfrentado. É preciso admitir que as realizações dos nazistas não passam de algo perfeitamente realizável pelos marxistas, se estes perderem as inibições que ainda os humanizam. Que os atos dos marxistas nos anos 1930 já prefiguram os atos nazistas. E que, afinal das contas, nada há de original no aparelho nazista. É ele uma realização aperfeiçoada do modelo stalinista. Repito que estou consciente do perigo dormente nesta minha afirmativa. Sei que os atos marxistas visam pretensamente um fim positivo do ponto de vista cristão e ocidental, enquanto o fim dos atos nazistas é cretinamente negativo, e é uma pretensão muito mais óbvia que a pretensão marxista. Resolvi, no entanto, ser inteiramente honesto. Não posso, portanto, negar que no fundo a tendência é a mesma.

Em 1940 tendo as costas protegidas por seu aliado Stálin, lançou-se o nazismo contra o Ocidente para destruí-lo. Lançou-se contra aquilo que costumava chamar "as democracias". A situação era, portanto, nítida; com efeito, era de uma nitidez invejável. De um lado as forças socialistas, prontas para instalarem o aparelho em cuja função funcionavam. Do outro lado as forças reacionárias da burguesia, que se agarrava, desesperadamente, ao controle fictício que tinha do aparelho. E essa burguesia proclamava que representava, ela, o Ocidente e a modernidade. Qual é o significado desta afirmativa? O que representava, na realidade, essa burguesia tida por decadente pelos socialistas? Tendo esboçado a situação existencial das forças atacantes, dedicarei este capítulo a uma análise das forças defensoras. Procurarei mostrar que os socialistas, tanto nazistas quanto marxistas, tinham razão ao considerá-las liquidadas. Que não representam forças de uma renovação da Idade Moderna. E que, com efeito, a Segunda Guerra resultou na vitória do socialismo, isto é, do aparelho, contra todas as aparências enganadoras. Apenas surgiu, com essa vitória, a esperança de superá-la. Procurarei mostrar que a esperança não está nas democracias, mas no além do socialismo.

3.3.1. MODELO

Procurei mostrar, no capítulo anterior, como a esquizofrenia inicial da Idade Moderna, essa divisão da realidade em "coisa pensante" e "coisa extensa", resultava, no início deste século, em niilismo.
A "coisa pensante" foi revelada pela análise como

não sendo pensante, e a "coisa extensa", pela física atual, como não sendo extensa. Começava a ficar óbvio, pelo menos para os intelectuais, que tanto "coisa pensante" como "coisa extensa" não passavam de ficções, de irrealidades. A coisa pensante, quando analisada, revelava o seu fundo, "a vontade" que era tudo menos pensante, e a coisa extensa, quando analisada, revelava o seu fundo, "o campo" que era algo muito semelhante a "nada". Em suma: começava a ficar óbvio que a "realidade" dentro da qual se movia o Ocidente a partir do Renascimento não o era. E que, como procura de realidade, é a Idade Moderna tempo perdido. Resolvi, a esta altura, tornar francamente autobiográfico o meu argumento, na esperança de comunicar, destarte, algo dessa descoberta fundamental da nossa geração, existencializando o problema.

Para mim, como aliás para todos que sofrem o problema da realidade desvanescente, ele se apresenta não tanto especulativamente, mas vivencialmente. Pouco a pouco o senso da realidade começa a ficar minado pela dúvida, para, numa catastrófica irrupção, explodir toda realidade que doravante fica como que reduzida a pedaços flutuando no nada. No meu caso concreto a realidade tinha um nome: Praga. Não se trata apenas do nome de uma cidade, de uma cultura, de uma maneira de vida. Trata-se, muito mais, do nome de uma fé na constância e na segurança da realidade. Uma cidade milenar, uma sociedade organicamente estruturada e refletindo tendências imemoriais, costumes e valores fluidos e maleáveis dentro de uma escala constante, tudo isso forma a moldura de um senso de realidade. Uma realidade plena de problemas, mas que não é, em si mesma, problema. Uma realidade medieval, se o termo for permitido. Pois pouco a pouco descobre-se que algo está desafinado nessa realidade. Consiste ela em blocos sólidos, mas que deixam entrever fendas. Essas fendas não foram abertas apenas pelas ciências da natureza e do espírito, mas também por uma força que corrói a realidade toda por dentro. Para que Praga, e o que significa Praga? Esta é a pergunta que se infiltra por entre as fendas. Estes edifícios milenares todos, que respeito me dizem? Essa sociedade complexa e preconceituosa toda, em que sentido é ela o meu campo? Esses valores todos, que significam? Um passeio pelas ruas, uma participação de uma reunião social, já não proporcionam a sensação da estabilidade, mas do nada fundante. Provocam, pelo contrário, a vivência de que algo está profundamente errado com essa cidade que é sinônimo de realidade. Que todos os seus problemas, por sérios que se mascarem, são fundamentalmente espumas. Que todas as suas formas de vida, por orgânicas e autênticas que se apresentam, são fundamentalmente poses. Que tudo isso não passa de teia de aranha, complexa e perfeita, mas pronta para ser desfeita pelos ventos gélidos que sopram por entre suas malhas. Em suma: que Praga não é "a" realidade, mas apenas um modelo, uma ficção de realidade, uma representação que tapa o fundo abismal do nada.

Chamemos de "romântica" essa visão abismal, embora esse romantismo tenha um ingrediente especificamente praguense. A essa fase schopenhaueriana do desmoronamento da realidade segue-se outra, a que procura deliberadamente recompor os elementos, dando-lhes significado novo. A realidade pode ser "explicada", e essa explicação permite um empenho em prol de sua reformulação mais adequada ao pensamento. É a fase marxista. O marxismo já é fruto da perda do senso de realidade. Já construímos deliberadamente um modelo, para depois adequar a situação a esse modelo. Mas o marxismo é uma fé, porque toma o seu modelo por único e verdadeiro. Diz o marxismo, com efeito: a minha é a explicação correta (isto é, "científica"), e a prova existencial disso é que os fenômenos, aparentemente isentos de significado, adquirem consistência quando enquadrados no meu modelo. Esta é a razão do ardor pelo qual a geração à qual pertenço se empenhava em prol do marxismo: para salvar a realidade e evitar o confronto com o abismo. O marxismo era a nossa derradeira fuga para evitarmos o confronto com o Deus morto. Mas como toda fé, o marxismo exigia o sacrifício do intelecto. E esse sacrifício foi posto à prova durante os processos moscovitas e a limpeza stalinista. Era exigido de nós que aceitássemos os absurdos brutais e sangrentos dessas realizações marxistas justamente por serem absurdos, sob pena de perdermos a fé salvadora. Aí ficou demonstrado que a fé marxista não é uma fé autêntica como o era a medieval: o sacrifício não era honesto. Os absurdos minavam a nossa fé no marxismo. É possível dizer que nunca éramos verdadeiros marxistas, porque o verdadeiro marxista não vivenciava o problema. Mas é também possível dizer que o *soit-disant* verdadeiro marxista já não é mais um ser humano, mas funcionário totalmente englobado pelo aparelho, e que, portanto, o verdadeiro marxista já não dispõe mais de intelecto a sacrificar em holocausto. A "realidade" do verdadeiro marxista já é o aparelho kafkiano, enquanto o nosso marxismo ainda era uma tentativa de salvar o senso de uma realidade não absurda. É, portanto, possível dizer que o nosso marxismo era um trágico erro. Era um marxismo de "salão", um marxismo de burgueses, um marxismo como *Ersatz* da religião perdida.

Embora abalada a nossa fé pelos absurdos moscovitas, foi ela salva, provisoriamente, pela Guerra Civil Espanhola. Imaginem a cena, tão diferente da do ano de 1940: de um lado as forças obscurantistas do fascismo com seu poderoso aparelho de guerra. Do outro lado as forças puras de uma nova aurora de dignidade e honestidade. E entre as duas as maquinações hipócritas e traidoras da burguesia corrupta e decadente. Era uma cena que convidava, a altos brados, para o nosso empenho, embora já sentíssemos dúvidas quanto à "pureza" das intenções marxistas. Pois essas dúvidas foram confirmadas catastroficamente pelos acontecimentos. As hordas marronas invadiram Praga, deitaram por terra a nossa realidade já corroída, e logo depois uniram-se às forças tidas por nós como "puras". Surgiu 1940. Já não restava outro recurso, mesmo fisicamente. Era preciso encarar o abismo do absurdo, dentro do qual os acontecimentos nos projetaram impiedosamente. Os anos seguintes passavam-se como que em pesadelo. Todos os acontecimentos careciam do estampo de realidade. Hitler em Praga, Ribbentrop em Moscou, Paris ocupada, crianças espetadas, experiências científicas com gêmeos congelados, fornos, câmaras de gás, tudo isso não passa de fantasmagoria. Não participa daquilo que possamos chamar de "realidade". Mas o que podemos chamar de "realidade", senão isso? Não é exatamente isso que é a realidade, embora nunca quiséssemos admiti-lo?

Sejamos razoáveis. As hordas nazistas acabaram por invadir a União Soviética e forçaram assim uma situação vagamente semelhante à da Guerra Civil Espanhola. E foram, finalmente, vencidas pela aliança burguesia-marxismo. Mas será que isso restabeleceu a realidade? Continuaremos razoáveis. A burguesia, depois de aparentemente vitoriosa, evoluiu um sistema neocapitalista, pelo qual todos os ideais socialistas são realizados rápida e eficientemente; e o marxismo, aparentemente vitorioso, aboliu o stalinismo para aproximar-se sempre mais do neocapitalismo. Mas será que isso restabeleceu a realidade? Creio que para todos nós, que passamos por 1940, todas essas realizações posteriores têm a óbvia marca da futilidade. São movimentos automatizados de um processo que revelou a sua estrutura em 1940. São movimentos residuais e, assim o espero, superáveis.

Tudo que acabo de dizer é altamente autobiográfico e prende-se a acontecimentos exteriores. Mas há uma correspondência entre autobiografia e história, e entre acontecimentos exteriores e do pensamento, uma correspondência de análise difícil. Seria muito cômodo se pudéssemos ser marxistas e dizer que os acontecimentos exteriores (os "econômicos") condicionam o pensamento, e que a história condiciona a vida do indivíduo e do grupo. Mas o caso não é tão simples. Se formos honestos devemos admitir que os acontecimentos externos que esbocei são, de certa maneira, consequência do pensamento dos nossos antepassados, que foram por eles provocados como o crime provoca castigo. E que nós mesmos vivenciamos esses acontecimentos com sensação de alívio, embora estarrecidos. Era como que esperar por uma tempestade que finalmente se descarrega. Tendo perdido a última fé, conseguimos a abertura dos horizontes. E nessa abertura devemos lutar pelo estabelecimento de uma fé nova. Assim os acontecimentos externos representam como que sintomas de um processo mais fundamental e mais significante. Hitler e Stálin não passam de sintomas de um desenvolvimento dentro da nossa alma (se me permitem recorrer a esse termo).

Disse que este capítulo tratará da situação daquela burguesia que se opunha, em 1940, ao nazismo. É, pois, neste espírito que peço que seja lido o depoimento procedente. Como depoimento de um burguês cuja realidade ficou destruída. E essa destruição da realidade, essa perda da fé em algo sólido e palpável, articulava-se de diversas maneiras. Proponho a consideração daquela articulação que me parece ser a mais característica e a mais penetrante. Aquela cujo porta-voz é Wittgenstein, e que se expressa na sua famosa sentença: "Não há enigma" (*"Es gibt kein Rätsel"*).

Para podermos compreender esse tipo de filosofar, que é, com efeito, uma redução da filosofia ao absurdo, devemos, creio, partir da ciência, este movimento característico da Idade Moderna. Que é ciência? Esta é a pergunta que domina a Idade Moderna, e da resposta a essa pergunta depende o significado dessa Idade. Resumirei as respostas que têm sido dadas, um tanto sumariamente. Resposta renascentista: "Ciência é o decifrar do livro da natureza pelo intelecto". Resposta barroca: "Ciência é a adequação do intelecto à coisa extensa pela nomenclatura, isto é, pelo afixar de algarismos a pontos". Resposta do cristianismo: "Ciência é um discurso que consiste em juízos sintéticos *a priori*, isto é, em sentenças articuladoras de percepções realizadas". Resposta romântica: "Ciência é um método discursivo pelo qual o intelecto se realiza, realizando destarte a sua circunstância, isto é, ciência é um método pelo qual o intelecto se objetiva". Resposta vitoriana: "Ciência é um método da vontade pelo qual esta chega ao poder criando instrumentos". Podemos observar uma tendência nessa cadeia de respostas, e essa tendência reside na transferência paulatina do significado da ciência como disciplina de explicativa à manipuladora. No início da Idade Moderna, ciência significa explicação de algo. É, portanto, uma sequência de sentenças verdadeiras. No fim da Idade Moderna ciência significa manipulação de algo. É, portanto, uma sequência de sentenças que são modelos de comportamento. De busca da verdade transforma-se a ciência, paulatinamente, em manual de técnica aplicada. Em suma: arte é melhor que verdade.

Façamos uma segunda pergunta. Que é filosofia? Mas não façamos essa pergunta *in vacuo*, senão em conjunto com a nossa primeira pergunta. Aí o significado da nossa pergunta passará a ser o seguinte: se a ciência for concebida como busca da verdade, a filosofia pode ser concebida como tendo dois significados: (a) é ela um discurso no qual as ciências individuais se originam; (b) é ela um discurso para o qual as ciências individuais voltam para nele depositarem as suas verdades. Essa dupla função será o significado da filosofia. Mas se a ciência for concebida como manual de técnica aplicada, que é filosofia diante dela? Será uma disciplina que nada tem em comum com ciência? Ou será uma disciplina que completa a ciência? Ou será uma disciplina que se opõe à ciência? Ou será finalmente um discurso superado pelo abandono da busca da verdade? Reformulando: se, como acontece agora em 1940, a ciência começa a ser concebida como um modelo do fazer, portanto como magia, não estamos retornando para um estágio pré-filosófico do pensamento? Creio que é neste clima do eterno retorno que devemos localizar o ponto de partida wittgensteiniano.

As respostas fornecidas à pergunta "o que é ciência?" concordam, de uma maneira ou de outra, que ciência é uma disciplina discursiva. É algo que consiste em sentenças. Pois este dado fundamental não tem sido até agora devidamente considerado, e no curso do século XIX, com seu antropologismo, tem sido relegado inteiramente ao esquecimento. Considerem, por um instante, o que implica o fato de ser a ciência estruturalmente uma cadeia de sentenças. Implica a resolução da profunda dicotomia "empirismo/racionalismo" que tem problematizado a ciência desde o Renascimento. E essa resolução implica, por sua vez, se levada totalmente a sério, a liquidação da ciência como método de pesquisa da "realidade". E essa liquidação implica, automaticamente, a liquidação do pensamento moderno. Procuremos acompanhar essa liquidação em suas linhas mestras.

A ciência é uma cadeia de sentenças cujo significado último aparente é aquela "realidade" chamada "coisa extensa". É como tal que a ciência foi projetada pelo Renascimento. Essas sentenças são verdadeiras se e quando espelhem situações (*Sachverhalte*) dessa realidade. Como podem espelhá-las? Porque são adequadas a essa realidade. A estrutura da ciência (que é a estrutura de sentenças) é a mesma que a estrutura da realidade. Não fosse essa identidade de estruturas, não tivesse a realidade da coisa extensa a estrutura das sentenças da ciência, não poderia espelhar a ciência a "realidade". Nesse caso seria a ciência uma cadeia de sentenças sem significado. Em outras palavras, e para recorrermos à cosmovisão renascentista: não fosse a natureza um livro escrito na língua científica, não poderia ser lida pela razão, e não fosse a razão um código linguístico da natureza, não teria a razão significado. Mas dada a feliz coincidência entre a estrutura da razão e a natureza, é a ciência um método para espelhar na razão a natureza. Mas essa feliz coincidência é justamente o problema a ser investigado.

O pensamento islâmico, fonte desse aspecto da cosmovisão moderna, não vê o problema. Para ele é óbvia a coincidência, já que tanto natureza como razão são articulações de Alá. A ciência espelha a natureza contra o fundo comum a ambas, que é o transcendente. Mas a Idade Moderna, que se decidiu para a ciência justamente a fim de virar as costas ao transcendente, recalca o problema. Vê-se, portanto, entre as pinças do dilema "empirismo-racionalismo", que é a forma na qual o problema insiste em apresentar-se. A ciência consiste, obviamente, em dois tipos de sentenças. Há nela sentenças que contêm nomes próprios, que são nomes apontando para a "realidade". Chamemos de "observacionais" essas sentenças. E há outras que contêm apenas nomes de classes, que são nomes de nomes. Chamemos de "teóricas" essas sentenças. O problema é este: como podemos justificar (isto é, tornar "válida") a passagem do nível observacional para o nível teórico e vice-versa? Creio que mostrei no argumento precedente que as tentativas de justificar essa passagem, empreendidas pelo barroco, a que se chamam "indução", fracassaram. Se adiro a uma ontologia nominalista como o deve fazer toda a Idade Moderna, isto é, se concedo "realidade" apenas ao significado dos nomes próprios, não posso justificar a passagem da observação para a teoria. Com Kant o problema é mascarado, porque é recalcada a estrutura linguística da "razão pura". É verdade que para nós, graças às análises empreendidas por Wittgenstein e pelos neopositivistas, a máscara tornou-se transparente. Sabemos que as "formas de intuição espaço/tempo" são máscaras da estrutura "substantivo" e "verbo", e que as "categorias do conhecimento" são máscaras das regras gramaticais de uma determinada língua. Mas para Kant e para as épocas romântica e vitoriana as máscaras conseguiram velar o problema e evitar que entrave o progresso. Mas agora, com o recente desenvolvimento especialmente das ciências físicas, o problema deve ser encarado.

O problema é falso. A passagem da observação para a teoria não carece de justificativa. Era problema apenas para o nominalismo moderno. Se resolvermos distinguir ontologicamente entre o significado dos nomes próprios e o significado dos nomes de classes, o problema existe. Se dissermos que nomes próprios significam realidades, e nomes de classes não, o problema é insolúvel. Mas agora essa realidade do significado dos nomes próprios evaporou-se. A física pós-newtoniana o demonstrou "empiricamente". Os termos "observação" e "teoria" não designam, como o crê a Idade Moderna toda, duas formas de pensamento ontologicamente diferentes. Designam duas formas de sentenças. E a passagem entre essas duas formas de sentenças é justificada pelas regras da língua na qual ocorrem. Mas com esta resolução formal (e, portanto, ontologicamente não satisfatória) do problema "empirismo-racionalismo" ressurge o problema mais fundamental da coincidência entre "razão" e "natureza" recalcado pela Idade Moderna.

A afirmativa "nomes próprios significam realidades" não é uma afirmativa significante. É uma tautologia. Se formos definir o termo "nome próprio", chegaremos a algo como "nomes próprios são nomes de algo que não é nome". E se formos definir o termo "realidade", chegaremos a algo como "realidade é aquilo cujo nome é nome próprio". A afirmativa "nomes próprios significam realidades" é uma síntese dessas duas definições circulares. É querer dizer o que é "realidade", isto é, querer dar um nome àquilo que por definição não tem nome a não ser os nomes próprios que aparecem no discurso do tipo observacional. O que não pode ser falado deve ser calado. Querer dizer que o discurso observacional significa "realidade", é querer falar o que deve ser calado. Não é, portanto, a rigor, um falar, mas um ruído. Dizer que a ciência significa a realidade, ou espelha a realidade, ou qualquer tipo de afirmativa semelhante, é fazer ruído. É, portanto, também ruído dizer que a ciência tem estrutura que coincide com a estrutura da realidade. O máximo que podemos dizer é o seguinte: a ciência tem estrutura linguística, é nesse sentido que ela é um modelo do comportamento.

Com essa definição completa-se a transferência do significado da ciência de disciplina explicativa para manipuladora. Mas simultaneamente retorna-se para o ponto de partida da ciência, isto é, para a magia. Considerem um pouco este fato.

Aquilo que tomamos por "realidade" a partir da Idade Moderna era exatamente o assunto a respeito do qual a ciência falava. Com efeito, essa é a única definição satisfatória do termo "realidade": é o assunto a respeito do qual a ciência fala. Esta é a sua dignidade ontológica: servir de assunto. E pode-se falar a respeito desse assunto seguindo a estrutura de uma determinada língua. É por isso que a estrutura da realidade é a estrutura dessa língua. Não há coincidência neste fato. Não há enigma. A estrutura da realidade é consequência (se assim me posso exprimir) da estrutura da língua na qual se fala a seu respeito. Para a Idade Moderna essa língua era a ciência, e, consequentemente, a realidade era estruturada pelas regras dessa língua. Para outras idades e outras sociedades são outras as línguas que falam a respeito daquilo que é tomado, por essas Idades e essas sociedades, por "realidade".

Tem, portanto, outras estruturas. E isso é tudo que podemos dizer a seu respeito.

Uma análise formal da estrutura da língua na qual falamos revela formalmente esse fato. Formalmente é toda língua um sistema de símbolo que é tautológico no seu cerne e contraditório nos seus enunciados. Em outras palavras: por ser contraditória, explica toda língua tudo. E por ser tautológica, explica nada. E assim é a ciência, que é uma língua como as outras. Explica tudo e nada. Com efeito, explica tudo a respeito de nada. Não resolve enigmas (não os há), mas resolve problemas. E resolver problemas é simplesmente reduzi-los a zero, aniquilá-los. Wittgenstein diz que resolveu todos os problemas da filosofia, e que isso prova quão pouco adianta resolvê-los. Pois com isso está liquidada a ciência como disciplina explicativa.

Mas não como disciplina criadora de modelos. Modelos são conjuntos de sentenças que servem de padrões de comportamento. Se resolvo aceitar um determinado modelo, posso me orientar nele. Posso orientar o meu comportamento dentro dele. É isso que a ciência vem fazendo no curso da Idade Moderna. Vem fornecendo modelos. É isso que temos em mente ao dizer que a ciência funciona. Mas é exatamente isso que tem em mira a magia. Fornecer modelos de comportamento. Tirando a magia o seu fundo cristão (que tinha na alquimia), teremos ciência tal como ela se revela no ano de 1940. Uma disciplina de fornecimento de modelos para o comportamento, de modelos que nada explicam e nada significam. E assim ficou comprovada formalmente a vacuidade daquela realidade que tem absorvido o interesse da humanidade ocidental a partir do Renascimento.

Qual é doravante o papel da filosofia? Falar a respeito da realidade, independentemente do discurso da ciência? Mas isso seria formular sentenças sem significado. Procurar o significado da ciência? Mas isso seria formular ruídos. Não, o papel da filosofia é analisar as sentenças da ciência, para nelas distinguir entre sentenças significantes e não significantes. Sentenças significantes são aquelas que obedecem às regras da língua. Não significantes aquelas que as infringem. "Significado" nada tem a ver com "realidade". A filosofia ou é análise da língua (e mais especialmente da língua científica) ou é ruído. Os chamados problemas da filosofia são, todos eles, ruído. A filosofia no sentido tradicional do termo é consenso. Morreu. Estamos retornando para o estágio pré-filosófico do pensamento.

Pode parecer ao leitor que a exposição do pensamento lógico-simbólico, que acabo de fazer de forma tão rudimentar, não está relacionado com a confissão autobiográfica que a precedeu. Mas isso seria engano. Pelo contrário: o pensamento lógico-simbólico formula, à sua maneira rigorosa e seca, exatamente a vivência da perda total do senso de realidade que se segue à perda da fé no marxismo. Existencializam o seu ensinamento. A ciência fornece modelos de comportamento. São modelos deliberadamente projetados e que reclamam nossa adesão deliberada. Há outros modelos, igualmente "válidos", se é que o termo "válido" pode ainda ser aplicado. Assim também o marxismo é um modelo deliberadamente projetado que reclama a nossa adesão deliberada, e é tão válido como qualquer outro. A adesão a um modelo depende de uma escolha totalmente aleatória de seus axiomas. Esse momento inicial de decisão pode ser formalmente estipulado, e o foi por Gödel. Mas essa decisão em prol de um modelo não é equivalente à "decisão em prol de Cristo". Inclui, no seu próprio cerne, a convicção da futilidade. Decido-me para um modelo, como poderia me decidir igualmente para outro. É uma decisão fútil e revogável. Não é *engagement* no sentido existencial do termo. Não passa de decisão de falar, provisoriamente dentro de uma determinada língua. Os marxistas falam uma língua. Os católicos falam outra. Mais outra falam os budistas. Mais outra (*horribile visu*) falam os nazistas. Uma é tão válida quanto as outras. Na minha liberdade fútil de escolher entre essas línguas transcendo todas. Estou no além do Bem e do Mal de todas elas. Esses modelos todos são os últimos destroços da realidade, entre os quais salto. E dessa minha distância vejo o que há de comum a todos esses modelos: são tautológicos e contraditórios, explicam tudo a respeito de nada.

Todo modelo reclama, para si, a validez total, isto é, todo modelo é totalitário. Mas eu, tendo percebido a estrutura comum a todos os modelos, estou no além desse totalitarismo. Dois entre esses modelos me atacam agora, em 1940: o totalitarismo nazista e o marxista. O nazista quer me aniquilar. O marxista era, até recentemente, o modelo ao qual tenho aderido. Devo resistir a esses totalitarismos. Por quê? Para conservar a minha liberdade fútil de saltar por entre modelos. Devo procurar manter aberta a minha escolha de modelos. Por quê? Não sei responder ainda, a esta altura, a essa pergunta. Mas já sinto, dentro de mim, que essa decisão em prol da possibilidade de decisão é fruto de uma mentalidade nova. Devo me preservar em disposição para uma decisão em prol de uma fé nova. Devo me preservar em disposição para a decisão em prol do além de todos os modelos.

Os totalitários, os que aderiram a um modelo sem reserva mental, desprezam essa minha tentativa de me manter aberto. Têm eles razão, de seu ponto de vista. Para eles não passo de obscurantista reacionário, que não percebe que o seu modelo explica tudo e dá sentido a todo comportamento. É por isso que estão determinados a eliminar os demais modelos que obstruem o caminho do seu. E este seu modelo, seja nazista, seja marxista, se realiza em forma de aparelho. O aparelho é a realização de um modelo. E o aparelho é, também, a prova empírica da validez do modelo. O aparelho funciona. Isso prova que o modelo é válido e correto. Não sabem os empenhados (como o sei eu) que isso não é coincidência feliz, nem prova. Não sabem (como o seu eu) que o aparelho funciona porque é consequência de um modelo, e que, portanto, não foi o modelo que era adequado ao aparelho, mas que é o aparelho que se adéqua ao modelo. A vitória do marxismo não seria prova de que o marxismo é um modelo correto. O termo "correto" é isento de significado no além de modelo. É para isso que lutam as chamadas "democracias". Para provar que nenhum modelo é "correto", e para dar oportunidade a uma pluralidade de modelos. Isso é absurdo. Se nenhum é correto, qual o valor que reside na sua pluralidade? Os marxistas têm razão: a luta das "democracias" é absurda. E, o que é ainda pior, é uma luta com falsos pretextos. Dizem as democracias que lutam em prol de uma "sociedade aberta" (a que dá oportunidades a vários modelos), quando já estão englobadas, sem se darem conta, dentro de um aparelho, de que é a realização de um modelo "superado". Este é um dos aspectos da Segunda Guerra. Mas há outros. Procurarei considerar mais alguns entre eles.

3.3.2. PARÊNTESE

Voltemos para Descartes, pela enésima vez, nesse nosso movimento de eterno retorno. Descartes é a articulação mais clara e distinta da esquizofrenia "coisa pensante/coisa extensa" que caracteriza a Idade Moderna. Voltemos para ele, para desenterrar as raízes dessa esquizofrenia, a fim de superá-la.

Isto é, sejamos mais radicais que ele. Duvidemos da dúvida que ele estabelece como indubitável. Deixemos de ser modernos. Procuremos renovar o contato com a plenitude da realidade. Abramos caminho rumo "às coisas mesmas".

Mas como é possível esse retorno para a realidade? Poderemos acaso reconquistar uma fé perdida há mais de quatrocentos anos? Poderemos acaso, por simples decisão nossa, resolver que cremos? Poderemos acaso, com base em um diagnóstico da nossa situação como situação alienada, integrá-la deliberadamente? Poderemos acaso, por puro ato de vontade, apagar em nós e em nossa circunstância, o rastro da Idade Moderna? Poderemos acaso, por simples decreto, por entre parênteses tudo aquilo que aconteceu, e recomeçar *ab ovo*? Todas essas perguntas parecem exigir, *prima facie*, respostas obviamente negativas. Mas na situação na qual estamos agora, na situação no além de todos os modelos, não podemos aceitar respostas negativas. Precisamos forçar uma saída. Já que o retorno ingênuo para a fé nos é obviamente vedado, precisamos forçar, deliberadamente, uma segunda ingenuidade. Já que a humildade autêntica ante a realidade foi perdida pela suprema soberba que é a Idade Moderna, precisamos nos humilhar ante a realidade num ato consciente de contrição, para assim pelo menos tentar uma superação do castigo. Disse, no tópico anterior, que devemos nos preservar em disposição para a decisão em prol de uma fé nova. É necessário, agora, elaborar a técnica para podermos lançar mão dessa disposição efetivamente. A elaboração dessa técnica, dessa absurda decisão em prol de uma ingenuidade deliberada, está dedicada à obra gigantesca de Husserl, dessa figura entre Idades.

Qual é a meta de Husserl, mais especificamente? Creio que podemos formulá-la da seguinte maneira: o pensamento moderno, com sua tendência de apreender, compreender e manipular a sua circunstância, preconcebe essa circunstância como coisa extensa. Todos os conceitos que esse pensamento possui e formula são consequências desse preconceito. Esse preconceito pesa sobre todas as coisas e desvirtua. E desvirtua, *eo ipso*, o próprio pensamento. O próprio pensamento é concebido como sendo algo oposto à coisa extensa, isto é, é concebido psicologicamente. É preciso libertar-nos desse preconceito. É preciso desfisicalizar a coisa extensa e despsicologizar o pensamento. Se conseguirmos esse feito, tudo readquirirá aquela plenitude espantosa, aquela sensação do pleno, que caracteriza a realidade que se revela essencialmente. Em suma: tudo readquirirá a sensação de concretude que caracteriza a Idade Média, e cuja falta caracteriza a Idade Moderna. Como podemos fazê-lo?

Devemos abrir a nossa consciência deliberadamente para essências e transformá-la, deliberadamente, em contempladora das essências (*wesenschauendes Bewusstsein*). Para podermos fazer isso, devemos pôr entre parênteses, suspender, pôr em *epoché*, tudo aquilo que sabemos, ou que experimentamos, ou que supomos que existe. Devemos esquecer deliberadamente os "fatos". Verificaremos que a consciência contempladora das essências é sempre uma consciência "de algo", *itende algo*. A essência da vivência não é apenas que a vivência é, mas também que ela *pretende algo*. Isto é, "realidade". Realidade não é algo autônomo que se me dá independentemente da minha consciência "pura". Realidade é justamente a minha intencionalidade, é o que pretende a minha consciência, é o que aparece na minha consciência por sua intenção, é "fenômeno" num sentido agora diverso do sentido kantiano. E a disciplina que trata da realidade é "fenomenologia". E essa fenomenologia tem por assunto a realidade no sentido de pesquisar as últimas essências comuns a todos os fenômenos, as últimas estruturas formais de todos os fenômenos, ela é uma *mathesis universalis*. Essa *mathesis universalis*, cujo estabelecimento é a última meta da fenomenologia, engloba a lógica, a matemática, a teoria das relações e a teoria da quantidade, porque estes são os aspectos essenciais dos fenômenos todos. Assim constituirá a fenomenologia a base para toda ciência verdadeira, porque abrirá o caminho para as coisas mesmas, e permitirá que sejam coisas.

O método husserliano substitui assim a atitude "natural" (isto é, moderna) do pensamento, que é uma atitude preconceituada, e instaura uma atitude de simples e ingênua intencionalidade. O "mundo" deixa de ser um "cosmos", e passa a ser um correlato da vivência da consciência contempladora. Está superada a distinção entre sujeito e objeto. Termos como "subjetivo" e "objetivo" passam a perder o seu significado. A consciência vivencia os objetos contemplativamente, e depois, quando desvenda sua estrutura, seu *eidos*, vivencia esses objetos em pensamentos, como valores e como metas. Essa estrutura da realidade se dá dentro da pura vivência da consciência, e essa vivência confere significado à realidade. Em outros termos: a estrutura da realidade é algo intendido e pretendido pela vivência pura, e o significado da realidade é um significado dado à realidade pelo ato intencional, é uma *Sinngebung*. O mundo é absurdo e sem significado para o pensamento moderno porque este pensamento obstrui a visão da essência e torna impossível que lhe seja dado significado. Desobstruída a visão, abre-se campo para o significado. Assim é o método fenomenológico não apenas a base de toda ciência, mas também a base de toda valorização, portanto, de toda atividade significante.

As promessas positivas da fenomenologia são tremendas. Prometem, com efeito, a instauração de um novo tipo de pensamento, de um pensamento "humilde" e "honesto". Mas essas promessas positivas não são o que interessa no nosso contexto. Apontam desenvolvimentos da atualidade e, quiçá, do futuro. No presente contexto é o aspecto negativo da fenomenologia o que interessa. São as "reduções" deliberadas como método de abertura da consciência que são sintomáticas da situação do Ocidente em 1940. Considerem por um instante essa atividade redutiva que Husserl recomenda. Recomenda, com efeito, fazer *tabula rasa* da Idade Moderna. Não o exprime assim radicalmente. Diz que devemos suspender todos os nossos "conhecimentos", mas conservá-los como que para referência futura. Mas é óbvio que nessa referência futura estarão esses conhecimentos inteiramente modificados. O que Husserl diz, com efeito, é que todos os conhecimentos acumulados, longe de revelarem a realidade, obstruem a nossa visão e nos afastam da essência de tudo. Como dirá Heidegger, o continuador e radicalizador de Husserl, esses conhecimentos nos conduzem a *Holzwege* ("veredas mortas"). Um típico exemplo dessas veredas mortas é a física da atualidade. Perdeu, pelo acúmulo de conhecimentos preconcebidos, todo contato com a realidade. Outro exemplo é a psicanálise freudiana. São derradeiros extremos de direções erradas. É preciso reduzir tudo isso ao seu ponto de partida. Chegou o momento do eterno retorno. É preciso abandonar esses modelos todos e procurar a "essência", a estrutura comum a todos eles. Para mim é óbvio o paralelo entre o pensamento husserliano e o wittgensteiniano.

As reduções husserlianas têm, no entanto, um aspecto estético que me parece ser o mais importante, porque abre o caminho para o pensamento existencial e para a arte da atualidade. Devemos imaginar essas reduções como operações de limpeza, que removem, metodicamente, camadas sucessivas de "conhecimento" que se acumularam sobre a consciência pura. É uma operação paralela à da limpeza de quadros antigos e malconservados. À medida que é removida a sujeira, aumenta a surpresa. Isso se explica. As camadas sucessivas de sujeira são o aspecto corriqueiro e familiar das vivências que temos. Já que vivenciamos tudo sob esse aspecto, nada nos surpreende. A atmosfera cinzenta que caracteriza a época vitoriana é devida à impenetrabilidade total dessas camadas. A vida tornou-se suja. De repente abre o método redutivo husserliano à visão espantosa daquilo que a sujeira encobre. Por exemplo: diariamente vivenciamos a mesa no nosso quarto. Como a vivenciamos? Como instrumento que serve para sustentar livros. Como produto de uma manipulação industrial visando lucro. Como coisa extensa ocupando espaço. E, se dermos crédito a física atual, como um amontoado de partículas semimateriais vibrando no espaço vazio. Vivenciamos a mesa de maneira tediosa. Já não olhamos mais para ela. Já sabemos tudo a seu respeito. Faz parte do nosso mundo familiar, um mundo que ultimamente vem demonstrando a sua vacuidade. Não o vemos mais, porque olhamos através dele em direção ao abismo. Pois Husserl dirige o nosso olhar novamente para a mesa. Retorna para a mesa pela primeira vez desde o Renascimento. Pela primeira vez, desde o Renascimento, é feita a tentativa deliberada de vivenciar com intencionalidade pura a essência da mesa. E esta se revela espantosa. Sabemos como o

Renascimento vivenciava essa essência espantosa. As telas de Hieronymus Bosch o atestam. Sorvemos, ao contemplar essas telas, o espanto pecaminoso de uma realidade sem fundo transcendente. E creio que as telas de Bosch ilustram maravilhosamente a meta husserliana. Ilustram a estrutura da vivência que se esconde debaixo das camadas acumuladas pela Idade Moderna. Que fez Bosch? Levou totalmente a sério a virada da mentalidade ocidental do transcendente para o imanente. Olhava, honestamente e sem preconceitos, o mundo do imanente. Aceitou, talvez único entre os renascentistas, todas as consequências dessa virada. E as suas telas ilustram a qualidade culposa, porque criminalmente fantástica, dessa virada. Que faz Husserl? Procura reduzir metodicamente tudo aquilo que a Idade Moderna acumulou por cima dessa virada culposa para desvendar seu *eidos*. É por isso que necessariamente desvenda uma realidade boschiana, uma realidade "surrealista". Mas há, obviamente, diferenças entre a realidade boschiana e husserliana. Em primeiro lugar Bosch tem um acesso mais imediato. Não necessita recorrer a uma *epoché*, não necessita pôr entre parênteses conhecimentos, porque estes ainda não desfiguram a realidade. O que pinta é simplesmente a vivência imediata do mundo imanente. Nisso se distingue de um Leonardo, que lança sobre essa vivência a estrutura preconcebida, por exemplo, da anatomia. Mas Husserl precisa reduzir essa estrutura preconcebida por Leonardo para alcançar a vivência boschiana. Em segundo lugar Bosch vivencia a realidade imanente antes de ela ter sido manipulada pelo pensamento moderno. Vivencia, portanto, a essência de fenômenos como sapos, lagartos, pássaros e órgãos do corpo. Husserl, no entanto, vivencia uma realidade imanente já manipulada. Vivencia, portanto, a essência também de fenômenos como automóveis, alavancas de máquinas, contas correntes e repartições de governos. Essas duas diferenças distinguem a realidade boschiana da surrealista. O espanto boschiano é quente, no sentido de ser o espanto daquele que sai do abrigo da fé para penetrar os caldeirões do inferno. O espanto surrealista é frio, no sentido de ser o espanto daquele que abandona deliberada e metodicamente os modelos modernos para penetrar as regiões gélidas da desilusão do inferno. O inferno é o mesmo. É a estrutura, o *eidos*, do pensamento moderno. Mas as portas de entrada são diferentes. O retorno cria um clima diferente do egresso.

A realidade fantástica que Husserl desvenda pelo método da redução é a realidade kafkiana. E isso é curioso. Porque Kafka chega à descoberta da realidade pelo pensamento religioso, e Husserl pelo pensamento lógico, matemático e rigorosamente discursivo. É esta a razão porque creio que Husserl, embora um pouco mais velho que Kafka, é um pensador mais recente. Kafka destrói o discurso, para chegar à realidade. Husserl vira o discurso contra o discurso para destruí-lo. E nisso reside, creio, uma forma nova de religiosidade. Uma religiosidade por redução, por extrapolação entre parênteses do pensamento não religioso. É verdade que Kafka nos transmite uma vivência mais brutal e impiedosa que Husserl da realidade fundante. E nisso Kafka é profeta. Mas Husserl nos mostra mais sistematicamente como chegar a essa realidade. E nisso é sacerdote. Kafka é o nosso profeta, porque desvenda o nosso mito, Husserl é o nosso sacerdote, porque ensina o nosso rito. Como mostra Schönberg na sua ópera, Husserl é o Aarão do Moisés kafkiano. E é óbvio que Aarão é uma consequência de Moisés, e Husserl de Kafka.

A arte surrealista, a arte da realidade fantástica subjacente ao Ocidente, é uma das características de 1940. Foi posta entre parênteses a civilização moderna para que o Ocidente possa desvendar seu *eidos*. E este *eidos* é a pura intencionalidade, a pura vontade chegada ao poder na contemplação essencial. Que é o eterno retorno. Se Kafka é Nietzsche radicalizado, Husserl é esse Nietzsche radicalizado com método rigoroso. Mas há uma arte surrealista, uma arte da realidade fantástica subjacente, que domina a cena. Essa arte é o nazismo. O nazismo põe deliberadamente entre parênteses a civilização moderna para desvendar o *eidos* do Ocidente. É nesse sentido fundamental que o nazismo é o eterno retorno. Desvenda a estrutura do pensamento moderno, e faz resplandecer a essência do aparelho. A realidade nazista é boschiana. As caretas grotescas do aparelho tornam-se aparentes. E torna-se aparente a culpa hedionda que fundamenta o Ocidente a partir do Renascimento. Os campos de concentração são telas de Bosch, são obras surrealistas. É pela redução eidética que o nazismo castiga o Ocidente. Reduz eideticamente todos os aparelhos às câmaras de gás, e todos os homens a Eichmann. Mostra que, essencialmente, todos os aparelhos são câmaras, e todos os homens são Eichmanns. Contemplando o nazismo, temos uma contemplação essencial do Ocidente.

Por que lutam as democracias contra esta demonstração do seu próprio fundamento? Em parte, por certo, porque se recusam a reduzir as camadas protetoras de sujeira que encobrem a realidade. Nesse sentido, têm razão os nazistas em considerar as democracias decadentes. Mas isso é apenas parte da razão para a luta. Em parte, lutam também porque visceralmente não acreditam, com Kafka e Husserl, que este *eidos* seja a derradeira realidade. Sentem visceralmente que há algo atrás dessa realidade fantástica e atroz, nojenta e absurda, em prol do qual vale a pena morrer-se. É verdade que a redução nazista é um processo necessário para a limpeza do campo das sujeiras acumuladas. E essa redução abre a visão do absurdo. Mas é também verdade que essa abertura possibilita a nossa disponibilidade para o além do absurdo, para o inarticulável wittgensteiniano. Não digo que as democracias estavam conscientes dessa meta derradeira da sua luta. Mas nós, os atuais, podemos diagnosticá-la, embora tentativamente. Com efeito, sendo o nazismo uma demonstração do próprio fundamento das democracias, lutam elas contra si mesmas para poderem superar-se.

A Segunda Guerra é, nesse sentido, religiosa, um ato de contrição do Ocidente. O nazismo é a demonstração da *hybris* dessa sociedade. Ao lutar contra ele, começa o Ocidente a abandonar a sua própria *hybris*. Começa a época da contrição, e com ela começa a ser superada a Idade Moderna. Este é outro aspecto da Segunda Guerra.

3.3.3. SANGUE

Devo agora desenterrar, das lembranças que tenho de 1940, um terceiro aspecto, e este é talvez o mais penoso. E este aspecto tem a ver com o termo "raça". Para poder expor o contexto no qual este termo funcionava, proponho que voltemos a nossa atenção para o primeiro tópico do intertítulo 2.3. do volume I de *O Último Juízo*. Procurei, nesse tópico, um tanto precipitadamente, distinguir entre duas estruturas do discurso da ciência, a saber, entre a estrutura causal e finalista. Disse que a estrutura causal caracteriza o discurso das ciências físicas e a finalista, o da biologia. Procurei mostrar que uma análise formal, empreendida pela "filosofia" no sentido wittgensteiniano do termo, desvendará ser essa diferença apenas de estilo. As sentenças da ciência física podem ser traduzidas para sentenças do tipo biológico e vice-versa. Essa tradução possibilita o nosso trânsito entre modelos. A física cria um modelo, a biologia outro, e a tradução entre ambos revela a sua estrutura. Revela que ambos os modelos são construções linguísticas deliberadas.

PÁG. 189   Ao discutir este problema no contexto romântico (isto é, num contexto no qual a qualidade deliberada a fictícia do discurso científico ainda não era patente), disse que a partir do romantismo todo discurso tenderia para a estrutura biológica, isto é, finalista. Mas incluí uma ressalva. Afirmei que a filosofia do tipo wittgensteiniano irá preferir a estrutura causal, porque nela é mais facilmente aplicável o método lógico que prova ser toda "explicação" científica reduzível à tautologia. Em outras palavras: para provar formalmente que toda explicação é tautológica, devemos traduzi-la para a estrutura causal do discurso. E com essa tradução estaremos superando o romantismo, que é uma mentalidade finalista. Estaremos retornando para uma estrutura pré-romântica, porque pré-moderna, do pensamento.

No argumento que desenvolvi depois do tópico mencionado, procurei mostrar como se acentuava sempre mais a tendência biológica, isto é, finalista, do pensamento moderno, para finalmente dar origem ao pensamento vitoriano, isto é, pragmático, instrumental e vitalista. De mero biologismo, passou o pensamento a psicologismo e voluntarismo. Mas a sua estrutura era sempre esta: as sentenças que formulava eram respostas a perguntas do tipo: "Para que tudo isso?". Pois o termo "raça", do qual tratará o presente tópico, funciona neste contexto. No contexto de sentenças radicalmente biologizantes. Mas já agora não é autenticamente romântico esse contexto. Já se sabe modelo. O termo "raça" é um termo de um discurso finalista que se sabe deliberado e fútil, e o racismo é um modelo que se sabe modelo. Em outras palavras: sabe que, se for traduzido para um discurso causal, revelará a sua tautologia. É por isso que deve procurar evitar essa tradução a todo custo.

Mais uma observação introdutória ao termo "raça". O termo designa uma classe no sentido lógico desse conceito, é um "nome de nomes". É, portanto, um termo teórico e faz parte de uma teoria da biologia. E aqui é preciso considerar uma curiosa tensão interna que caracteriza o discurso finalista. Opera com nomes de classes. Nomes de classes, típicos produtos da nomenclatura e da classificação, são, no entanto, antifinalísticas. São produtos da estrutura causal, enciclopédica, do pensamento. Se o pensamento finalista opera com nomes de classes, com termos como "raça", "espécie" e "gênero", é para superá-los dialeticamente. No modelo finalista não constituem as classes a "realidade", mas a "realidade" nesses modelos é justamente a superação das classes. Trata-se, no pensamento finalista, de mostrar como se originam e como se superam as classes, e como, portanto, toda tentativa de classificar a "realidade" é provisória e inadequada. O pensamento finalista é anticlassificador por excelência, e surgiu, com efeito, como reação às classificações do Iluminismo. O darwinismo é um bom exemplo. Procura explodir as classificações pela transformação dos nomes de classes em nomes de vetores. O termo "raça", no darwinismo, designa não algo que "é", mas algo que se origina e que tende a ser superado. Nesse sentido, podemos dizer que o marxismo é um pensamento autenticamente finalista. As "classes" tendem a serem superadas. Mas a tensão formal no interior do pensamento finalista é, não obstante, palpável. Opera com termos que são nomes de classes e nega a "realidade" das classes. Uma análise formal do discurso finalista desvenda que este se originou no pensamento classificador a fim de negá-lo. Não é um pensamento "original", e as perguntas que lhe servem de pontos de partida não são perguntas ingênuas e não preconceituadas. O discurso finalista, embora aparentemente semelhante em sua estrutura ao pensamento teleológico chamado "primitivo", é, na realidade, um discurso negativo, e o seu emprego de termos teóricos, de nomes de classes, o prova. Isso justifica, de certo modo, a sua tradução para a estrutura causal empreendida pelos lógicos analisadores.

Pois bem: o termo "raça", como será utilizado no presente tópico, representará um abuso do termo no seu próprio contexto. O racismo é uma tradução errada de um discurso finalista. Emprega os termos desse discurso num significado diferente, e destarte rompe a sua estrutura, tornando-se um típico exemplo de ruído, de conversa fiada. O termo "raça" é, no seu contexto, um nome de classe, isto é, um nome de algo a ser negado. Dentro do racismo o termo "raça", cujo significado é justamente a negação, passa a ter um significado positivo.

O racismo é um discurso formalmente errado, não é "válido" formalmente, é um pseudopensamento. Com efeito, representa a redução ao absurdo e ao nível da conversa fiada do pensamento biológico e finalista. E o seu valor reside exatamente nisso.

Explorei em poucas palavras essa conversa fiada. A vontade é um movimento da albumina, ou, falando um tanto figurativamente, do sangue. É pelas ondas quentes, obscuras e espumantes do sangue que a vontade se realiza. No seio dessas ondas esconde-se o segredo da vontade, os "mitos", e as ondas de sangue propagam os mitos. Os mitos pulsam nas veias de todos os seres vivos, dessas realizações da vontade. O "homem" é uma espécie de ser vivo. Neles os mitos pulsam de maneira especialmente poderosa. Mas a espécie humana pode ser classificada em raças. Representam diversos mitos. Esses mitos das diversas raças estão em conflito. Há mitos positivos, isto é, mitos que afirmam a própria vontade. E há mitos negativos, isto é, mitos nos quais a vontade degenera, portanto, raças positivas e negativas. A mais positiva das raças é a ariana. Nela pulsam os mitos mais positivos, e ela é, portanto, a mais pura realização da vontade. A mais negativa das raças é a semita. Os semitas, e mais especialmente os judeus, são a pura negação da vontade. Infelizmente, as raças dentro de uma espécie podem misturar-se. Os híbridos que surgem das misturas são seres decadentes. É possível restabelecer a pureza primitiva. E é possível fazê-lo tecnicamente. É possível projetar-se um aparelho que aniquile as raças negativas, evite a mistura de raças, e propague as raças positivas. E este aparelho estabelecerá uma nova ordem. No topo dessa ordem estará a raça ariana, uma aristocracia loira a dirigir o aparelho, de acordo com os mitos que pulsam nas suas veias. O resto da hierarquia do aparelho será constituído por raças subordinadas. Assim estará restituída a ordem "natural", por biológica, da realidade. Com efeito, estará apenas confirmada essa ordem. Porque a história mostra que apenas a raça ariana tem resultado em realizações positivas da vontade. A cultura humana é exclusivamente produto da raça ariana. A nova ordem tornará apenas óbvia a realidade dos fatos.

O modelo que acabo de expor não resiste à mínima crítica, porque é um amontoado de contradições, de sentenças sem significados, e de óbvias falsidades. E é preciso notar que a minha exposição ainda introduziu uma aparente sequência ordenada em algo que é, no seu original, um balbuciar sem nexo. Reconhecemos, nesse modelo, uma caricatura brutal e ridícula de Hegel, de Marx, de Darwin e de Nietzsche. E reconhecemos, o que é mais importante, uma total rendição da vontade humana à vontade do aparelho. A vontade humana é inteiramente eliminada, e com isso é eliminada a responsabilidade humana. O homem não passa de articulação dos mitos da sua raça. Não passa de funcionário de um aparelho. Nesse sentido, reconhecemos no racismo uma caricatura brutal e ridícula do protestantismo. Mas o traço mais

PÁG. 194

característico disso tudo é a inteira imanentização do pensamento. Vontade é sangue. Vontade é massa hereditária em seus movimentos. Trata-se de um materialismo brutal e ridiculamente exagerado. O pensamento perdeu toda dignidade. É justamente por isso que é permitida qualquer violação e deturpação do pensamento. Não é preciso tomar a sério o pensamento. É o suficiente que "fale" o sangue. É permitido, é recomendável, é inevitável que retornemos ao fundamento infra-humano, ao fundamento bestial e animalesco. O resto seria inautenticidade. Tomar a sério o pensamento é justamente sintoma de raças negativas, como o é a judaica. O ariano autêntico despreza o pensamento. É um ser ativo, isto é, um ser que segue os mandamentos obscuros e misteriosos do sangue. Ser autêntico é ser escravo do sangue. Ser senhor é ser escravo. Esta é a derradeira mensagem de racismo.

É óbvio que o que está articulado aqui não é apenas a negação da Idade Moderna, ou do Ocidente, mas é a negação da condição humana. E, não obstante, é a derradeira formulação do humanismo moderno, embora em forma confusa e cretina. Na sua forma radical, tal como foi pregada e realizada pelo nazismo, podemos calmamente desprezar toda essa conversa fiada, nós, os que passamos por seus efeitos e sobrevivemos. Mas havia e há outras formas do mesmo tipo de "pensamento", e estas não podem ser desprezadas. À sua discussão dedicarei o resto do presente tópico.

PÁG. 195 O período que mede entre as duas guerras abunda em tentativas paralelas ao racismo, isto é, tentativas de desprezar o pensamento e glorificar, numa mistura nojenta, o mito e o corpo. São tentativas paralelas às empreendidas por Wittgenstein e Husserl, mas tendem em direção oposta. A lógica e a fenomenologia procuram saídas de uma situação absurda. As tentativas que tenho agora em mente partem da mesma diagnose em direção da entrega. Escolhi, entre as muitas que se oferecem, a figura de D. H. Lawrence.

Procurarei localizar todo esse tipo de mentalidade nas coordenadas seguintes. Como no romantismo, provoca a contemplação da cena nestes observadores a sensação da fealdade. Como no Renascimento, a reação ao enfado da circunstância é um movimento em direção "as fontes". Romantismo e Renascimento são, portanto, as duas coordenadas desse pensamento. Mas que modificação sofreram. Para o romantismo a sensação da fealdade da cena era consequência da Revolução Industrial incipiente. Para este pensamento é a sensação da fealdade da cena consequência de toda a cultura do Ocidente. Para o Renascimento "as fontes" eram os gregos e os romanos. Para este pensamento as fontes são o sangue. Para o romantismo o responsável pelo estado triste do Ocidente era o pensamento "alienado", isto é, o pensamento afastado da história como processo de realização progressiva. Para este pensamento o responsável é a inteligência, que é, toda ela, uma "alienação" do sangue como portador dos mitos. Para o Renascimento a meta era retornar às fontes a fim de fazer renascer uma forma mais digna de comportamento civilizado. Para este pensamento a meta é retornar às fontes a fim de fazer renascer uma forma mais digna de comportamento civilizado. Para este pensamento a meta é retornar às fontes a fim de fazer renascer uma forma mais desinibida de comportamento vital, e sangrento. Para o romantismo é pelos sentimentos que o pensamento poderá ser informado. Para este pensamento é pelas sensações que a inteligência poderá ser aniquilada. Para o Renascimento os gregos e os romanos são o pretexto para uma reformulação do interesse no imanente. Para este pensamento os etruscos e os índios mexicanos são o pretexto para uma reformulação do interesse nas funções biológicas do corpo. Em suma: este pensamento é romantismo e renascimento passados pelo crivo de Darwin, de Nietzsche, de Freud e de Kafka.

Na sua forma nazista, como racismo, esta glorificação do lodo é óbvia, porque se trata de um óbvio remexer de sujeira. Mas na forma lawrenciana não é tão óbvio que é o lodo o glorificado, porque é revestido de beleza. Pelo contrário, uma leitura de Lawrence provoca em nós a sensação de estarmos sendo tirados do lodo. É como se Lawrence nos revelasse a beleza da traição aos valores não apenas ocidentais, mas de toda a civilização humana, ao nos revelar a torpeza desses valores. Isso é curioso. Sentimos que a revelação da torpeza é válida e podemos simpatizar com uma mentalidade que sofre por ela. Mas sentimos que a traição a esses valores torpes é uma torpeza ainda maior e mais repulsiva. Daí a nossa ambivalência ao lermos esse tipo de livro. A mentalidade atraída por esse tipo de pensamento é aquela que mais se rebela contra a situação criada pela insinceridade e pela artificialidade de todo o desenvolvimento moderno, e nesse sentido é uma mentalidade à procura da superação desse desenvolvimento. Mas o mergulho para dentro das camadas pré-humanas que se escondem por baixo da situação não pode resultar senão em ênfase desse mesmo desenvolvimento. A volta para o sangue não é uma superação, mas é uma coroação do desenvolvimento moderno. A glorificação do sexo desinibido, do pensamento mítico desenfreado da rendição à "natureza" concebida como fluxo sangrento é a confissão exatamente daquilo que era, inicialmente, vivenciado como nojento. Exemplifiquemos, para mostrar o círculo do eterno retorno no qual se move esse tipo de pensamento.

Uma mulher americana, típica funcionária do aparelho nojento, pálida e alienada do curso espumante do sangue, foge, por recomendação "médica", para a Sicília, a *Magna Graecia* dos antigos. Nessa terra ancestral, região na qual se originaram os mitos que pulsam em nossos corpos, o sol não é ainda um mero corpo material a ser conhecido pelo discurso da astronomia. Não é ainda objeto daquele conhecimento que caracteriza a Idade

Moderna. É, pelo contrário, Hélios, um macho divino nu e resplandecente, cuja presença potente (num significado sexual deste termo) pervade a cena. A mulher se prostra diante do sol para por ele ser possuída. A sua atitude é exatamente o contrário da atitude moderna. Não é ela que conhece o sol, mas é o sol que a "conhece" ao possuí-la. No ato da entrega da mulher ao sol a mulher se transforma. O seu sangue é revigorado. Retoma contato com o pulsar cósmico do qual o seu corpo não passa de fenômeno organicamente englobado. A mulher vive pela primeira vez em sua vida. Os valores do mundo pálido e falho que abandonou desaparecem, e surgem outros valores. São os valores pujantes e suculentos da fêmea que se entrega ao macho. A mulher mergulha na plena realidade, naquela realidade desfechada pelos mitos dos nossos antepassados, e que continuam dormentes no nosso sangue. E tudo nesse conto nos é dito por Lawrence em linguagem exaltada e extremamente bela.

O que é isso que Lawrence nos conta? Uma pornografia, no significado exato do termo. (*"Porne"* é o termo grego para "prostituta".) Descrevendo a prostituição da mulher diante do sol, descreve a prostituição do intelecto humano diante do fundo lamacento, animalesco, mítico e amorfo. Não sentimos que se trata de pornografia, porque a linguagem é bela. Não sentimos que é no lodo que a mulher se revolve, porque saiu de uma situação obviamente feia para mergulhar numa situação aparentemente bela. Quem negará que Siracusa é uma situação mais bela que Manhattan, e que o sol como macho é mais empolgante que um corretor na bolsa? No entanto, há uma profunda mentira em tudo isso, uma mentira perniciosa. Para desvendar essa mentira, comparem Lawrence com o método wittgensteiniano e husserliano.

Wittgenstein diz que a situação da mulher em Manhattan era falsa, porque estava enquadrada em modelo. Uma análise estrutural do modelo revelará a sua falsidade e permitirá a superação de todos os modelos. Husserl diz que a situação da mulher em Manhattan era falsa, porque barrava, pelo acúmulo de conhecimentos, a visão da essência de tudo. Uma redução desses conhecimentos abrirá a visão desse *eidos*. Lawrence concorda com Wittgenstein e Husserl na diagnose da situação falsa. Mas recomenda o método oposto. Não procura superar metodicamente a situação falsa. Procura abandonar-se ao fundo lamacento do qual brotou a situação *in illo tempore*, procura retornar às suas fontes. Nega que a situação falsa é derradeira realização de um projeto que se precipitou da situação siciliana. É por isso que, na realidade, não está voltando a mulher do conto para a situação dos gregos arcaicos e dos séculos. Está voltando, isso sim, para a situação da fêmea da espécie biológica que somos. A análise que Lawrence faz da nossa situação não é lógica, é instintiva. Mas como é formulada discursivamente (em forma de conto), é mentirosa. A redução à qual Lawrence submete a nossa situação não é fenomenológica, é sensacionalista. Mas, como é feita visando uma meta preconcebida (o mito), é mentirosa. É por isso que se trata de pornografia. Não é uma ingênua entrega da fêmea ao seu macho, como o é a entrega autêntica no mundo da biologia. É uma prostituição, porque a mulher continua, a despeito de tudo, humana. Ao entregar-se ao sol, trai o marido, isto é, trai sua condição humana. O pensamento lawrenciano é estruturalmente paralelo ao pensamento nazista. E o seu perigo reside no fato de não percebemos isso. No fundo, o que Lawrence recomenda é a fuga da responsabilidade imposta ao homem pela sua condição de existência inteligente.

Se visto sob este prisma, é desvendado o nazismo como apenas uma entre as tendências entreguistas e derrotistas que se articulam entre as duas guerras, embora seja uma tendência na qual a nostalgia pelo lodo se torna extremamente evidente. Nisso reside o mérito do nazismo. É como se, em 1940, tivessem as democracias decadentes, essas derradeiras realizações da Idade Moderna, extrapolado todas as suas tendências sangrentas sobre a Alemanha, a fim de "objetivá-las". Ao combater a Alemanha, combatiam, com efeito, as democracias as suas próprias tendências para o lodo, exemplificadas, no meu argumento, por Lawrence. Este é mais um aspecto da guerra de 1940. Uma guerra travada pelo Ocidente tardio contra si mesmo. Uma guerra travada com que finalidade? Pode talvez ser combatido o chamado do próprio sangue? A finalidade, em 1940, era obscura. Como obscuro sempre é o futuro. Mas nós, os sobreviventes, podemos ter uma visão, embora nebulosa, dessa finalidade. Era uma guerra que procurava manter aberto o espaço para o surgir de uma nova fé, ameaçado a ser fechado pelo mergulho na glorificação do sangue. Este convite para o abraço morno do lodo não está superado. O nazismo ainda nos ameaça, pelo menos em sua forma lawrenciana. É por isso que é tão penosa esta lembrança. Torná-la presente é umas das finalidades deste meu argumento.

3.3.4. BANHO

Lancemos um último olhar sobre a cena, antes de abandonarmos a terceira geração, a geração do castigo. Demos adeus aos nossos pais e à nossa própria puberdade. Esbocemos as contorções violentas nas quais morria a velha Europa, berço do Ocidente, e a leve aura que cercava essa agonia, uma aura que era simultaneamente crepúsculo e aurora. Lancemos, em outras palavras, a ponte que liga 1940 e 1945.

Já agora não há semelhança entre a cena que se desfralda diante de nós e aquela que contemplamos do topo da Torre Eiffel. Duas outras torres dominam a paisagem, o Empire State Building e a torre do Kremlin. A partir de agora até o despertar violento da humanidade subjugada pelo Ocidente

PÁG. 202

moderno será o diálogo entre União Soviética e Estados Unidos o dominante da cena. Esse diálogo é, com efeito, o epílogo da tragédia do Ocidente. Passa-se já diante da cortina fechada. Repete os temas que têm sido apresentados no curso da peça. Esses temas são aqueles que foram sugeridos pelo Renascimento. Mas no diálogo que é epílogo os temas já estão esgotados. Retornam eternamente em variações repetitivas, mas já não interessam. O último interesse deles foi extirpado pelo banho sangrento que é a Segunda Guerra.

Embora sendo escrito mais de vinte anos depois do fim dessa guerra, é este livro o seu produto. A Segunda Guerra Mundial é a forma externa do castigo que se abateu sobre o Ocidente por sua culpa. Pela Segunda Guerra visitou o Senhor a terceira geração daqueles que O aborrecem. Depois dela nenhum tema moderno interessará existencialmente. Com suas câmaras de gás, suas fortalezas voadoras e seus radares, demonstrou essa guerra o poder do aparelho. Com seus bombardeios maciços, suas deportações planejadas e sua execução sistemática de reféns, provou a degradação da humanidade em funcionalismo. E com os processos que se seguiram à guerra desvendou a impertinência dos valores meramente humanos, quando aplicados ao funcionamento de aparelhos. A Segunda Guerra demonstrou a liquidação dos valores meramente humanos, isto é, os valores do humanismo. O diálogo entre Estados Unidos e União Soviética, cujo tema são esses valores, é um epílogo, porque trata de tema liquidado. A tecnologia triunfante esvaziou esses valores, e a Segunda Guerra é o triunfo da tecnologia. Doravante evoluem todos os aparelhos, inclusive o americano e o soviético, com desprezo óbvio desses valores vazios. Com efeito, como falar em dignidade humana depois de Auschwitz? Como falar em liberdade de escolha depois do bombardeio de Dresden? Outros valores devem preencher o vácuo deixado aberto pela morte do humanismo, se a humanidade quiser sobreviver à vitória da tecnologia.

A história da Segunda Guerra é, superficialmente vista, a história da diástole e sístole da Alemanha nazista. É o último capítulo da história do Ocidente moderno. A guerra simultânea que se trava no Pacífico é outro acontecimento. É o primeiro capítulo de uma história inteiramente diferente e continua a ser travada ao escrevermos estas linhas. Se digo "Segunda Guerra", tenho em mente a guerra nazista. Mas a diástole e sístole alemã são apenas superficialmente a sua estrutura. A liquidação do humanismo o é mais fundamentalmente. Com a Segunda Guerra encerra-se o ciclo moderno, que é um ciclo humanista. Nesse sentido negativo, é a Segunda Guerra um retorno ao ponto de partida da Idade Moderna. Depois da Segunda Guerra todo humanismo será anacronismo, simples saudosismo que procura ignorar a existência de Auschwitz. Mas a Segunda Guerra é também retorno num sentido positivo, embora esse aspecto seja mais difícil de ser descoberto. Será nas nossas lembranças mais escondidas e menos confessadas que temos da Segunda Guerra que descobrimos esse aspecto.

Enquanto choviam sobre a Europa as bombas incendiárias para reduzir a cinzas o sonho humanista, e enquanto os jornais brasileiros refletiam o banho de sangue em cabeçalhos de tinta de impressão berrantes, parecia intacta a vida ocidental moderna em redor do expulso do inferno. Bondes e automóveis continuavam a trafegar, preços subiam e baixavam na bolsa, e os fornos nazistas eram assunto de discussões literárias e eruditas. A vivência que essa cena causava no imigrante era a de uma fotografia pálida, ou de uma *séance* espírita bem-sucedida. Ao sair do inferno, penetrou o sobrevivente um teatro de fantoches que representava uma cena anterior à catástrofe no drama ao qual tinha escapado. Mas pouco a pouco começava a abrir-se uma visão dos bastidores desse teatro. A fotografia pálida não era a de um defunto, mas de um embrião vestido de defunto. Os aspectos que se moviam por aí não eram espíritos de falecidos, mas ectoplasma de seres nascituros. Os fantoches eram movidos por forças diferentes das que agiam na Europa em agonia. Essa visão dos bastidores da cena brasileira não era nítida, porque o pano de fundo chamejante da Europa a ofuscava. Uma vitória alemã, não apenas possível, mas provável no primeiro estágio da guerra, teria tornado inteiramente insignificante os acontecimentos brasileiros.

E mesmo uma vitória aliada de um aparelho igualmente automático, embora menos brutal, iria englobar, automaticamente, a cena brasileira. Mas pouco a pouco tornava-se claro que aqui no Brasil os acontecimentos europeus não vingavam plenamente, que os valores ocidentais modernos não funcionavam inteiramente, e que o castigo que tinha se abatido sobre o Ocidente não dizia respeito total ao novo ambiente. E este desvelamento da cena brasileira tinha por feito na mente do náufrago a primeira intuição do "propósito" do castigo sofrido. *Troiae qui primus ab oris Italiam, fato profugus, Laviniaque venit litora.*[1]

[1] Virgílio, *Eneida*, I:1-3.

A fuga de Praga para São Paulo, da irrealidade por destruição de realidade para a irrealidade por ainda não realização, começava a transformar-se de decadência em projeto. E começava a articular-se o *amor fati* nietzschiano como escolha deliberada do destino, ao transformar-se a mente do sobrevivente de emigrante para imigrante. A goela do inferno o tinha cuspido propositalmente, e era o seu destino descobrir o propósito para viver de acordo com ele. E isso não é apenas o destino individual de quem escreve estas linhas. É o destino de toda a quarta geração que tinha sobrevivido ao banho. Fomos vomitados, todos nós, pelo inferno para as praias do futuro. E é nosso propósito na vida descobrir porque isso se deu, para darmos significado ao drama ao qual escapamos. Somos, nós da quarta geração, os pesquisadores do nosso castigo. Somos aprendizes da ira divina. Fomos chamados para aprender a lição do castigo, a fim de cumprirmos a nossa tarefa. Ignoramos essa tarefa. Nisso reside a tragédia da situação dentro da qual fomos lançados. Mas sabemos que ela tem a ver com a reformulação total do projeto moderno. Nisso reside a beleza da situação na qual nos encontramos. Somos todos emigrantes e imigrantes. Somos uma geração derrotada a fim de ser pioneira. Não no sentido de um novo progresso, pois o próprio conceito de progresso carece doravante de significado. Mas no sentido de um retorno em novo nível de significado. Por sermos uma geração decadente e epigonal, somos também uma geração ingênua e primitiva. Husserl nos fornece os instrumentos dessa ingenuidade e primitivismo. Wittgenstein nos fornece a disciplina para a reformulação da realidade perdida e destruída. São os nossos pontos de partida. E a América, descoberta e inventada pelo Renascimento, é o palco ainda irreal, mas realizável, dessa nossa tarefa. É este, creio, o aspecto positivo da Segunda Guerra, leito de morte da Idade Moderna. Está surgindo do banho alquimista purificador, não por certo a pedra da sabedoria, mas o líquido ainda turvo do qual deveremos cristalizar um novo significado. Não estaremos presentes, se e quando esse novo cristal começar a apresentar os seus primeiros contornos. Mas somos da geração a presenciar a primeira precipitação do novo. Dessa precipitação tratará a última parte deste livro.

4. PENITÊNCIA

4.1. FUNÇÃO

Na introdução a este trabalho aludi ao aspecto profético deste empreendimento. Com efeito, quem volta a vista para o passado, tem o futuro em mira. E toda meditação que tem por assunto o tempo tenderá a confundir as categorias "passado-presente-futuro". O passado é presente em função do futuro, e o futuro é presenciado como passado. Na meditação o tempo objetivo e histórico entra em choque com o tempo existencial e atuante, para confundirem-se no instante atuante que é a atualidade meditativa. A atualidade, isto é, o conjunto das influências que agem no instante, é um nó górdio de passados, presentes e futuros, no qual todas as influências são presentes por terem passado e por demandarem o futuro. Uma análise da atualidade é sempre a tentativa de arrancar o instante da sua efemeridade górdia e projetá-lo sobre um sistema de coordenadas objetivas. É como se quiséssemos arrancar o nosso coração palpitante do peito e projetá-lo sobre um mapa anatômico a fim de compreendê-lo. O termo "atualidade" denota aquele ponto de fusão no qual o passado e o futuro se atualizam mutuamente como instante presente, e no qual atua o presente englobando passado e futuro. A atualidade não pode ser objeto de análise, porque como objeto já deixa de ser atual e passa a ser o passado. E não pode ser objeto de análise, porque como objeto torna-se meta e, portanto, futuro. A análise da atualidade já é uma atualidade diferente daquela que analisa. Na análise da atualidade atuam influências que não são da atualidade analisada, mas da atualidade analisante. A atualidade analisada é atualizada pela análise, e a análise desatualiza, portanto, a atualidade. Ao querermos analisar a atualidade, estamos nos colocando além dela, e estamos, portanto, dentro de uma atualidade diferente. Analisar uma atualidade equivale a negar que ela seja atualidade. Em suma: a atualidade não pode ser captada em sua enfermidade fugaz a não ser na vivência mesma. A filosofia tradicional distingue entre atualidade e potencialidade. A vivência mesma nos insere a cada instante na atualidade, e a meditação ilumina o horizonte de potencialidades do qual a atualidade é centro. Mas esta distinção filosófica é existencialmente inoperante, porque ao ser iluminada pela meditação, a potencialidade se atualiza. Ainda: ao meditarmos sobre a vivência, a desatualizamos. A atualidade não é assunto, ela é aquilo que tem assuntos. Pois o assunto desta última parte deste livro será a atualidade. Em outras palavras: esta última parte será uma atualidade que terá por assunto aquilo que chamamos de "atualidade", e o seu propósito será o de desatualizar essa atualidade. Esse movimento um tanto complexo terá, pois, dois aspectos. Aquilo que chamamos objetivamente de atualidade será objeto de meditação, e nesse sentido pertencerá ao passado. E aquilo que chamamos objetivamente de atualidade será objeto de investigação atuante, e nesse sentido pertencerá ao futuro. A atualidade como conjunto de influências analisáveis é um conjunto passado. A atualidade como conjunto de influências manipuláveis é o nosso futuro. Quem volta a vista para o presente como se fosse passado tem o futuro em mira. Quem desatualizada a atualidade procura atualizá-la. É *in fieri* portanto, como meditação atuante, que a atualidade é vivenciada. O aspecto profético caracteriza toda meditação historicizante da atualidade. Se procuro conceber a atualidade num contexto histórico, isto é, se a projeto do instante para o passado, estou, com efeito, projetando a atualidade do instante para o futuro. Mas onde estou eu nesse processo todo? Eis a pergunta perturbadora. Onde me encontro? Pois a resposta me parece ser esta: projeto a atualidade do presente para o passado para me encontrar a mim mesmo no futuro. Esta última parte do livro, mais que as demais, é uma procura de mim mesmo, movida pela esperança de me encontrar a mim mesmo no futuro.

É óbvio que toda projeção é um movimento desexistencializante. Projeto-me para fora do instante para objetivar a minha circunstância e torná-la inócua existencialmente. Projeto o instante para fora de mim, a fim de fugir à minha circunstância que não suporto. Esta qualidade de fuga é própria de toda profecia. Mas é curioso observar como essa fuga admite gradação de insinceridades. A nossa literatura abunda em profecias majestosas que projetam a atualidade sobre um futuro existencialmente insignificante. Desfraldam essas projeções visões diante de nós que não nos dizem respeito aqui e agora, e quanto mais majestosas são, tanto menos nos tocam. É uma fuga óbvia querer projetar a atualidade sobre um futuro existencialmente não sorvível, e querer descobrir na atualidade tendências para o ano 2000, ou para o ano 200.000, e podemos experimentar essa qualidade de fuga pelo fato de serem os anos 2000 e 200.000 praticamente indistinguíveis. Mas há outro tipo de profecia. A sua meta é muito mais modesta. Não procura projetar a atualidade sobre um futuro nebulosamente distante, mas procura descobrir nela o próximo movimento, a saber, o *meu* próximo movimento. Ainda são fugas essas profecias. Ainda procuram superar o instante. Mas essas fugas são exatamente o que caracteriza a condição humana. O homem é um ser que pode fugir ao instante pela projeção em direção ao futuro. O homem é um ser que não é inteiramente englobado pelo instante. Essa superação do instante, essa fuga desexistencializante, é o que chamamos pensamento. O pensamento é a superação da mera vivência pela projeção do instante em direção ao futuro. O pensamento desatualiza profeticamente a atualidade. Ao fazê-lo, o pensamento desexistencializa o instante. A esse tipo de profecia será dedicado o argumento seguinte, será dedicado ao pensamento sobre a atualidade.

Não procurarei negar, no curso do argumento, que se trata de fuga. Não procurarei negar que a atualidade se me apresenta intolerável, e que consigo existir nela apenas porque a projeto sobre o futuro. Mas procurarei, isto sim, não fugir precipitada e desordenadamente. Não me refugiarei em visões distantes. Procurarei manter o contato com a

PÁG. 213 atualidade atuante. Procurarei mostrar que o termo "fuga" é ambivalente. Que fuga pode significar ação modificadora. No fim do último capítulo mencionei a transformação do emigrante em imigrante. O emigrante é o refugiado, e imigrante é o pioneiro. Mas o imigrante, quando não emigra para a utopia, é sempre imigrante. E o imigrante, quando não corta as suas raízes, é sempre emigrante. O que procurarei fazer no argumento seguinte é emigrar da atualidade para imigrar no futuro imediato. Refugiado do presente, procurarei ser um dos pioneiros do futuro. Nisso nada há de glorioso, desde que mantenhamos em mente que o pioneiro é sempre um refugiado. Os construtores do futuro, que somos nós da quarta geração, são os que fogem do presente, tendo o passado eternamente ao seu encalce. Assim perseguidos alcançaremos talvez as praias do futuro *à bout de souffle*. Ou seremos alcançados e devorados pelo passado. Ou ainda descobriremos, nas praias do futuro, as pegadas do passado. A despeito de toda a nossa profecia devemos confessar que ignoramos o futuro. Não sabemos o que acontecerá, e não podemos, positivamente, prever o destino. Mas negativamente temos maior segurança. Sabemos muito daquilo que não é possível. Uma contemplação da atualidade deverá mostrar como o futuro não poderá ser, e o que não podemos esperar do futuro. E isso abrirá um pouco o campo da visão do possível. A esse tipo de profecia será dedicado este argumento. A uma profecia muito limitada e negativa. É nesse sentido que será uma procura que terá por meta o encontro conosco mesmos.

4. PENITÊNCIA / 4.1. FUNÇÃO

4.1.1. CONSTANTE

A tese deste livro é que a atualidade não pertence mais àquela fase histórica que chamamos "Idade Moderna". Redefinirei, portanto, o termo "Idade Moderna", para tornar significante a tese. É ela a época da predominância do Ocidente sobre o globo terrestre. É ela a época da manipulação consciente da natureza pela razão disciplinada. É ela a época da transferência do interesse para o imanente. É ela, em suma, a época do humanismo. Manifesta-se, positivamente, como domínio do sujeito sobre o objeto, e, negativamente, como a esquizofrenia sujeito-objeto. Dizer que a atualidade não é moderna é negar essas afirmativas, se aplicadas à atualidade. O Ocidente não predomina mais sobre o globo terrestre. A natureza não é mais manipulada pela razão disciplinada. O imanente deixou de interessar-nos. O humanismo morreu. O domínio do sujeito sobre o objeto é insignificante, porque foi superada a esquizofrenia sujeito-objeto. Todas essas negações parecem, *prima facie*, contrárias às evidências que a contemplação da atualidade fornece. Parecem teses *ad hoc* formuladas a fim de poder sustentar a tese principal que a atualidade não é moderna. Não resultaram de uma análise da atualidade, mas são profecias. Já confessei que são profecias. Mas procurarei mostrar que resultam da análise da atualidade, não obstante.

Para tanto proponho que lancemos um olhar englobante sobre a atualidade. Qual é a cena com que deparamos? Subimos no avião, no mesmo do qual me utilizei no primeiro capítulo, para sorvermos a qualidade *sui generis* que caracteriza a atualidade. Esta última parte do livro será, pois, uma volta para a ironia como método de superação da circunstância, mas desta vez de uma circunstância atuante. A diferença é esta: se o avião que sobrevoa a cidade medieval é instrumento de uma ironia que supera as raízes, é o avião que sobrevoa a metrópole atual instrumento de uma ironia que supera os derradeiros frutos. O avião que sobrevoa Praga ironiza a origem, o que sobrevoa São Paulo ironiza a meta. Não é a mesma ironia. Uma protagoniza, a outra agoniza, uma evoca, a outra provoca. Isso me parece ser próprio de toda meditação cujo assunto é a atualidade: é uma meditação profética, isto é, irônica de forma agônica e provocativa. Em suma: o avião da contemplação histórica decolou da atualidade e aterrissará na atualidade, mas o avião da meditação que voa sobre a atualidade decolou de uma atualidade desatualizada (daí o seu caráter agônico) e aterrissará em uma atualidade atualizada (daí o seu caráter provocativo). Pois subamos nele.

Antes de olharmos pela janela, permitam que eu faça mais uma observação metodológica, embora saiba que estes meus excursos interrompem o curso da viagem. É esta: a nossa viagem desfraldará uma cena que poderá ser comparada com aquela que contemplamos ao termos sobrevoado a cidade medieval, e essa comparação mostrará semelhanças e diferenças. Em outras palavras: certos aspectos da cena serão os mesmos da cena medieval, e outros serão diferentes. Ou, reformulando: será a mesma cena, embora modificada. Não permitirei que o nosso argumento se envolva, a esta altura, no problema do rio heraclitiano, já que não estamos preocupados com permanência e fluxo. Direi apenas que aqueles aspectos da cena que permitem identificá-la com a cena medieval serão considerados como aspectos relativamente constantes, e os outros, que me permitem distinguir a cena da medieval, serão considerados variáveis. E direi que, ao comparar as duas cenas, estou observando uma curva na qual os aspectos variáveis mudam os valores em função das constantes. O meu método será, pois, o seguinte: no presente tópico procurarei descrever as constantes da função, no tópico seguinte as variáveis e, nos dois subsequentes, os valores e a curva mesma.

Que descobrimos de relativamente constante na cena da atualidade? Recorrerei a uma terminologia aparentada ao pensamento existencial para descrevê-lo. Relativamente constantes são, em primeiro lugar, as coisas da natureza. São constantes em relação a quê? À minha condição de ser nascido e projetado rumo à morte. O sol e a lua, as serras, os mares, os rios e as nuvens são o palco relativamente constante no qual apareci e que deixarei para trás na minha sorte. Nascer significa exatamente encontrar-se rodeado desse tipo de coisas, e morrer significa exatamente não encontrar esse tipo de coisas. Sou um ser passageiro em relação a esse tipo de coisas, e dizer que nasci e morrerei é significante apenas como expressão da passagem por esse tipo de coisas. Mas é óbvio que a constância das coisas da natureza em relação à minha existência é um problema, no sentido de ser algo que está lançado na minha frente e se opõe ao meu projeto rumo à morte. E este problema da constância das coisas da natureza se dá na atualidade de uma forma diferente daquela na qual se dava medievalmente. Embora seja, em certo sentido, o sol e a lua que iluminam a metrópole atual os mesmos que iluminavam a cidade medieval, dada a sua constância como coisas da natureza, são eles, em outro sentido, algo diferente, dado o problema que a constância das coisas da natureza apresenta. Em outras palavras: a constante mesma da cena é variada pela maneira como se encontram nela as variáveis. É este justamente o caráter de uma função: modifica os valores das constantes e das variáveis. Consideraremos essa mudança.

Para o pensamento medieval as coisas da natureza formam, com sua constância, um corredor por entre o qual passa a alma. O homem é um ser que nasce e morre em relação às coisas da natureza, porque passa por elas. Mas como alma é o homem um ser cujas origens e cuja meta estão no além da natureza. Enquanto as coisas da natureza são apenas relativamente constantes, é o homem um ser imortal e pertence à eternidade. Durante a passagem da alma pelo corredor da natureza o homem é condicionado pelas coisas da natureza. Mas esse condicionamento é significante apenas naquele conjunto maior e sobrenatural do qual o corredor de almas chamado "natureza" faz parte. É por isso que a natureza como tal não interessa, mas interessa apenas como elo de uma cadeia que parte do sobrenatural e para ele se dirige. As coisas da natureza são constantes em relação à alma que por elas passa, mas são efêmeras em relação à imortalidade e à eternidade da alma. A natureza é portanto real, é um "mundo" dentro de uma hierarquia englobante do "outro mundo".

Para o pensamento moderno desaparece o "outro mundo", e as coisas da natureza absorvem todo interesse. O homem é um ser natural, isto é, um ser exclusivamente deste mundo. As coisas da natureza são seu único objetivo. O nascimento e a morte, as duas barreiras intransponíveis entre as quais se projeta a vida humana, são também coisas da natureza. Retornam eternamente. A constância das coisas da natureza é este seu eterno retorno. Uma filosofia da vida, que é o resultado necessário do pensamento moderno, ou desemboca no eterno retorno, ou não sabe do que está falando. Mas dentro desse eterno retorno das coisas da natureza o homem se encontra a si mesmo como irrevogável. Não retornará jamais e nisso reside a sua dignidade. O humanismo é, no fundo, o resultado da comparação da efemeridade da existência com a constância da natureza. O homem é concebido nele como o único ser que não retorna. Os animais e as plantas, essas coisas da natureza que aparentemente também nascem e morrem, retornam eternamente, porque não passam de fenômenos específicos da constância da natureza. É como espécies que são constantes, e nisso se resume toda a sua realidade. Também o homem como ser natural que é, é específico, e nesse sentido constante. Campos de trigo, gatos, cachorros e homens formam entre si as coisas da natureza. Mas a realidade do homem não se resume nisso. Além de específico, é ele também sujeito das coisas da natureza. Como tal é irrevogável. Apenas o homem nasce e morre autenticamente. Nessa sua condição de nascido e mortal lança-se contra a constância da natureza. Lança-se contra ela, para superar a sua condição humana, isto é, para imortalizar-se. As coisas constantes da natureza são o objetivo do homem mortal, porque nelas e pela sua manipulação o homem se imortaliza. A imortalidade do homem está na constância das coisas da natureza. E em última análise é esta a realidade das coisas da natureza: ser objetivo do homem. A natureza não tem realidade em si, mas é real apenas em relação ao homem. A sua constância o é apenas em relação à mortalidade humana. Assim ficam corroídas as coisas da natureza pelo interesse exclusivo que o pensamento moderno sobre elas lança. Passam a ser reais apenas em segundo grau, e a realidade se refugia na condição de mortal da existência humana. A última realidade é a morte. Este o derradeiro resultado do pensamento moderno faço à constância das coisas de natureza.

Para o pensamento atual a natureza desapareceu, e as coisas relativamente constantes como sol e lua, mar e terra, rio e nuvem, fazem parte de um conjunto maior que abrange o que antigamente era chamado "natureza". Continuam relativamente constantes essas coisas, mas como natureza não interessam. Discutirei o problema da constância dessas coisas no tópico seguinte.

Em segundo lugar encontramos, na nossa visão da cena, como relativamente constantes as coisas da cultura. Ao nascermos, encontramos ao nosso redor coisas como casas e cadeiras, livros e quadros, leis e costumes. É esse tipo de coisas que nos abriga e graças ao qual moramos no mundo. A metrópole da atualidade tanto quanto a cidade medieval consiste nesse tipo de coisas, o que atesta a relativa constância dessas coisas. Mas como no caso das coisas da natureza, é óbvio que nós, os da atualidade, nos encontramos de forma diferente entre as coisas da cultura em relação aos de épocas passadas. Com efeito, é mais óbvio ainda. Se temos a tentação forte de dizer que o sol é o mesmo que nos ilumina e que iluminava os antepassados, embora saibamos que para os gregos era um deus e para nós é parte de um modelo, confessamos de bom grado que a espada medieval é algo diferente de uma letra de câmbio, embora a sua função seja, em certo sentido, a mesma. E obviamente é também a modificação que houve na proporção entre o âmbito da natureza e da cultura. Antigamente formavam as coisas da cultura ilhas dentro do mar da natureza, ilustradas pelas muralhas que cercavam as cidades. Atualmente formam as coisas da natureza a franja da cultura. E torna-se difícil a distinção ontológica entre natureza e cultura, uma dificuldade à qual aludi no argumento acima. Considerem a modificação na constância das coisas da cultura.

Para o pensamento medieval eram as coisas da cultura pedaços arrancados à natureza pela alma imortal que por ela passava. Essa alma, cuja origem e cuja meta sobrenatural estavam guardadas como lembrança dentro dela mesma, imprimia, de passagem, essa sua sobrenaturalidade sobre pedaços da natureza. Uma mesa é o resultado da impressão de uma ideia de "mesidade", de uma ideia eterna e sobrenatural, sobre um pedaço de madeira, um pedaço da natureza. Como mesa, portanto como coisa da cultura, participava doravante a madeira da eternidade. A cultura era a marca da eternidade da alma sobre a constância da natureza. A atividade cultural, a que transforma natureza em cultura, era consequência da contemplação da eternidade. Era oração aplicada. A cultura era obra religiosa. O homem sentia-se abrigado pelas coisas da cultura, porque estas evidenciavam a imortalidade da alma em passagem pela natureza. Essas coisas abrigavam, porque eram belas, e eram belas, porque concordavam com a eternidade. Essa sua qualidade de abrigar era a sua utilidade dentro do mundo da natureza na qual se encontrava provisoriamente a alma. As coisas da cultura eram úteis, porque serviam como morada do homem exilado. Mas além e acima dessa sua utilidade passageira eram as coisas da cultura lembretes da origem sobrenatural do homem. Nesse sentido, e modernizando, podemos dizer que eram obras de arte. O homem medieval era artesão e artista, ao transformar natureza em cultura, mas o era sempre tendo por ponto de referência a imortalidade da sua alma. A coisa da cultura não era, como na Idade Moderna, produto da procura da imortalidade, mas era testemunho da imortalidade. A constância da cultura (e a persistência consequente de estilos) era, portanto, maior que a constância da natureza: era eternidade impressa sobre a constância da natureza. Por isso o homem medieval era um ser abrigado por sua cultura.

Para o pensamento moderno eram as coisas da cultura realizações de projetos humanos, e como tais atestavam a libertação do homem do condicionamento da natureza. Pela sua qualidade de mortal e irrevogável, de ser histórico, como diria a Idade Moderna em sua segunda fase, lança-se o homem contra a constância eternamente repetitiva da natureza que o condiciona. Nesse choque o homem apreende, compreende e finalmente supera as coisas da natureza. Coisas naturais apreendidas, compreendidas e superadas, em suma: manipuladas, são coisas da cultura. Cultura é resultado da manipulação da natureza pelo homem que é ser mortal e decidido para a morte. Nessa sua decisão para a morte, para a derradeira realidade, pode o homem superar todas as coisas da natureza salvo a morte mesma. Toda a natureza salvo a morte é, portanto, virtualmente cultura. Se a realidade da natureza está no ser ela objetivo do homem, esse objetivo se realiza na forma da cultura. Cultura é natureza realizada. Mas como essa realização é um processo dialético, é cultura também o homem realizado. Na relativa constância das coisas da cultura o homem mortal se imortaliza. De certa forma é a cultura uma superação da condição mortal do homem. Pela cultura o homem não supera apenas a natureza externa, mas supera também o seu próprio condicionamento de ser natural, mortal, no entanto. É por isso que as coisas da cultura abrigam: porque libertam o homem do seu condicionamento. Abrigam justamente por serem menos constantes que as coisas da natureza. São menos constantes porque carregam a marca da mortalidade do homem. A cadeira e a casa são menos constantes que o sol e o rio, porque participam da condição histórica que é própria do homem. Mas justamente por isso participam de uma realidade superior à da natureza. A imortalidade que o homem alcança ao superar a natureza é, portanto, uma imortalidade relativa. Com relação à condição efêmera e mortal do homem são as coisas da cultura constantes. Com relação à constância repetitiva da natureza são efêmeras as coisas da cultura. Mas nessa sua efemeridade relativa reside a sua realidade. A meta do "progresso" é a transformação total de constância repetitiva da natureza na efemeridade histórica da cultura. Alcançada esta meta, estará superada a própria efemeridade da cultura. Nesse estágio final o tempo estará represado num *nunc stans* que será um substituto da eternidade. As coisas da cultura serão, nesse sentido, eternas. O homem será livre. Nessa libertação progressiva reside a utilidade das coisas da natureza. O homem moderno está abrigado pelas coisas da cultura nesse sentido. Não é um abrigo tão seguro como o era o medieval, porque é sempre vivenciada a relativa efemeridade da cultura. O homem moderno é mais desabrigado e mais arriscado.

4. PENITÊNCIA / 4.1. FUNÇÃO / 4.1.1. CONSTANTE

Mas ainda mora, embora a sua morada esteja sempre invadida pela derradeira realidade que é a morte.

Para o pensamento atual as coisas da cultura não representam abrigo, porque são ontológica e existencialmente indistinguíveis das coisas da natureza. É quase insignificante querer distinguir entre a lua e um satélite artificial, ou entre um rio e um canal, ou entre um raio e uma bomba. Se há distinção seria apenas a de dizer que somos condicionados mais por coisas chamadas "culturais" que por aquelas chamadas da "natureza". E a constância das coisas da cultura modificou o seu caráter, já que não mais utilizamos essas coisas, mas as consumimos. Se ainda há constância nas coisas da cultura, é ela uma constância dentro de uma função, como o é tudo na cena da atualidade. Discutirei o problema da constância da cultura para a atualidade no tópico seguinte, dedicado à variável.

Por último encontramos na consideração da cena como relativamente constantes as presenças em nosso redor de outros homens. A sociedade humana é uma relativa constante da cena na qual nascemos e da qual partiremos na morte. Ao nascermos encontramos sempre outros, e ao morrermos, morreremos sempre sozinhos. O nascimento pode ser definido como a minha inserção na sociedade, e a morte como a minha solidão derradeira. A forma pela qual encontro os outros ao nascer é a conversação na qual me encontro. Com efeito, essa conversação com os outros estabelece a minha cena. As coisas da natureza e da cultura me aparecem apenas na conversação com os outros. Essas coisas são objetivas, porque conversadas. E eu mesmo sou para mim porque converso comigo mesmo, porque sou meu próprio outro. O meu encontro com os outros, a conversação, é, portanto, a própria constante de toda cena. Sem ela não há mundo, portanto não há cena.

Esta constante da condição humana como ser dentro de um mundo, essa definição do homem como ser que conversa, e a conversação como fonte e como meta de todos os modelos, portanto de todos os mundos possíveis, é, no entanto, uma descoberta da atualidade. A presença do outro como constante da qual sou a variável, e em função da qual, portanto, existo, é, obviamente, uma descoberta tão antiga quanto o é o encontro com o outro. Os gregos chamavam de "política" e os latinos de "pública" essa constante. Mas a reinterpretação atual dessa constante como sendo linguística é tão radical que será nela que, creio, descobriremos o núcleo do pensamento da atualidade. Por isso resolvi reservar à consideração da constante linguística da cena todo um capítulo, e para ele relego o presente argumento.

Resumo, pois, o primeiro resultado da nossa visão abarcadora da cena da atualidade: é uma cena comparável com todas as cenas do passado, no sentido de consistir em existências humanas, isto é, seres nascidos e mortais, que se encontram lançadas em meio de coisas da natureza e da cultura, e na presença de outros semelhantes. Estes são, portanto, os aspectos relativamente constantes da cena. Voltemos, pois, o nosso olhar novamente para a cena, para ver se descobrimos nela aspectos incomparáveis, portanto aspectos novos que a distinguem de todas as cenas passadas.

4.1.2. VARIÁVEL

A consideração das constantes da cena envolveu o argumento num clima historicista, porque projetou a atualidade em direção ao passado. A consideração das variáveis da cena envolverá o argumento em clima profético, porque projetará a atualidade em direção ao futuro. Pois nesse clima profético descobrimos, em primeiro lugar, o seguinte aspecto inteiramente novo: está desaparecendo a distinção ontológica entre natureza e cultura. Creio que esse borrar dos limites pode melhor ser vivenciado pela consideração do ritmo. Vivenciamos as coisas da natureza num ritmo cíclico do eterno retorno. É nisso que reside a constância da natureza. O sol e a lua que nascem e se põem ciclicamente, o ciclo da água que se condensa em nuvens para precipitar-se na chuva, o ciclo da estação, das gerações de safras, este é o ritmo que vivenciamos como "natural" e como caracterizando a natureza. Vivenciamos as coisas da cultura num ritmo cumulativo do programa. É nisso que reside a constância da cultura. Novos livros que são adicionados às bibliotecas, novos conhecimentos acrescidos aos antigos, ampliações de instalações, aperfeiçoamento de instrumentos, este é o ritmo que vivenciamos como caracterizando a cultura. É um ritmo sincopado. A cultura se processa aos saltos. E todo salto tem também um efeito retroativo. Reformula o nível do qual partiu. Reincorpora a tradição em nova forma. Se, portanto, o ritmo cíclico da natureza é caracterizado pelos termos "surgir" e "parecer", é o ritmo cumulativo da cultura caracterizado pelos termos "tradição" e "progresso".

Na atualidade essa distinção pelo ritmo não pode ser mais mantida. O ritmo da natureza adquiriu aspectos cumulativos, e o ritmo da cultura aspectos repetitivos. Como podemos vivenciar o eterno retorno da lua, se sabemos ser ela uma potencial mina de minérios a serem consumidos? Como podemos vivenciar o eterno retorno da água, se sabemos ser ela um composto analisável, e ser a energia que propele o seu ciclo, represável e consumível? Como podemos vivenciar o eterno retorno das safras, se sabemos que seu ritmo é acelerável ou freiável, e que o seu rendimento é multiplicável? E se sabemos, em tudo isso, que o ritmo cíclico da natureza não passa de uma ilusão no ritmo fundamentalmente cumulativo que é a entropia? Não podemos mais vivenciar o ritmo cíclico da natureza, e isso significa que não podemos mais vivenciar a natureza. Perdemos o aroma *natural* do nosso mundo. A natureza aculturou-se.

O inverso se deu com o ritmo das coisas da cultura. Como podemos vivenciar a progressividade da literatura, se sabemos que nela são discutidos eternamente os mesmos assuntos? Como podemos vivenciar o caráter linear da produção cultural, se se processa em corrente circular e ciclicamente ritmada? Como podemos vivenciar o caráter cumulativo da cultura, se a tradição é tão rapidamente descartada? O acúmulo do ritmo cultural, a sucessão rápida dos saltos, cancela o seu aspecto cumulativo e salienta, por salto inteiramente novo, o seu caráter repetitivo. A automação desse processo insere-o no rol dos fenômenos cíclicos, portanto no rol da natureza. Não podemos mais vivenciar o ritmo progressista da cultura, e isso significa que não podemos mais vivenciar a cultura. Perdemos o aroma *cultural* do nosso mundo. A cultura naturalizou-se.

Mas se vivenciamos a lua como, de certa forma, coisa da cultura, e se vivenciamos o automóvel como, de certa forma, coisa da natureza, isso significa que, *sensu stricto*, não mais vivemos e não mais moramos. Viver é passar pelas coisas da natureza, e morar é abrigar-se nas coisas da cultura. Vida é a sensação de espanto em face da natureza pela qual passo no meu caminho. Morada é a sensação de confiança que tenho nas coisas da cultura a me protegerem contra o espanto da natureza. Se não sei distinguir entre natureza e cultura, nenhuma coisa me espanta, e nenhuma coisa me causa confiança. A ausência de espanto e de confiança, a ausência, portanto, de vida e de abrigo, é o primeiro aspecto novo que descobrimos na cena da atualidade.

Mas dispomos de outro critério para distinguir entre natureza e cultura. É este: vivenciamos as coisas da natureza como surgidos de um horizonte inarticulado, como desvendando um fundamento misterioso e impenetrável. E vivenciamos as coisas da cultura como surgidos de articulações nossas, como desvendando um fundamento que é a presença articuladora humana do mundo. Por trás das coisas da natureza esconde-se o fundamento do ser e por elas o ser se revela. Por trás das coisas da cultura esconde-se o pensamento humano e por elas o pensamento humano se revela. Pois este critério também se tornou inaplicável. A análise da natureza pelas ciências naturais modernas revelou ser ela, em certo sentido, uma projeção do pensamento humano. As ciências revelam, com efeito, o fundamento da natureza como sendo um determinado discurso do pensamento matemático e quantificante. Inversamente revelam as análises das coisas da cultura, e especialmente a análise da atividade que resulta em coisas da cultura, que toda cultura não passa de racionalização do instintivo, portanto do "natural" que é o pensamento humano. Com efeito, esse critério, se aplicado atualmente, nos conduz imediatamente para um círculo vicioso. Se tomarmos como ponto de referência a cultura, a natureza se nos revela como produto da cultura. E se tomarmos como ponto de referência a natureza, a cultura se nos revela como produto da natureza. Nesse círculo vicioso borram-se os limites entre os dois reinos.

Que isso não é mera especulação *in vacuo*, mas que esse círculo vicioso é uma vivência concreta que temos do nosso mundo, prova-o a nossa atitude ante as coisas que nos cercam. Longe de sentirmos o mistério inefável que se esconde por trás da lua, passamos a fabricar luas. Longe de sentirmos o fundamento inarticulado que se esconde por trás da semente, pomo-nos a sintetizar ácidos ribonucleicos para fabricar sementes. Não sentimos diferença ontológica entre coisas da natureza e da cultura, porque aceitamos, nessa atitude, como sendo evidente o fundamento da natureza como pensamento humano. Inversamente longe de sentirmos esse fundamento na bomba atômica, cremos vivenciar nela um princípio inefável que se articula para abater-se sobre a humanidade. Longe de sentirmos nos computadores produtos da nossa atividade intelectual, vivenciamos neles novos seres vindos do fundo inefável e prontos a eliminar-nos. Não sentimos diferença ontológica entre coisas da cultura e da natureza, porque aceitamos, nessa atitude, como sendo evidente o fundamento misterioso e inefável das coisas da cultura.

A consequência deste círculo vicioso é que a sensação de libertação, que caracterizava a atitude moderna em face das coisas da cultura, cedeu, na atualidade, à sensação do terror reprimido. Sobre toda a atualidade pesa, impalpável, mas perfeitamente sorvível, a nuvem do terror ante as coisas da cultura. Podemos dizer, especulativamente, que essa sensação de terror deve ter caracterizado as humanidades "primitivas". Podemos imaginar a existência do primitivo como aquela que está sujeita ao jogo de forças que sobre ela agem incontroláveis e provindas de um fundamento misterioso. Pois esta é, em certo sentido, também a situação da atualidade. Também sobre nós agem forças incontroláveis e misteriosas. Mas a diferença é esta: as forças que sobre nós agem escaparam ao nosso controle, e o seu mistério reside em nós mesmos, isto é, em nós como provocadores de forças incontroláveis. O paralelo com o primitivo é, pois, ambivalente. Somos primitivos no sentido de sermos seres aterrorizados. Mas somos decadentes no sentido de sermos responsáveis pelo terror que sentimos. Se, portanto, pesa sobre nós a nuvem da radioatividade e da automatização, e se existimos em certo sentido na expectativa constante do seu descarregar, isso nos caracteriza como seres simultaneamente decadentes e primitivos. Somos decadentes, porque em certo sentido existimos num ambiente exclusivamente de cultura. E somos primitivos, porque em outro sentido existimos em ambiente exclusivamente de natureza.

Há um terceiro critério pelo qual podemos distinguir entre as coisas da natureza e da cultura. É o critério da utilização e do consumo. Podemos dizer que consumimos as coisas da natureza, e que nos utilizamos das coisas da cultura. A análise existencial formula esse critério da seguinte maneira: as coisas da natureza estão diante da nossa mão, prontas a serem apreendidas e compreendidas, isto é, consumidas. As coisas culturais estão à mão prontas para serem utilizadas como instrumentos de consumo das coisas da natureza. É por isso que a permanência da natureza é diferente da cultura.

A natureza é constante, porque ao consumirmos as suas coisas, eliminamos os seus detritos que voltam ao reino da natureza. A constância da natureza é seu caráter cíclico e repetitivo. A cultura é constante, porque as suas coisas conservam a sua forma a despeito de utilização repetida. O trigo, mesmo se transformado em pão, é uma coisa da natureza, porque a sua constância reside na sua volta rápida para o reino da natureza. Mesmo quando não consumido, o pão perde rapidamente a forma e volta ao ciclo da natureza. A mesa é uma coisa da cultura, embora feita de madeira, que é uma coisa da natureza. Conserva constante a sua forma, seja ela ou não utilizada. Essa constância da forma da mesa ultrapassa a efemeridade da vida humana. Ao nascermos encontramos uma mesa, e ao morrermos deixamos para trás a mesma mesa. Por isso temos confiança na mesa, enquanto o ciclo natural nos deixa desabrigados. Em suma: a natureza é "boa" para ser consumida, e a cultura é "boa" para ser utilizada.

Pois este critério é igualmente inaplicável na atualidade. E isso porque podemos, atualmente, diminuir o ritmo do consumo a ponto de tornar existencialmente não sorvível o seu caráter repetitivo, e aumentar o ritmo da utilização a ponto de torná-lo existencialmente indistinguível do consumo. Com efeito, como distinguir entre alimentos desidratados que podem ser indefinidamente guardados antes de serem consumidos, e um automóvel que é utilizado tão intensamente a ponto de ser consumido dentro de um ano? Qual a coisa natural, e qual a cultural, se o critério de consumo e utilização foi aplicado? Que significado tem, deste ponto de vista, dizer que os alimentos são "naturais" e os automóveis são "culturais" na atualidade? Mas este borrar de limites entre utilização e consumo que caracteriza a atualidade tem uma importância fundamental para a compreensão da situação na qual nos encontramos.

Consumir é uma atividade que se caracteriza por sua futilidade. Utilizar é uma atividade que se caracteriza por ter meta. Como consumidor é o homem um ser condicionado, determinado e escravo. Com efeito, escravidão é sinônimo de consumo. O homem consome para poder existir, e é forçado a consumir constantemente. Com efeito, como consumidor está o homem enquadrado entre as coisas da natureza. Segue ao seu ritmo repetitivo. O aspecto de consumidor é o aspecto bestial, animal do homem. Como utilizador é o homem um ser livre. Escolhe as metas e os métodos para alcançá-los. E a utilização não é atividade repetitiva, porque encerra-se ao alcançar a meta. O aspecto de utilizador é um aspecto da condição de mortal, portanto de ser em projeto, do homem.

Nas situações anteriores, na medieval e na moderna, eram distinguíveis as atividades consumidora e utilizadora. Havia, portanto, fases na vida humana, as fases consumidoras, que eram consideradas fúteis, e outras, as fases utilizadoras, que eram consideradas significantes. E as fases fúteis eram vivenciadas como preparativas das fases significantes. Dizia-se que o homem trabalha para viver, e não que vive para trabalhar, e "viver" era sinônimo de "utilizar cultura". Na situação atual essa distinção tornou-se inviável. Grande parte da humanidade foi "libertada", pela mecanização e pela automatização do trabalho, da necessidade de preparar as coisas da natureza para o consumo. Mas essa aparente libertação abre apenas campo para uma vida que se consome no consumo. E a mesma mecanização e automatização transformaram a utilização em consumo. Não há o que utilizar, já que tudo pode ser consumido. As coisas da cultura passam a ser, atualmente, consumidas como se fossem coisas da natureza. O processo automático de produção já as projeta para serem consumidas rapidamente. A vida na atualidade tornou-se inteiramente consumidora. Isso equivale a dizer que a vida humana tornou-se repetitiva, fútil, inteiramente condicionada, isto é, sub-humana. O homem foi "libertado" pela tecnologia para ser inteiramente escravo do consumo. A vida tornou-se fútil.

A impossibilidade atual de distinguirmos ontologicamente entre as coisas da natureza e da cultura confere à nossa situação estes aspectos novos e incomparáveis com as situações anteriores: vivemos sem espanto e sem confiança, desabrigados e sem morada, num terror de forças que escaparam ao nosso controle, decadentes e primitivos, escravos do consumo, e vivemos vidas fúteis. Esta é uma das variáveis que nos caracteriza.

A outra variável é esta: começam a borrar-se, na atualidade, os limites ontológicos entre as coisas e os outros. Por ter eu relegado, no tópico anterior, a discussão do outro como constante para contexto futuro, descreverei rapidamente a distinção ontológica entre o outro e a coisa, tal como era vivenciada antigamente. Vivencio a coisa como estando diante da minha mão, *vorhanden*, ou à mão, *zuhanden*, isto é, vivencio a coisa como na frente ou atrás do meu estar aqui agora. A coisa diante da minha mão é meu futuro, é algo contra o que me lanço, é "natureza". A coisa à mão é meu passado, é algo do qual me utilizo, é cultura. Estou relacionado com a coisa pelo conhecimento. Apreendo, compreendo e supero a coisa manipulando, isto é, conheço a coisa. Vivencio o outro como estando aqui comigo. O outro é o meu presente. Estou aqui agora, porque estou aqui com outros. Estou relacionado com o outro pelo reconhecimento. E o outro responde a mim e corresponde comigo. Converso com o outro. Nas respostas que o outro me dá me reconheço no outro. Reconheço nele um semelhante. Dizer que existe, que estou aqui agora, é dizer que estou em conversação com os meus semelhantes. É à base dessa conversação que aprendo, compreendo e supero as coisas. Por ter eu outros aqui comigo, por ter eu presente, tenho futuro e passado.

A descrição que ofereci é baseada em análises existenciais, portanto em um pensamento da atualidade. É óbvio que o pensamento medieval e o moderno formulavam e vivenciavam a distinção entre a coisa e o outro em termos diferentes. Mas vivenciavam nitidamente a diferença. É curioso observar que no instante da formulação exata da diferença pelos existencialistas esta começa a borrar-se. E isso por duas razões opostas. Começo a conversar com algo que obviamente é coisa. E começo a não poder conversar com algo que obviamente é um outro. Começo a me reconhecer nas coisas. E começo a não poder me reconhecer nos outros. Começo a não poder conhecer as coisas. E começo a conhecer os outros. Coisas começam a adquirir traços de presenças. E os outros começam a adquirir traços de manipulabilidade. Coisas tendem a se apresentar, e os outros tendem a se ausentar. Presencio atualmente uma humanização das coisas e uma coisificação dos homens. E isso é um traço característico da atualidade.

Considerem o que está acontecendo. Algumas entre as coisas antigamente vivenciadas como sendo "da cultura" imitam o que antigamente era vivenciado como sendo "o outro". Isto é, respondem a mim e correspondem comigo. Se provoco um aparelho apertando um botão, este me responde. Se escrevo uma carta a uma repartição (que é uma coisa da cultura e não um semelhante meu), esta começa a corresponder-se comigo. E os exemplos mais flagrantes são os computadores. Não apenas respondem a mim e correspondem comigo, mas as suas respostas são informativas, isto é, inesperadas. O elemento de surpresa, que é o elemento que caracteriza o meu reconhecimento do outro (já

PÁG. 237

que nele reconheço a minha própria liberdade), está presente nessas coisas imitadoras. Por me surpreenderem, estão estas coisas aqui comigo. É claro que se trata apenas de presenças imitativas, ou, como se diz atualmente, de presenças que o são inautenticamente. Há um elemento automático nas suas respostas que as desautentica. Mas isso não torna essas coisas menos atuantes. Os aparelhos automatizados de defesa dos Estados Unidos e da União Soviética, por exemplo, podem perfeitamente ter respostas tão inesperadas que acabarão com a humanidade.

Inversamente começo a perder a sensação de surpresa na conversação com os outros. As respostas que os outros me dão são previsíveis, inclusive por computadores. Começo a conhecer o mecanismo que provoca automaticamente as respostas nos outros, e começo a poder manipular esse mecanismo. Começo a poder provocar nos outros respostas por mim pretendidas. E começam a atuar aparelhos que provocam em mim e nos outros as respostas pretendidas pelos aparelhos. A conversação com os outros começa a perder o caráter dialógico, e começa a adquirir um caráter de conversa fiada, a saber, fiada na fiação automática dos aparelhos. Nessa situação os outros se tornam paulatinamente ausentes. Desautenticam-se os outros e se tornam paulatinamente ausentes. Desautenticam-se os outros e se transformam em gente. Tão marcada é essa transformação que vivencio, às vezes, como sendo mais autêntica, por

4. PENITÊNCIA / 4.1. FUNÇÃO / 4.1.2. VARIÁVEL

mais informativa, a minha conversação com as coisas imitativas que com os meus semelhantes. Em certos instantes vivencio essas coisas como sendo mais presentes que os outros.

Na medida em que começo a conhecer os outros como sendo gente, e que começo a me reconhecer nas coisas imitativas como parceiros, na medida, portanto, na qual se borra a distinção ontológica entre a coisa e o outro, confundem-se a minha vivência do tempo. Se não posso distinguir entre passado e futuro, por não poder distinguir entre natureza e cultura, não sei agora distinguir entre presente e ausente, por não poder distinguir entre coisa e o outro. Nessa confusão perdem os termos modernos como "progresso" e "evolução" todo o significado. É como se as coisas imitativas tivessem usurpado o tempo, e me tivessem dele eliminado. Não estou presente, estou ausente. Não existo. Sou superado pelas coisas imitativas, e sou sua meta. De certa maneira sou passado e futuro das coisas imitativas. Sou coisa das coisas imitativas. Sou funcionário na função do aparelho. Não sou agente, mas paciente do fluxo do tempo. Estou fora desse fluxo como existência, e o progresso não me interessa. Essa confusão do temporal demonstra, embora negativamente, o caráter ilusório do tempo.

Concomitante com ela vivencio a solidão humana. Se a morte é o abandono da conversação com os outros, portanto a solidão derradeira, e se Sócrates concebia a imortalidade como conversação continuada, nós da atualidade estamos na situação privilegiada de podermos conceber, na solidão em meio da gente, a morte em vida. A sensação da incomunicabilidade, que é consequência das respostas previsíveis por parte da gente, a sensação portanto da inautenticidade de toda comunicação é uma vivência mortal, se for permitida esta contradição *in adjectu*. Estando eu aqui só e sem comunicação, não estou aqui, e não conversando, não vivo. Não apenas o mundo, mas o próprio "eu" perde toda realidade na situação da solidão incomunicável. Mas, negativamente, esta solidão abre uma fenda para a descoberta de um tipo diferente de outro, de um parceiro diferente, tapado por toda Idade Moderna.

São, pois, estas as duas variáveis da situação da atualidade: a impossibilidade de distinguir entre coisas da natureza e da cultura torna a vida fútil e absurda, e a crescente dificuldade em distinguir entre essas coisas e os outros abre, pela solidão, uma brecha na cena compacta. Essas variáveis tornam a atualidade incomparável com a Idade Moderna. Representam uma nova virada. Esgotam os assuntos modernos como "natureza" e "história" do seu conteúdo existencial de interesse. Transferem o interesse para um campo diferente, um campo que é denominado, a meu ver, pelo termo "língua". Mas disto tratarei em contexto futuro. O presente argumento procurou apenas apoiar a minha afirmativa que nós, da atualidade, não somos modernos.

4.1.3. VALORES

A língua inglesa distingue entre os termos *"worth"* e *"value"*. Num esforço frustrado de traduzir direi que *worth* é o valor intrínseco, e *value* é o valor de troca. Creio que a especulação filosófica da nossa tradição não distingue rigorosamente entre estes dois significados. Sugiro que a distinção está de alguma forma relacionada com a distinção entre a coisa e o outro de um lado, e a distinção entre a coisa da cultura e a coisa da natureza do outro. Sem querer entrar na discussão de um problema que desafia definições, proponho as seguintes considerações em torno do problema. O valor no significado de *"worth"* é um conceito próprio ao contexto que relaciona o homem com o homem e o homem com a natureza. O valor no significado de *"value"* é um conceito próprio ao contexto que relaciona as coisas da cultura entre si e com as coisas da natureza. E nos contextos inversos os significados são inaplicáveis. Assim é um simples erro de lógica e de gramática falar em valor de troca de um outro ou de uma coisa da natureza, e é o mesmo erro falar em valor intrínseco de uma coisa da cultura. Ou, reformulando: se dou um valor de troca a um outro ou a uma coisa da natureza, transformo, *eo ipso*, o assim valorizando em coisa da cultura, em instrumento. E se dou valor intrínseco a uma coisa da cultura, transformo-o, *eo ipso*, em natureza. Essa distinção não é apenas contrária tradição filosófica, mas em certos aspectos também à compreensão intuitiva. Procurarei, portanto, defendê-la.

Um valor intrínseco de algo é o que os antigos chamariam de "axioma". É, portanto, algo que não pode ser demonstrado, nem necessita de ser demonstrado. É aceito como sendo evidente, e essa aceitação caracteriza uma determinada forma da existência encontrar-se (*Befindlichkeit*) na situação que a cerca. Os valores axiomáticos são o que melhor caracterizam a maneira como se encontra uma época, uma "cultura" como dizemos. Se procurarmos demonstrar esse tipo de valor, é que já deixou de ser axiomático para nós, e isso prova que nos encontramos fora da sua época, da sua "cultura". Um valor de troca de algo é demonstrado pela própria troca. Apenas quando troco uma coisa pela outra verifico o valor da coisa. O espaço dos valores intrínsecos é, portanto, uma realidade anterior e exterior à situação, embora a pervada, e o espaço dos valores de troca é o mercado. O fato de designarmos conceitos tão diferentes pelo mesmo termo "valor" é prova de que o século XIX, época da formulação das éticas e das filosofias do valor, era a época na qual o mercado coincidia com o espaço dos axiomas. E isso era, de certa forma, a meta de toda a valoração da Idade Moderna.

É, pois, no mercado, onde as coisas se prostituem para demonstrar seu valor, que devemos procurar pela razão do desaparecimento dos valores intrínsecos e da predominância dos valores de troca que caracterizam a atualidade. Em situações nas quais a distinção entre coisas da natureza e da cultura é nítida, é nítida também a barreira entre os dois tipos de valores. Temos, de um lado, um conjunto de coisas que nos condicionam, e este conjunto é, portanto, o nosso futuro. E temos, do outro lado, um conjunto de coisas que nos abrigam, e esse conjunto é o nosso passado. O valor intrínseco é um aspecto de futuro. As coisas da natureza são valiosas, porque são metas. São valiosas porque não estão presentes, mas devem estar presentes. Valor intrínseco é sinônimo de não estar presente, mas deve estar presente. O dever ser, que caracteriza as coisas da natureza como coisas futuras, como coisas diante da mão, é como um reino que paira por sobre a natureza. Com efeito, ao manipular as coisas da natureza procuro adequá-las a esse reino. Procuro com que a natureza se aproxime mais de uma estrutura que deve ter, procuro melhorá-la. *"Remould it nearer to the heart's desire."* É isso justamente o que dá meta e significado a toda minha atividade: manipular a natureza para que esta seja o que deve ser, e torná-la assim perfeita (isto é, transformá-la de futuro em passado). As coisas da natureza são valiosas porque conferem significado à minha atividade. Uma vez manipuladas, perdem as coisas da natureza todo valor nesse sentido do termo. Podemos sorver existencialmente essa repentina perda de valor que acompanha o momento no qual encerramos uma atividade. Se faço uma mesa procuro adequar a madeira a um valor, isto é, procuro fazer com que seja como deve ser a madeira. Este é o valor intrínseco da madeira. Mas no instante da realização dessa tarefa, este valor evaporou-se e cedeu lugar a outro. A mesa tem valor de troca. Verificarei quanto vale a mesa, ao levá-la ao mercado.

Este instante do salto ontológico, no qual a madeira de valor intrínseco se transforma em mesa de valor de troca, é um instante penoso. Pode ser articulado na seguinte pergunta: "Então foi para isso que fiz todo o meu esforço? Para trocar a mesa?". É o instante decepcionante no qual o artesão e o artista se transformam em comerciante e feirante. Essa decepção tem um elemento de desespero. O valor intrínseco, por ser sinônimo de futuro, é sinônimo do esperado e da esperança. O futuro alcançado é perda de esperança, é desespero. E por isso que a obra realizada e perfeita é sempre vivenciada como infinitamente inferior à meta que a operação tinha em mira. A operação tinha em mira um valor que desaparece automaticamente na obra. Este valor é intrínseco e, portanto, pertencente a um âmbito ontológico do qual a obra não participa.

Em situações nas quais a distinção entre coisas e os outros é nítida, é nítida também a hierarquia dos valores intrínsecos como metas. Com efeito, o assunto da conversação na qual me encontro com os outros é esta a hierarquia de valores. Os outros estão aqui comigo porque conversamos esses valores. Somos aliados na perseguição de valores que temos em comum, e comungamos justamente porque participamos da perseguição dos mesmos valores. Essa nossa comunhão objetiva os valores. A nossa conversação é o que estabelece e consolida valores. No fundo, é a nossa conversação um acordo de valores. Concordamos em ter valores, e nesse acordo os estabelecemos. E discutimos esse acordo tácito, e nessa discussão modulamos a hierarquia de valores. O acordo é tácito, anterior à conversação, portanto. É ele aquele silêncio, aquele fundo inarticulado, do qual a conversação brota. Os valores são os axiomas da conversação em virtude da qual existimos. A conversação é uma conspiração contra o absurdo, porque parte de valores axiomáticos e os articula. A presença do outro é o que evita que seja tudo absurdo. A presença do outro é o fundo ontológico dos meus valores. Tenho natureza diante da minha mão, e tenho um reino de valores pairando por cima da natureza, e devo adequar pela minha atividade o reino da natureza ao reino dos valores, porque estou em acordo tácito com outros. Este acordo estabeleceu natureza e valores. É, portanto, um simples erro de gramática e de lógica se pergunto pelo valor do outro. O outro não tem valor para mim, mas dá valor em conjunto comigo. Posso sorver existencialmente essa verdade. Se estou em conversação íntima com um outro, se, como se diz, amo esse outro, e se esse outro morre, sofro uma perda. Mas essa perda não é a perda de algo valioso, mas do valor mesmo. As coisas deixaram de ter valor em virtude dessa morte. A ausência do meu parceiro tira o valor das coisas. Pela ausência do meu parceiro abriu-se uma fenda no reino dos valores pela qual penetra o absurdo. É por isso que a morte do outro é sempre vivenciada como absurda. A morte do outro não é um valor negativo, mas é aniquilação de valores. Na morte do outro não choro a aniquilação de um outro, mas choro a aniquilação de um mundo.

Nas situações nas quais a distinção entre coisas da natureza e da cultura é nítida, o valor de troca surge por salto. Surge no instante no qual o pedaço da natureza é arrancado no seu conjunto para ser incorporado à cultura. A natureza não tem valor, e apenas a cultura tem valor nesse sentido do termo. A atividade humana de arrancar pedaços da natureza, portanto, o trabalho humano, é a fonte de todos os valores neste significado. O grande mérito de Marx reside, a meu ver, no fato de ter demonstrado isso tão claramente. Toda a problemática de mais-valia e de alienação adquire o seu verdadeiro significado nesse contexto. É nesse sentido que a atividade humana é produtiva e resulta em bens, e é nesse sentido que a produção e a distribuição de bens devem ser enfocadas. É um enfoque que não afeta a problemática existencial do significado e do absurdo. Os bens não são valores nesse sentido, e a produção e a distribuição de bens são inteiramente absurdas, se não concordamos tacitamente sobre valores intrínsecos a lhe servirem de pano de fundo. O grande defeito de Marx reside, a meu ver, no fato de não ter demonstrado isso claramente. E a grande oportunidade que nos fornece a atualidade é a de demonstrar claramente a futilidade e o absurdo da produção e distribuição de bens numa situação que carece de valores intrínsecos fundantes. Mas essa oportunidade podemos aproveitar apenas se conseguirmos distinguir claramente entre valor intrínseco e valor de troca. Essa distinção tornou-se difícil, porque não sabemos distinguir entre natureza e cultura, e entre coisa e o outro. Como se estabeleceu esta dificuldade, do ponto de vista valorativo?

Na Idade Média havia um acordo tácito quanto aos valores intrínsecos que os localizava na eternidade. Deus e a alma eram os valores supremos. Essa localização dos valores intrínsecos facilitava a sua distinção dos valores de troca, e a Escolástica distingue claramente entre "valor" e *pretium*. A atividade humana era significante, porque visava valores transcendentes. O valor de troca que conferia, de passagem, às coisas da natureza nessa sua atividade, nada tinha a ver com esse significado. Na Idade Moderna havia um acordo tácito quanto aos valores intrínsecos que os localizava no imanente. A vida humana em seu projeto do nascimento para a morte era o valor supremo. Essa localização dos valores intrínsecos dificultava progressivamente a sua distinção dos valores de troca. A atividade humana era significante porque visava a vida, e o valor de troca, que essa atividade conferia às coisas da natureza pela sua transformação em coisas da cultura, era uma medida de utilidade dessas coisas para a vida. Era, portanto, muito fácil confundir esses dois tipos de valores. Essa confusão que marca toda a Idade Moderna é justamente responsável pelo clima absurdo reprimido que a caracteriza a despeito do seu acordo tácito quanto à vida como valor supremo. A vida como valor supremo não se sustenta, porque tende a confundir valor intrínseco com valor de troca, e porque tende, portanto, a transformar constantemente esperança em desespero. Mas enquanto persistia esse acordo tácito, enquanto persistia o humanismo (isto é, enquanto era possível distinguir-se entre coisa e o outro), a valoração funcionava. É que o mercado podia assumir a função também do reino dos axiomas. A meta da atividade moderna era o mercado, porque o mercado era, também, o campo dos valores fundantes. O jogo do mercado que estabelecia os valores de troca das coisas da cultura, revelava, por isso mesmo, também os valores intrínsecos que o fabricante tinha em mira ao tê-las fabricado. Pois na atualidade isso modificou-se. Embora o mercado continue funcionando, em certo sentido, como verificador dos valores de troca, não funciona mais como revelador do significado das atividades produtoras. Pelo contrário, transformou-se em feira de vaidades. De certa forma podemos relacionar essa transformação com o barateamento progressivo das coisas da cultura. Procurarei, portanto, esboçar o que significa o termo "barato". Intuitivamente diríamos que uma coisa é barata se, ao trocá-la por dinheiro, conseguimos uma soma menor que por ocasião da troca precedente. A coisa é barata em relação a uma constante que é o dinheiro. Mas como o dinheiro não é uma constante satisfatória, dado fenômenos tais como a inflação, devemos procurar por outra constante. Duas se oferecem. Diremos que uma coisa é barata se a sua oferta no mercado tender a aumentar em relação à procura. Ou diremos que uma coisa é barata se a sua aquisição proporciona uma satisfação decrescente. A tendência para o barateamento das coisas, que caracteriza tão fortemente a atualidade, é uma consequência da abundância das coisas em relação capacidade utilizadora e consumidora da humanidade, e é vivenciado pela diminuição da satisfação que a utilização e o consumo proporcionam. Os sapatos são atualmente mais baratos que antigamente, porque há mais sapatos por pé que antigamente, e porque usar sapato proporciona uma satisfação menor que antigamente. Assistir a um concerto é mais barato que antigamente, porque há mais concertos por ouvinte que antigamente, e porque assistir a concertos proporciona uma satisfação menor do que antigamente. Em suma: o termo "barato" designa uma tendência do mercado para a diminuição de todos os valores de troca, tendência essa chamada "elevação do standard de vida". É uma desvalorização progressiva da cultura.

Para a Idade Moderna, que presenciava as primeiras fases desse processo de barateamento, mas não presenciou a tendência para a perda total de todo valor de troca chamada "economia comunista", essa elevação de standard de vida representava um valor intrínseco, já que justamente elevava a vida, no sentido moderno do termo. O problema se apresentava, então, na forma seguinte: quanto menor o valor de troca de uma coisa da cultura, tanto mais rápida a sua utilização e seu consumo, e, portanto, mais intensa a vida. Sendo a vida o valor supremo intrínseco estabelecido por acordo tácito pela conversação moderna, era o barateamento das coisas da cultura uma medida de realização do valor supremo. Mas na atualidade o problema se apresenta de forma diferente. Presenciamos a tendência para o desaparecimento de todos os valores de troca. As coisas da cultura tendem a ser grátis. Esse estágio do mercado, que era considerado paradisíaco pela Idade Moderna e preconizado pelas suas tendências socialistas, está sendo atualmente aproximado pelas sociedades do neocapitalismo. Pois uma vez alcançado esse estágio, desaparecerá toda satisfação que a utilização e o consumo proporcionam. Nós, os atuais, sabemos que o barateamento das coisas não significa um aumento, mas uma diminuição da intensidade da vida. Sabemos que, se gasto dez pares de sapato por ano, em vez de gastar um par na vida, vivencio menos o valor do sapato, e nesse sentido vivo menos. Se assisto a um concerto toda noite em casa, em vez de assistir a três concertos na vida, vivencio menos o valor da música, e nesse sentido vivo menos. Que significa essa nossa descoberta?

Significa, no fundo, que estamos descobrindo a confusão moderna entre valor intrínseco e valor de troca. Estamos descobrindo que, no fundo, a Idade Moderna não tinha valores intrínsecos, mas apenas valores de troca projetados para o reino dos axiomas. Que a vida era valor supremo em função dos valores de troca.

E que, feita essa descoberta, é desvendado o fundamento absurdo da situação na qual nos encontramos. Assim revela a tendência do mercado para o barateamento das coisas da cultura negativamente, a falta de fundamento valorativo que caracteriza a atualidade. Quanto mais baratas se tornam as coisas, e quanto menor satisfação proporcionam, tanto mais se revela a vida como não sendo valor em si, e tanto mais se revela como absurda a atividade que cria cultura. Isto é, valores de troca. Esse clima do absurdo, que é o clima de uma situação na qual não há acordo tácito quanto a valores intrínsecos, pode estabelecer-se, por sua vez, em acordo. Estamos em uma situação na qual concordamos que não há valores. Deixamos de ser modernos.

Mas esse acordo tácito quanto à falta de valor é inoperante, porque não conseguimos distinguir claramente entre coisas da natureza e coisas da cultura, e porque não conseguimos distinguir entre coisas e o outro. Não podemos, portanto, nem concordar nem discordar, nem concordar que não há valores. Considerem este fato. A nossa incapacidade de distinguir ontologicamente entre uma pedra e um par de sapatos, ou entre um cavalo e um automóvel faz com que vivenciemos na pedra e no cavalo valores de troca, e que vivenciemos no sapato e no automóvel valores intrínsecos, que os vivenciemos, portanto, como metas. Trocamos pedras por sapatos, e cavalos por automóveis, e a nossa atitude em face dos sapatos e automóveis é de dedicação e empenho. Isso demonstra a nossa alienação da natureza e a nossa falsificação da cultura. Por não podermos distinguir pedras de sapatos, trocamos com facilidade de ambiente natural, e estamos tendendo para uma sociedade de migrantes. E por não podermos distinguir entre cavalos e automóveis, limpamos, engraxamos e embelezamos automóveis nas nossas horas de lazer como se fossem coisas da natureza. Somos engenheiros no reino da natureza, e jardineiros no reino da tecnologia. Essa confusão mascara o absurdo que caracteriza a nossa situação, porque preenche o vácuo criado pelo desaparecimento de valores intrínsecos e de troca autênticos com valores pretensos. Embora sintamos, em momentos de sinceridade, a falsidade desses valores, e embora sintamos nesses momentos, nojo pelas pedras trocáveis e pelos automóveis como meta, vivemos como se pedras e automóveis dessem sentido às nossas atividades. Fingimos valores, e a confusão entre natureza e cultura torna essa ficção viável.

A nossa incapacidade de distinguir ontologicamente entre um parafuso e um operário que aperta o parafuso, ou entre um professor de inglês e um disco de linguafone, complica ainda mais a estrutura da nossa cena valorativa. O acordo tácito quanto a valores (ou quanto ao absurdo) é uma conspiração entre coexistentes, e a conversação com os meus semelhantes brota desse acordo para explicitá-lo. Pois se estou em conversação com aparelhos, computadores e discos de linguafone, deve haver um acordo tácito valorativo do qual essa minha conversação brota. As coisas da cultura que imitam os meus semelhantes estabelecem valores em conjunto comigo, embora esses valores sejam obviamente imitações de valores. A cultura, ao imitar a conversação, transforma-se de valiosa em valorativa. Estabelece axiomas. Grande parte dos valores que aceitamos atualmente sem discussão são valores estabelecidos automaticamente pela pseudoconversação das coisas da cultura. Por exemplo, a exatidão rigorosa é um valor assim estabelecido. É óbvio que se trata de pseudovalores, porque não pode nos interessar como existências automáticas que ainda somos em instantes isolados. Mas a avalanche crescente desses valores pretensos estabelecidos pelos aparelhos tapa o vácuo surgido pela decadência dos valores autênticos e faz com que funcionemos como funcionários de aparelhos sem sermos conscientes desse absurdo. E esses mesmos valores pretensos conferem um valor de troca aos nossos semelhantes e a nós mesmos, transformando assim a humanidade em coisa dos aparelhos. De valorativo torna-se valioso o homem, e o valor do homem pode ser verificado no mercado. Assim se propaga o círculo vicioso. Porque é óbvio que com uma coisa cujo valor verifico no mercado não posso entrar em acordo quanto aos valores que fundamentam a cena.

Este é, pois, em resumo, o aspecto valorativo da atualidade: uma conversação inautêntica estabelece valores fictícios que regulam as minhas atividades diárias com automaticidade tediosa e nojenta, e posso vivenciar a inautenticidade pela confusão constante entre natureza e cultura, e entre coisa e o outro. A primeira confusão demonstra diariamente a falta de satisfação que sinto no consumo da natureza e no uso da cultura. A segunda confusão demonstra diariamente que não estou em conversação, mas em conversa fiada. Mas essa vivência da ficção de todos os valores abre para mim uma fenda, pela qual vislumbro o absurdo fundante. Por essa fenda entro em conversação autêntica com um outro que não é meu semelhante, mas me é inteiramente diferente. Penitencio, nesses momentos de abertura, pela desvalorização de todos os valores. Torno-me disponível para uma reavaliação radical nesse vazio absurdo. O abismo do absurdo engole natureza, cultura e os valores sobre eles fundados, e abre espaço para novos axiomas. É nessa situação do confronto com o absurdo que surge a pergunta: "Por que não me mato?". A atualidade é a época da formulação desta pergunta, e nela ocorrem as primeiras tentativas de resposta.

Não esgotei, neste esboço, a causa valorativa da atualidade. Posso descobrir nela coisas cujo valor não é nem axiomático, nem de troca. Essas coisas não cabem no modelo que projetei da atualidade. Por romperem o modelo, são significantes. São as obras de arte, e é a atividade que resulta em obras de arte. O fato de não se enquadrarem essas coisas no meu modelo é sintoma promissor, porque revela que o meu esboço era modelo. É a minha convicção de que a arte da atualidade é uma tendência que aponta a superação do absurdo. É a primeira resposta a Kafka. Como creio que a arte está relacionada intimamente com aquele termo que chamei de "linguístico", e que começa a absorver o interesse existencial da atualidade, relego a sua discussão para o último capítulo deste livro. E passo a considerar a curva pela qual constantes e variáveis mudam valores.

4.1.4. CURVA

A cidade medieval, com seu aglomerado de casas em redor da catedral e com seu labirinto de telhados convergindo sobre as torres não se desfraldou, pois, organicamente para resultar na serra de caixas de cimento armado em cujos precipícios gente e automóveis se confundem ontologicamente. Praga não se desfraldou organicamente para resultar em São Paulo. E, não obstante, o avião que sobrevoa São Paulo revela uma Praga metamorfoseada. A curva dessa transformação não é uma onda suave de colinas e vales, nem é uma reta ascendente e vitoriosa, mas não é uma sequência febril de picos e abismos, e no último abismo está situada São Paulo. Não obstante, é uma linha fechada e ininterrupta. A interrupção da curva, o fim do Ocidente, é um acontecimento repetidas vezes profetizado da última fase da curva, mas não constatável nem pela observação da curva mesma, nem pela extrapolação da tendência da curva. As profecias são consequências do profundo mergulho da curva, mas uma extrapolação da sua tendência revela, creio, uma fase ascendente. A tragédia da atualidade é de poder vivenciar essa ascensão apenas como acontecimento futuro, mas é uma tragédia bela. Não temos mais, como a geração passada, a sensação de queda vertiginosa. Temos a sensação da suspensão da queda. Nessa sensação de suspensão, que a contemplação de São Paulo provoca, a pressão do estômago causa espasmos de vômito, mas causa também tontura. Ante essa vivência do vazio que é São Paulo, desfraldam-se os campos inóspitos, mas ilimitados, de um futuro sem mapa, para dentro do qual devemos penetrar sem projeto, mas desbravando veredas. E, se prestarmos atenção, verificaremos que outros desbravadores estão aqui conosco, brandindo manchetes diferentes da nossa, mas empenhados na mesma tarefa de conquistar o futuro. É essa sensação de estarmos aqui em São Paulo em companhia de outros, embora talvez ainda não em conversação autêntica com eles, que nos permite profetizar uma continuação da curva com tendência ascendente.

Contemplemos São Paulo durante 24 horas. Observemos o funcionamento circular e repetitivo desse aparelho. Está ele inserido vagamente no ciclo da natureza, sincronizado vagamente com o movimento do sol e da lua no firmamento. Mas sentimos que essa sincronização é uma concessão que São Paulo faz ao passado, e que poderia perfeitamente funcionar com desprezo total pela natureza. É sua própria natureza. Os galos que cantam a manhã não passam, no seu novo contexto, de sereias antiquadas, e as estrelas que iluminam a noite são ofuscadas pelos anúncios luminosos.

Se nos dispormos a cantar o ritmo de São Paulo, não podemos recorrer à poesia tradicional, ritmada e rimada, inspirada pela vivência autêntica da natureza. Deveríamos recorrer à nova poesia, concreta porque inspirada pela vivência imediata do absurdo que é São Paulo, portanto sem ritmo autêntico e sem rima. Mas como pretendemos uma descrição discursiva, devemos recorrer, em nosso esboço, à prosa.

Prosaica é, com efeito, a cena que contemplamos. Uma força centrípeta, cega e automática, articulação da vontade cretina do aparelho, suga na fase matinal os funcionários dos seus esconderijos e os veículos das suas garagens para despejá-los em redor de aparelhos subalternos, e a mesma força, revertida em centrífuga, derrama, na sua fase vespertina, funcionários e veículos pelo horizonte dos subúrbios afora. Do lado de cá e de lá desses dois parênteses processa-se o funcionamento de São Paulo, falsamente chamado "vida paulistana". Do lado interno dos parênteses funciona o negócio, do lado externo o ócio do funcionalismo. No lado interno é exposto o funcionário aos prazeres dos afazeres, no lado externo aos prazeres dos lazeres. Quais são os afazeres? Servir de instrumento no metabolismo do aparelho que devora natureza para digeri-la na forma de outros instrumentos. Os afazeres dos funcionários são projetados pela estrutura do aparelho e, quando realizados, resultam na chegada para o poder da vontade do aparelho. Há uma semelhança superficial entre esses afazeres e aquela atividade moderna que resultava em cultura. Mas a semelhança é enganadora. O homem moderno manipulava a natureza para transformá-la em instrumento. O homem atual faz parte da manipulação do aparelho, pela qual este se transforma em segunda natureza. A atividade do homem moderno era articulação da vontade humana. A pseudoatividade (por funcionamento) do homem atual é articulação da vontade do aparelho. Por isso não se processam os afazeres atuais no clima da conversação, mas no clima da divisão de trabalho. O funcionário é especialista. Conferências substituem diálogos nas rodas mestras do aparelho, e nessas conferências é conferido o funcionamento com a vontade do aparelho. Linhas de produção substituem diálogos nas rodas subalternas do aparelho, e nessas linhas é alinhado o fundamento em obediência à vontade conferida do aparelho. Os afazeres são realizados não por existências em conversação, mas por funcionários conglomerados em gangues, em turmas e em equipes. A sua estrutura se assemelha muito mais a de uma colônia penitencial que a uma oficina de artesão ou a um ateliê de artista. Um ouvido atento pode perceber o tinir das correntes pelas quais estão presos os funcionários ao aparelho, e esse tinir serve de fundo ao baque das rodas e alavancas, das teclas e das buzinas. É uma música torpe a que bate o ritmo do funcionamento, mas é também uma música entorpecente. Nesse entorpecimento residem os prazeres dos afazeres. Este é o significado existencial do funcionamento para o funcionário: entorpece. Não permite, pelo seu baque, que o funcionário ouça a voz da autenticidade, audível atualmente apenas no silêncio da solidão do ensinamento. O funcionamento do aparelho evita o ensinamento. Evita a revelação do absurdo que fundamenta o aparelho e os afazeres dos funcionários a ele acorrentados.

E quais são os lazeres? Servir de consumidor no metabolismo do aparelho que excreta cultura para transformar-se, a si mesmo, em natureza. Os lazeres de funcionário são projetados pela estrutura do aparelho, e formam o lado noturno e sonoro do seu funcionamento. Nessa face oculta, a qual é desocultada desavergonhadamente aos sábados e domingos, revela-se a degradação da humanidade em funcionalismo. O lazer como consumo. O lazer crescente como consumo crescente. Quanto mais se realiza o aparelho, quanto mais se automatiza, tanto mais estreita se torna a faixa dos afazeres, e tanto mais se alarga a faixa dos lazeres. O funcionário gasta o seu tempo sempre mais como consumidor, e sempre menos como instrumento. Funciona sempre mais como incinerador do lixo do aparelho. Nesse sentido, pode ser considerado o funcionário como meta do aparelho, e o é efetivamente por observadores arcaicos que continuam modernos. É como se o aparelho funcionasse para proporcionar coisas consumíveis. Mas é um engano. A vivência de lazer prova que é engano. O aparelho não cospe coisas desejadas pelo homem, mas projeta, pelo contrário, desejos no homem pelas coisas que cospe.

O aparelho não vomita dentifrícios porque os desejamos, mas desejamos dentifrícios porque o aparelho os vomita. E esse fato se torna óbvio num nível mais elevado. Desejamos dentifrícios em função do aparelho, como os dentifrícios exigem, em função do aparelho, que os façamos. O aparelho nos obriga a consumir dentifrícios, como obriga aos dentifrícios a consumir o nosso trabalho. Somos, dentifrícios e gente, ontologicamente indistinguíveis. E é nos lazeres mais que nos afazeres que podemos vivenciar esse fato. Vivenciamos a nossa degradação como tédio, e o consumo forçado vivenciamos como nojo. Mas nisso residem justamente os prazeres dos lazeres. A crescente onda de coisas que somos forçados a consumir mantém, pelo tédio e pelo nojo, em constante funcionamento, as nossas faculdades digestivas. Evita que possamos respirar livremente. Pois se a correnteza de coisas ficasse interrompida, estaríamos expostos à liberdade, estaríamos em situação de escolha. E nessa situação descobriríamos o absurdo que nos fundamenta. O fato de serem os nossos lazeres projetados pelo aparelho evita a descoberta da nossa incapacidade para a escolha.

Assim funciona o aparelho que é São Paulo como cortina que tapa o absurdo. É ele, nesse sentido, uma realização perfeita da Idade Moderna. Mas vermes não modernos estão roendo a cortina e permitem que pelos buracos vislumbremos o futuro. Por esses buracos podemos intuir o aparelho como sendo modelo, e essa descoberta faz com que deixemos de ser funcionários modelos. Estamos, por esses buracos, começando a escapar ao aparelho. Já procurei descrever esses vermes. Chamam-se, no campo da filosofia, análise lógico-simbólica, fenomenologia e existencialismo. Em outros campos têm outros nomes. No argumento do presente capítulo procurei escapar à atualidade rumo ao futuro pelo buraco aberto pelo existencialismo. Dedicarei o capítulo seguinte à exploração de outras aberturas. E procurarei aprofundar um pouco a visão superficial da atualidade que se descortinou pelo nosso voo sobre São Paulo. Para poder fazer isso, devo aterrissar e procurar me infiltrar na correria absurda que pulsa nas suas ruas. Abandonarei, pois, a tentativa do contemplar a atualidade como função, na qual constantes e variáveis mudam de valores, e ensaiarei uma contemplação da atualidade como situação na qual me encontro como funcionário que sou, queira ou não queira sê-lo.

Mas isso não significa que pretendo me despir do manto da profecia no qual estou envolto desde que penetrei a atualidade. O funcionário, quando se reconhece tal, é profeta. Obviamente, não profeta no significado bíblico do termo. A sua inspiração é menos majestosa, e a sua ira justa se assemelha mais a uma raiva perplexa. E a sua decisão de superar o atual em busca do futuro é mais deliberada e, portanto, muito menos pia. Mas é um ato de penitência, não obstante. Pois neste espírito penitente da profecia continuarei a investigação da atualidade para descobrir o futuro.

4.2. FUNCIONÁRIO

O capítulo anterior forma uma ilha no curso deste livro. Emergi da correnteza para conseguir uma visão do estuário do rio da história e uma intuição do oceano do futuro no qual o rio desemboca. A ilha flutuante que galguei para obter a visão era o capítulo anterior, embora essa própria ilha tenha surgido do rio, e embora tenha eu subido com vestes molhadas pelas ondas do passado. Agora mergulharei o argumento novamente no fluxo dos acontecimentos, e permitirei que por eles seja arrastado. Retomarei, pois, o seu fio no ponto no qual o larguei, isto é, no fim da Segunda Guerra.

Se larguei o fio nesse ponto, o fiz porque começava a queimar a mão que procurava segurá-lo. Não apenas porque se desenrolava com rapidez cortante, mas ainda porque mudou, nesse ponto, repentinamente de qualidade. A partir do fim da Segunda Guerra a história não é mais a mesma: mudou qualitativamente. Isso não é óbvio, porque temas antigos continuam ocorrendo. Os cabeçalhos dos jornais registram ocorrências diárias, guerras e revoluções, eleições e escândalos, crimes e condecorações, descobertas e exposições, como se nada tivesse mudado. É por isso que temos, na leitura dos jornais, uma sensação surda de anacronismo. Toda manhã, ao abrir o jornal, temos essa mesma sensação, assim articulável: "Como, ainda existe isso, enchentes e secas, discursos e viagens à lua? Ou será que tudo isso foi inventado para sustentar os jornalistas e divertir os leitores?". E toda manhã permitimos que esses temas antiquados penetrem na nossa consciência e forneçam assuntos para a conversa fiada que acompanha o nosso funcionamento. Mas sabemos, no fundo, que nada disso interessa. Não interessa porque essas ocorrências todas são resíduos de épocas ultrapassadas que ainda persistem porque ainda não foram resolvidos todos os problemas do passado, embora sejam perfeitamente liquidáveis. É isso que mudou na história a partir do fim da Segunda Guerra: todos os problemas do passado são perfeitamente liquidáveis. Dispomos dos meios e dos métodos para liquidar todos esses problemas. Isso não é óbvio, porque esses meios e métodos ainda não foram aplicados, embora começassem a ser aplicados. Este fato mergulha a atualidade em clima ambivalente. De um lado sentimos o absurdo do ainda sermos molestados por problemas como enchentes e guerras, quando sabemos que podem ser liquidados e como podem ser liquidados. Isso nos revolta. Do outro lado sentimos desinteresse por esses problemas que nos molestam, já que sabemos serem liquidáveis. E isso nos enoja. A combinação contraditória de revolta e nojo caracteriza, com efeito, a geração nascida depois da Segunda Guerra.

O tema da Idade Moderna era este: como transformar natureza em cultura para superar a morte. Este tema oferecia uma série de problemas relacionados com a transformação da natureza.

PÁG. 263

A história da Idade Moderna é a progressiva superação desses problemas. Com o fim da Segunda Guerra, com a instalação definitiva do aparelho, esses problemas todos foram superados. Transformar natureza em cultura não é mais problema. E por ser problema, não é mais tema. É tema no sentido de continuar sendo registrado pelos jornais, mas não é no sentido de ser variado na conversação estabelecedora de valores. E isso nos distingue da Idade Moderna: sabemos que não podemos superar a morte manipulando a natureza, embora não saibamos como superá-la, nem se devemos ou queremos superá-la. Como conseguiu o aparelho eliminar o tema moderno, e como conseguiu superar os seus problemas?

Creio que a resposta é muito simples. Pela utilização da energia atômica, pela aplicação da cibernética e pela regulamentação daquilo que antigamente era conhecido por "alma". Creio que essas três conquistas do aparelho liquidam a cosmovisão cartesiana, e a cosmovisão medieval, incidentalmente. A energia atômica liquida a coisa extensa. A cibernética liquida a coisa pensante. E a propaganda subliminar, as drogas psicoativas e a psicologia da profundidade liquidam o *concursus Dei*. A energia atômica liquida a coisa extensa, porque não apenas a torna infinitamente manipulável sem esforço adicional, mas ainda a destrói sem deixar rastro a não ser "energia". A cibernética liquida a coisa pensante, porque demonstra que o pensamento no significado cartesiano não é uma coisa que duvida, mas uma coisa que calcula, e prova, além do mais, que realmente é coisa, e não existência, e que, portanto, Descartes escolheu um termo correto. E a regulamentação dos sentimentos, das opiniões e dos desejos liquida o *concursus Dei*, porque adéqua o homem (doravante chamado "funcionário") à realidade (doravante chamada "aparelho") de maneira funcional e planificada. Por liquidarem estas três conquistas a cosmovisão cartesiana, eliminaram o tema moderno e superaram os seus problemas.

É verdade que a nossa capacidade imaginativa ainda não conseguiu abarcar as consequências dessas três conquistas. Estamos na situação curiosa na qual a imaginação se mostra inferior à circunstância concreta. E é isso que temos em mente ao dizermos que vivemos em mundo inimaginável. Sabemos que a aplicação da energia atômica, cujas fontes são praticamente inesgotáveis, acabará inundando a cena com coisas manipuladas cujo valor de troca será nulo. Mas não podemos imaginar esse estágio derradeiro de abundância sufocante. Sabemos que a aplicação da cibernética produzirá instrumentos não apenas de memória praticamente ilimitada, mas também de capacidade ilimitada para aprender, portanto, instrumentos praticamente oniscientes e infalíveis. Mas não podemos imaginar esse estágio derradeiro de automatização, portanto de aposentadoria dos funcionários ex-humanos. Sabemos que a aplicação dos métodos de controle psíquico transformará essa mesma massa ex-humana em seres perfeitamente bem-adaptados a essa abundância e a essa aposentadoria. Mas não podemos imaginar esse estágio derradeiro de felicidade. Sabemos que o advento desse estágio derradeiro é, de certa forma, um fato consumado, porque independe de decisões humanas. Este nosso saber mina, esvazia o nosso senso histórico, que tanto caracterizava a última parte da Idade Moderna. Mas a despeito de vivermos já em situação pós-histórica, não podemos imaginar uma falta de futuro. Talvez seja essa nossa falta de imaginação sintoma de nossa recusa de aceitarmos a tendência dos fatos. Se não podemos imaginar que não haverá futuro, isso talvez prova que não nos submetemos. Prova talvez que embora esteja liquidado o tema do passado, estamos à procura de um novo tema. Que abundância, aposentadoria e felicidade afinal não são estágios derradeiros. Que há algo em nós, justamente esse algo que se recusa a imaginar tudo isso, que se rebela. E que como rebeldes poderemos escapar às derradeiras consequências desse castigo.

Mas essa nossa falta de imaginação é ambivalente. Como recusa pode ser interpretada positivamente como procura de saída. Mas como alienação pode ser interpretada negativamente como inércia que persiste em categorias passadas. A nossa falta de imaginação vela para nós a tendência da atualidade. Torna possível que vivamos como se a mudança da qual falei não tivesse ocorrido. Torna possível que ainda vivenciamos os temas liquidados como vigentes. E isso é um dos característicos da atualidade: os que insistem, por inércia, nos temas passados são os progressistas. Ainda mantêm intacta na sua consciência a vivência da historicidade. E os que se recusam em aceitar a tendência dos fatos como inevitável são os alienados. Perderam a consciência da historicidade. Este é um dos paradoxos que tanto nos caracterizam, e que contribuem tanto para confundir os nossos conceitos.

Em todo caso essas confusões meramente humanas não confundem o funcionamento do aparelho. Este ignora, soberano, considerações meramente humanas. Funciona. E nós, confusos e perplexos, funcionamos nele. Procurarei descrever no argumento seguinte como funcionamos.

4.2.1. TESTE

Quando nascemos, os da geração que nasceu antes da Segunda Guerra, ainda não nos encontrávamos em situação totalmente fechada pelo aparelho. Não nascemos funcionários, e tivemos de nos adaptar a essa nossa condição paulatinamente. Isso nos distingue da geração que nasceu depois da guerra, e principalmente daquela que nasceu nas grandes cidades. Tivemos de passar por um teste, para sermos aprovados e incorporados no aparelho, ou então reprovados e eliminados do aparelho. Que é um teste?

Podemos descrever o seu mecanismo da seguinte maneira: o aparelho dispõe de diversas bocas pelas quais suga a matéria-prima a ser manipulada e transformada em instrumento. Essas bocas são, de certa forma, homomorfas da razão humana. Por essas bocas apreende e compreende o aparelho a matéria-prima, ao impor sobre ela as suas categorias. Obviamente não se trata de uma apreensão e compreensão no significado humano do termo. As categorias não são as da razão pura, mas as do funcionamento do aparelho. Se, por exemplo, passa um minério de ferro por uma dessas bocas, ele é testado pelas categorias próprias ao funcionamento do aparelho. O aparelho apreende, nesse teste, em que repartição deve enquadrar o minério para manipulá-lo eficientemente, e em que tipo de instrumento deve transformá-lo. O minério não é compreendido como objeto do homem, mas como objeto do aparelho. É um tipo de compreensão dificilmente intuível por uma inteligência meramente humana. Consiste de dados registrados por instrumentos em curvas, e da adequação dessas curvas à memória do aparelho. Nesse processo o minério é realizado pelo aparelho. Transforma-se de fenômeno em dado do aparelho. Deixa de ser minério e passa a ser lingote de ferro *in statu nascendi*. O teste do minério é sua morte como minério e seu nascimento como lingote. Ao ser submetido, no teste, às categorias do aparelho, perde o minério a sua dignidade ontológica de coisa da natureza, e assume a dignidade ontológica de instrumento.

Nem todo pedaço de minério é, no entanto, testado. Testadas são apenas amostras. Esse fato é importante. Mostra que o aparelho, no seu funcionamento epistemológico, distingue claramente entre o processo dedutivo e o indutivo, embora em nível desumano. O aparelho induz, da amostra que é um pedaço de minério, os dados de uma jazida. Surge, portanto, o problema da escolha de amostras. Qual é o critério pelo qual o aparelho escolhe amostras? Qual é a rede que lança sobre a jazida para colher amostras? É o mesmo problema que se colocava também no nível do conhecimento humano, mas neste novo nível encontra resposta. O aparelho está programado para colher amostras. Lança sobre a jazida uma rede que é a sua própria estrutura pela qual e na qual está programado. O problema do programa, que é o equivalente do projeto humano no nível do aparelho, será discutido no capítulo seguinte, quando o aparelho mesmo será o assunto. Neste contexto direi apenas que as amostras informam o aparelho quanto à jazida, e que essa informação se dá pela estrutura da programação do aparelho.

Testadas as amostras, põe-se o aparelho a sugar a jazida. Já sabe, a essa altura, pela informação que colheu das amostras, como manipular a jazida. Esse conhecimento, adquirido pelo método indutivo, é infalível do ponto de vista do aparelho, embora seja falível do ponto de vista humano. Essa distinção é importante. Reside no fato de estar o aparelho interessado apenas em lingotes, e estar o homem também interessado na jazida mesma. O conhecimento colhido pelas amostras permite ao aparelho transformar a jazida em lingotes, e eliminar como refugo perfeitamente calculável os pedaços inaproveitáveis. Nesse sentido, é o conhecimento do aparelho infalível. O conhecimento colhido pelas amostras nada diz a respeito do refugo, mas esse refugo não interessa ao aparelho, pelo menos nesta fase do seu funcionamento. Essa falta de conhecimento é vivenciada por nós homens como falha. Sentimos que o aparelho não conheceu a jazida. Sentimos, pelo contrário, que o aparelho ignora por completo a jazida, já que considera apenas o seu aspecto lingote, e isso cobre a essência da jazida. O aparelho não permite, pelo seu teste, que a jazida se revele como jazida. Para nós o conhecimento do aparelho é um pseudoconhecimento, e a inteligência do aparelho é uma pseudointeligência, uma inteligência cretina. Sabemos, no entanto, que é justamente essa cretinice que possibilita o funcionamento do aparelho. O aparelho funciona exatamente por ser cretino.

Pois o método que o aparelho aplica à jazida é também aplicado à humanidade. Existem bocas no aparelho pelas quais este sorve a humanidade para transformá-la em funcionalismo. Nessas bocas e por essas bocas o aparelho apreende e compreende a humanidade no sentido cretino que esbocei em cima. O conhecimento que o aparelho adquire pela informação colhida no teste vela a essência humana.

Mas esta não interessa. Revela, de forma infalível, o aspecto instrumental, o aspecto de funcionário, na humanidade. E é o que interessa. O homem, ao ser submetido ao teste (ou como dizemos antropomorficamente: o homem que se submete ao teste), perde, *ipso facto*, a dignidade ontológica de existência, e adquire a dignidade ontológica de instrumento. Do ponto de vista do aparelho não há, portanto, diferença ontológica entre pedaço de minério e homem. Ambos são conhecidos, pelo teste, como instrumentos. Assim está surgindo uma antropologia inteiramente nova. Essa antropologia, que opera com testes, não está interessada na essência humana, mas no aspecto funcional do homem. É nesse sentido uma disciplina que proporciona ao aparelho um conhecimento infalível, o que significa dizer que é uma disciplina cretina. Mas, é de certa maneira a consequência necessária do humanismo. Não distingue, ontologicamente, entre coisa da natureza e homem.

O homem submetido ao teste de admissão ao aparelho parece estar em situação diferente do homem submetido ao teste da antropologia. No segundo caso é óbvio que o homem serve de amostra para que a antropologia (essa repartição do aparelho que transforma humanidade em funcionalismo) possa induzir dados quanto àquela jazida chamada humanidade. No primeiro caso parece que o aparelho está interessado no espécime individual que é o homem testado. Parece, portanto, que o homem, ao ser transformado em funcionário, conserva individualidade. É aparentemente admitido ao aparelho para nele exercer funções adequadas às suas capacidades individuais reveladas pelo teste. Mas isso é um engano. O teste de admissão é até mais desindividualizante que o teste da antropologia, porque é apenas uma conferência dos dados colhidos na amostra com os dados apresentados pelo candidato. O candidato não é sequer amostra, mas apenas matéria-prima submetida ao teste de controle. O aparelho não está interessado no candidato como amostra, e muito menos no candidato como indivíduo, está apenas interessado no candidato como matéria-prima já conhecida. Há, portanto, dois níveis de teste: o de aprendizagem e o de controle. O teste de admissão é um teste de controle. No teste de admissão o homem é conferido com o modelo do funcionário que foi fornecido ao aparelho pela antropologia e funcionará de acordo com a maneira pela qual se adéqua a esse modelo. Se não se adéqua, é refugo (ou *outsider*, como se diz atualmente).

Pois esse teste de controle de qualidade à porta de entrada do aparelho decide, de certa forma, a carreira do funcionário, esta nova modalidade de vida. Carreira é o equivalente atual de vida na Idade Moderna, e devemos esperar pelo surgir de uma filosofia de carreira ou carreirista, se é que ainda podemos esperar por uma filosofia. Nascemos no teste de controle. O estágio pré-testado é um estágio fetal, no qual ainda não somos funcionários, mas apenas gente. É um estágio de mera virtualidade do aparelho. No teste vemos a luz do aparelho, somos dados à luz pelo aparelho. Ou, se formos reprovados, somos abortados. O teste de admissão é como a metamorfose pela qual a larva se transforma em inseto. Despimos nele a nossa forma humana e nascemos para a forma funcional, passamos de seres virtuais para seres realizados. O teste revela, portanto, o nosso destino. Esse destino é a vontade do aparelho. O teste revela a vontade do aparelho em relação ao candidato. O funcionário funcionará doravante em função dessa vontade. É neste contexto que devemos atualmente localizar o *amor fati* nietzschiano. Discutirei a estrutura da vontade do aparelho, que é sinônimo de programação, no capítulo seguinte. O que importa no presente contexto é a constatação do fato de sermos submetidos à vontade do aparelho pelo teste de admissão, e que essa vontade se revela como nosso destino.

Sabemos, no entanto, que o teste de admissão não é o único ao qual somos submetidos no curso da nossa carreira. Passamos, pelo contrário, por uma série de testes, de exames, de provas. Isso é justamente o que distingue a estrutura da carreira da estrutura da vida. A vida, isto é, a forma de estar aqui da existência, tem a estrutura vetorial de um projeto. A carreira, isto é, a forma de estar à mão do funcionário, tem a estrutura cíclica de círculos concêntricos de diâmetros que encolhem. O teste de admissão introduz o funcionário ao círculo periférico e mais amplo da carreira. Os testes subsequentes fazem saltar o funcionário de órbita para órbita, e a sua meta é fazer passar o funcionário para órbitas sempre mais estreitas. Essa consideração é uma demonstração formal do fato de que o funcionário não existe. Existir é projetar-se. O funcionário não se projeta, mas frequenta círculos, circula. O salto quântico entre órbitas pode ser concebido como o equivalente atual do projeto, e o próprio termo "carreira" sugere uma certa linearidade. Mas se for concebido assim, perde o conceito de projeto a sua irrevocabilidade que caracteriza a existência genuína. Por ser coisa, e não existência, é o funcionário um fenômeno reversível e repetitivo. Nasce e morre ciclicamente por uma série concêntrica de testes, e isso significa que não nasce nem morre no significado moderno desses termos. Não vive.

Aquilo que distingue a geração nascida antes da guerra daquela que nasceu depois, e o que a distinguirá ainda mais das gerações futuras é o fato de termos que passar, nós da geração mais velha, pelo teste de admissão conscientemente. Existíamos, antes de termos sido admitidos. A nova geração está sendo testada no instante do seu nascimento biológico, ou até no corpo materno. Existe até um planejamento pré-concepção, chamado "planejamento de natalidade". A nova geração já surge programada pelo aparelho, embora com falhas. Futuras gerações superarão as falhas. Não haverá, nesse estágio pós-histórico, o problema da adaptação do homem ao aparelho, que é a maneira como nós ainda vivenciamos o salto ontológico de homem para instrumento. Podemos comprovar esse fato pela impossibilidade de estabelecermos conversações com jovens funcionários de aparelhos relativamente antigos. Esses funcionários, por exemplo, os soviéticos e os americanos, já surgiram quase perfeitamente programados. Nunca nasceram no significado antiquado do termo e, portanto, não existem. Conversação é como se encontra uma existência com seus semelhantes. A conservação é o reconhecimento de um outro. Na medida em que ainda aderem a nós vestígios de existência que não perdemos no teste, somos ainda capazes desse reconhecimento. E nos funcionários que mencionei não reconhecemos outros. Podemos, portanto, participar com eles de conferências nas quais conferimos as vontades do aparelho, ou de conversas fiadas cujos assuntos foram fornecidos pelos aparelhos a fim de serem consumidos. Mas não podemos conversar autenticamente com eles. A dificuldade de um acordo entre os Estados Unidos e a União Soviética está, pois, localizada em plano de realidade diferente da impossibilidade que temos em estabelecer uma conversação com os funcionários dos dois aparelhos. A nossa dificuldade é a divergência de planos de realidade. A dificuldade dos dois aparelhos é a de conferir duas programações divergentes que se dão no mesmo plano da realidade. A nossa coexistência com o aparelho é impossível, porque não o reconhecemos como um outro. Podemos apenas ser admitidos como seus funcionários, ou podemos nos demitir.

PÁG. 275

Mas a coexistência de dois aparelhos (se o termo "existência" poder ser aplicado) é perfeitamente possível. "*Better red than dead*" é, portanto, uma sentença significante apenas no plano da existência em sua relação com o aparelho. Significa, se traduzida: "Melhor funcionar que ser abortado". No plano entre aparelhos, no plano "político" (que é um termo que adquire na atualidade o significado novo de "automático"), a sentença é insignificante.

Se o teste de admissão for aplicado no instante do surgir do fenômeno "homem", como será feito no futuro, o ato do teste será unívoco e claro. Pelo teste conhecerá o aparelho o candidato. Um próximo passo do aparelho será a planificação do funcionário antes de seu aparecimento. Nesse estágio futuro talvez seja superada a aplicação do teste. Mas mesmo no presente estágio o teste não é problemático, porque o candidato é testado antes de ter tido oportunidade de encontrar-se. O problema surge quando o teste for aplicado com certo atraso, como é o caso da geração que nasceu antes da guerra. Essa geração teve oportunidade de encontrar-se, e teve oportunidade especialmente na guerra. Aí o problema se apresenta na seguinte forma: no ato do teste o aparelho conhece o candidato. Mas o candidato, que existe por ter se encontrado, conhece, no mesmo ato, o aparelho. Esse conhecimento ambivalente do aparelho é diferente do conhecimento humano. Pelo contrário, a ambivalência desse processo problematiza o teste. O candidato é matéria-prima defeituosa por ter conhecimento, e nunca será o funcionário perfeito. E para ser admitido, isto é, para passar pelo teste a despeito desse seu defeito, precisa, deliberadamente, isto é, como escolha, sufocar o seu conhecimento. Este é o *engagement*, no sentido atual do termo. É a sufocação deliberada do conhecimento que tenho do aparelho. Empenho-me no aparelho, porque decidi, livremente, sufocar o conhecimento que dele tenho. Por isso, o *engagement* é um problema efêmero e passageiro. Os jovens funcionários americanos e soviéticos não estão engajados. Nunca se encontraram, nunca tiveram oportunidade de uma escolha, apenas funcionam. É esta a razão porque funcionam muito melhor que os engajados. Vestígios da escolha, vestígios do *"better red than dead"*, aderem sempre a todo engajamento para emperrar o seu funcionamento.

Este defeito da geração mais velha, o de ter existido e de existir ainda um pouco, é um perigo para o aparelho. Porque esse defeito é, no fundo, a visão do nada que essa geração tem e contra a qual o aparelho se destaca como modelo. O castigo que sofreu a geração passada era essa vivência do nada. A geração passada existia no nada e encontrava-se ante o nada. A geração atual mais velha vê o aparelho contra o fundo do nada. Vê através do aparelho. Vê o absurdo e a cretinice do aparelho. Nessa visão ultrapassa a sua condição de funcionário e readquire uma condição humana, isto é, sobrenatural, no sentido de transcendente ao aparelho. O perigo para o aparelho é a capacidade dessa geração de comunicar sua visão à geração mais nova antes de ser esta totalmente condicionada. Se o aparelho conseguir apressar e aperfeiçoar seus testes de admissão, evitará o perigo. Evitará que se estabeleça uma conversação entre a geração mais velha e a mais nova. Mas atualmente os testes são ainda imperfeitos. Nisso reside uma abertura. Numa conversação entre as gerações pode espelhar-se o desinteresse pelo aparelho, que simplesmente deixará de ser assunto de conversações genuínas. E este desinteresse pode ser ainda maior na geração mais nova que na antiga, porque esta conhece o aparelho melhor, se tiver oportunidade de encontrar-se. Creio que tendências observáveis na atualidade autorizam essa profecia: a conversação entre gerações é possível e possível é, portanto, o esvaziamento do aparelho. E isso significa que nesse clima de conversação, que é uma penitência pelo crime renascentista, pode ser superado o castigo.

Os testes sucessivos pelos quais passa o funcionário nos seus saltos entre órbitas têm a meta de estreitar a frequência do funcionário dentro do aparelho. Mas, nesse processo, o funcionário é desgastado. Os testes medem, portanto, também o progresso desse desgaste. Quando o desgaste alcançar um estágio crítico, verificado pelo critério do aparelho, o funcionário é aposentado. O teste que verifica esse ponto crítico é o último da carreira. Nesse sentido, podemos dizer que todos os testes têm por meta este último, e que a carreira tem por meta a aposentadoria. É o equivalente atual da morte. Se a existência existe para morte, o funcionário funciona para a aposentadoria. Vários fatores que serão discutidos mais tarde neste capítulo contribuem para uma modificação paulatina de critério do aparelho quanto ao ponto crítico do desgaste. De modo geral podemos dizer que quanto mais se aperfeiçoa o aparelho, tanto mais o critério se torna severo. O funcionário é aposentado num ponto sempre próximo da admissão, e o funcionamento é sempre mais limitado no tempo. É curioso observar que a crescente severidade do último teste é vivenciada pelo funcionário (se "vivenciar" for o termo) como "progresso". É como se o funcionário quisesse morrer o mais cedo possível. A decisão para a aposentadoria que caracteriza o funcionário não é, no entanto, um equivalente da decisão para a morte da existência genuína. Em primeiro lugar, não é uma decisão autêntica, porque o funcionário não tem, dada a sua condição ontológica, escolha, é verdade que a morte é tão inevitável quanto o é a aposentadoria. Mas a existência pode escolher sempre a morte, enquanto o funcionário não pode escolher a aposentadoria, mas apenas a demissão, e nisso deixa de ser funcionário para passar a ser outra coisa. Em segundo lugar, é a decisão para a morte uma decisão para algo insuperável. Nisso reside a sua autenticidade. Mas a decisão para a aposentadoria é uma pseudodecisão para algo superável. O funcionário faz de conta que depois da aposentadoria deixará de funcionar para começar a viver finalmente. Que isso é conversa fiada, será discutido mais tarde neste argumento.

No entanto, o fato de ser vivenciada a aposentadoria sempre mais antecipada como progresso, não deixa de ser sintoma. É sintoma que o funcionamento seja, de certa forma, uma degradação do homem. Mesmo nos melhores exemplos de funcionários modelo da atualidade persiste essa secreta consciência de degradação e de indignidade. É que ainda não foram realizados funcionários perfeitos. Para estes será o funcionamento uma dignificação, porque corresponderá perfeitamente ao status do instrumento. Embora o aparelho procure com êxito crescente condicionar a humanidade para essa pseudovalorização do funcionamento, ainda não alcançou sua meta completamente. A aposentadoria como meta, isto é, como retribuição do aparelho ao funcionário pelo funcionamento, é uma concessão que o aparelho faz aos vestígios humanos que ainda persistem atualmente. É óbvio que o problema se complica pela tendência da substituição de funcionários humanos por aparelhos que imitam funcionários humanos. Esta tendência fará coincidir o teste de admissão com o último teste, e o homem, ao ser transformado em funcionário, será imediatamente aposentado. Mas como veremos mais tarde, há aqui uma confusão de termos. A aposentadoria não é uma eliminação do funcionário do aparelho, mas é uma transferência para outro departamento. O aposentado é o consumidor de produtos do aparelho. O equivalente da morte é, na atualidade, o consumo.

O último teste, pelo qual o funcionário é condenado ao consumo, é, pois, a derradeira meta da carreira. Nele o destino se cumpre. Nele se realiza a vontade do aparelho. O funcionário funciona a fim de consumir, e os testes batem o ritmo.

4.2.2. CARREIRA

O homem, despido pelo teste de admissão de sua condição humana e metamorfoseado em funcionário, põe-se a frequentar os círculos do aparelho. Com este salto ontológico da existência para a função, com este abrupto fim de vida e início da carreira, fecha-se para o homem toda uma realidade e abre-se outra. O esvaziamento da primeira realidade, daquela na qual o homem era um sujeito da natureza objetiva, era o tema deste livro. A segunda realidade, aquela na qual o homem é instrumento de um aparelho, exige categorias inteiramente diferentes. As mais importantes me parecem ser "frequência", "repartição", "promoção" e "férias remuneradas". É, pois, a partir dessas categorias que procurarei analisar a carreira. Direi, para forçar um paralelo com as categorias modernas, que "frequência" é a categoria atual de tempo, "repartição" a categoria atual de espaço, e "promoção" e "férias remuneradas" as categorias atuais valorativas.

Do ponto de vista do funcionário, o aparelho é o mundo. Toda tentativa de querer olhar para além do aparelho é metafísica no sentido pejorativo do termo. O que Kant provou quanto à razão humana, o simbolismo lógico o prova quanto à razão do funcionário: metafísica é impossível. Ou, como diria o funcionário: toda sentença que pretende falar a respeito do além do aparelho é ruído sem significado. O mundo se dá, a mim funcionário, como aparelho, e eu sou dado ao aparelho em função do qual frequento. O aparelho é meu dado e eu sou o dado do aparelho. Eu sou eu e o aparelho, e o aparelho é o aparelho e eu. A relação entre aparelho e funcionário é bivalente num sentido funcional, a saber: o funcionário funciona porque frequenta os círculos do aparelho, e o aparelho funciona porque seus círculos são frequentados. A frequência é, pois, a maneira como se processa a realidade. Que é frequência, portanto?

O termo é usado em diferentes contextos, e o seu uso mais rigoroso é no discurso cujo assunto é a eletricidade. Mas em todos os contextos é um termo quantificante. Frequência é uma medida. No presente contexto a frequência mede a intensidade da carreira. Se os círculos do aparelho informam a carreira e evitam que decaia em correria, a frequência mede a rapidez da carreira dentro dos círculos informantes. O funcionário é uma ocorrência do aparelho e a frequência mede como o funcionário ocorre no aparelho. A frequência é, portanto, a medida, a norma da carreira num sentido nitidamente camusiano. É norma quantificante. É preciso correr o mais possível.

4. PENITÊNCIA / 4.2. FUNCIONÁRIO / 4.2.2. CARREIRA

Essa sentença, que é o lema do funcionário na sua carreira, pode ser reformulada, já que frequência é um termo ligado ao conceito "onda": é preciso fazer onda. Devo me tornar o mais frequente possível. Devo circular intensamente e sem parar, como aliás recomendam os guardas de trânsito parisienses em instantes de mau funcionamento do aparelho. Quanto mais frequente me torno, quanto mais circulo, quanto mais vezes ocorro no aparelho, tanto mais funciono. Camus recorre ao mito de Sísifo, e aos exemplos de Dom Juan, um ator, e um conquistador para ilustrar a frequência da carreira. Mas, nesses exemplos, Camus ultrapassa o aparelho porque desvenda o absurdo da carreira. O funcionário não é meu Sísifo, nem Dom Juan, nem conquistador, e se é ator, desempenha um papel único, embora repetidas vezes. O funcionário não é absurdo. É, pelo contrário, razoável e sensato, já que funciona e ocorre frequentemente em sua carreira. A alta frequência evita justamente o absurdo, porque entontece. Tontura e sensatez são sinônimos dentro do aparelho. Absurdo é todo aquele que não frequenta os círculos e não está tonto. O aumento da frequência é inversamente proporcional ao absurdo. Quanto mais gira o funcionário, tanto menos se projeta. Os círculos que frequenta fecham a sua visão da morte, que é a meta do projeto. Isso o torna sensato. A frequência é a medida do tempo do funcionário, no sentido de ser a medida da sensatez de um instrumento cheio de si mesmo. Ou, reformulando, o funcionário frequenta os círculos do aparelho, e na medida em que os frequenta não tem tempo para ser absurdo.

Podemos ensaiar uma definição de frequência de um ângulo diferente. Podemos dizer que quanto mais frequentemente circula o funcionário, quanto mais ocorre dentro do aparelho, tanto mais a sua ocorrência torna-se redundante. Deste ângulo podemos definir a frequência como a medida da redundância do funcionário dentro do aparelho. Redundância é um termo que conhecemos do contexto cibernético, isto é, da teoria da informação que tanto caracteriza a atualidade. Discutirei esse aspecto no próximo capítulo, e procurarei aqui apenas considerar a frequência como redundância do funcionário no aparelho. Quanto mais frequentemente ocorre um elemento dentro de um sistema, tanto menos informativo se torna. Surpreende menos e torna-se facilmente substituível. Por exemplo: no sistema da língua portuguesa escrita (que é um sistema cujos elementos são letras do alfabeto latino), a letra "e" é altamente redundante, porque ocorre frequentemente. Não nos surpreende a sua ocorrência na leitura, e se, por uma falha, a letra for omitida (p. ex., numa palavra como "letra"), podemos substituí-la sem dificuldade. Captamos a informação de uma mensagem mesmo se elementos redundantes forem omitidos. Se, no entanto, aparecer num texto em português uma letra do alfabeto sânscrito, causará surpresa e será insubstituível como elemento informativo. Neste caso, de duas uma: ou a mensagem composta de letras latinas explica a ocorrência da letra sânscrita, e assim esta se torna altamente informativa; ou o contexto não explica a letra sânscrita, e assim torna-se incompreensiva, torna-se "ruído". A letra sânscrita num contexto português não explicativo é absurda, não informa, não tem significado. Isso porque ocorre uma única vez, não é frequente. Uma mensagem, para ser informativa e não absurda, deve consistir de elementos redundantes e de elementos não redundantes, e a relação entre redundância e o ruído é um dos problemas fundamentais dessa teoria. Pois apliquemos essa teoria ao nosso contexto. O funcionário é lançado na sua carreira para tornar-se elemento redundante do aparelho pela frequência da sua circulação. O aparelho é um sistema informativo: informa matéria-prima, ao transformá-la em instrumento. Nesse aparelho formam os funcionários elementos. Quanto mais frequentam o aparelho, tanto mais redundantes se tornam. Não surpreendem e são substituíveis. O aparelho funciona devido à redundância dos funcionários, e os funcionários funcionam como elementos redundantes do aparelho. A carreira é, portanto, o método de tornar redundante o funcionário, e a frequência da ocorrência do funcionário nos círculos é a medida da redundância alcançada. E ainda, mesmo sob este ângulo, uma medida do tempo. É "entrópica", e a carreira é entropia. Todo sistema tende, por uma lei em tudo formalmente idêntica ao segundo princípio da termodinâmica, de um estágio de ruído para um estágio de redundância derradeira. Esta tendência é o tempo do sistema. Tempo é o processo que torna sempre menos informativo um sistema. Temos aqui um equivalente atual do conceito moderno do progresso. "Progresso" é, atualmente, a tendência para a perda de informação e para a redundância derradeira. Pois o funcionário progride na sua carreira na medida em que frequenta, isto é, na medida em que se torna redundante. Por isso, quanto mais frequenta o funcionário os círculos do aparelho, tanto menos absurdo se torna, e tanto mais sensato. Sensatez é redundância, e a frequência transforma o funcionário num ser extremamente sensato.

Passo a considerar a segunda categoria da realidade na qual se dá a carreira. É a repartição, o equivalente atual do espaço. O termo "repartição" ocorre em contextos cujo assunto são aparelhos administrativos. Mas como esse assunto tende a substituir, na conversação geral, todos os demais, a fim de eliminar a sensação do absurdo, pode esse termo ser aplicado, por extensão legítima de significado, a toda realidade atual que é o aparelho. Que é, pois, a repartição nesse sentido do termo? É a estrutura que informa os círculos do aparelho. Devemos, no entanto, evitar uma sugestão que se insinua, e que sugere ser o aparelho um sistema como o modelo planetário newtoniano. A sugestão é esta: o aparelho é um sistema que consiste de círculos concêntricos nos quais frequentam funcionários, e estes círculos são agrupados em repartições hierarquicamente ordenadas. A sugestão é enganadora. No modelo newtoniano existem corpos que frequentam círculos, e estes círculos são a "realidade" do sistema. Por exemplo: a Lua está em órbita em redor da Terra, frequenta a repartição terrestre do sistema planetário concebido como aparelho. A realidade desse sistema está em corpos como a Lua. Mas isso não é o caso de um aparelho genuíno. Nele, pelo contrário, são as repartições os elementos da realidade, e o que nelas frequenta são elementos redundantes, substituíveis e, portanto, isentos de realidade. É como se pudéssemos conceber o sistema planetário de acordo com o seguinte modelo: existe uma órbita chamada "órbita terrestre". Existe outra que funciona em função da primeira, chamada "órbita da lua". Juntas constituem a repartição terrestre. Esta pode ser ampliada por inclusão de outras órbitas como as dos *Sputniks* e outros satélites terrestres. Algo frequenta as órbitas, mas pode perfeitamente não frequentá-las. As órbitas dos *Sputniks* não surgiram pelo seu lançamento. O campo gravitacional da Terra não surgiu por seu lançamento. Pelo contrário: os *Sputniks* são realizáveis porque o campo preexiste. A repartição é o fundo ontológico do funcionário, e seus círculos são o fundo ontológico da sua carreira. Se conseguirmos imaginar o sistema planetário como conjunto de órbitas nas quais ocorrem corpos como realizações de órbitas, e não como sistema de corpos de órbita, teremos, creio, imaginado o aparelho.

Pois, se digo que o funcionário frequenta, na sua carreira, círculos de uma repartição, estou dizendo o seguinte: a repartição é o espaço que realiza o funcionário, e no qual o funcionário se realiza. A repartição é um espaço no sentido atual do campo no qual ocorre algo de alguma forma. No nosso caso, o algo que ocorre é o funcionário, e a forma como ocorre são os círculos da repartição que frequenta. O funcionário se realiza na repartição pela forma na qual a repartição foi projetada, isto é, o funcionário se realiza de acordo com um programa. A carreira do funcionário é programada, portanto, previsível. Por ser o funcionário um elemento redundante do aparelho, a sua carreira não surpreende. O elemento do imprevisível, do surpreendente, do absurdo, o elemento "ruído" que caracteriza a existência foi eliminado. E foi eliminado pela repartição que enquadra o funcionário como fundamento ontológico no qual este se realiza. A carreira do funcionário pode, portanto, ser definida como realização do funcionário na forma de repartição, e isso não passa, por sua vez, de uma das definições possíveis de funcionamento do aparelho.

Como disse, o aparelho pode ser concebido como sistema no sentido cibernético do termo. Com efeito, os aparelhos da atualidade podem ser concebidos como realizações dos modelos que a cibernética fornece. A cibernética é a melhor aproximação de uma cosmovisão da atualidade, porque é uma visão do aparelho. E a repartição pode ser compreendida apenas como sistema subordinado no sentido cibernético do termo. Subordinada significa, pois, especializada. Repartição é uma espécie da classe "aparelho". A sua função é específica dentro da função clássica e abrangente do aparelho. Ou, reformulando, a repartição funciona especificamente em função do aparelho. O funcionário realizado pela repartição é realizado na forma de especialista. Devemos, neste ponto, eliminar as sugestões darwinistas que se insinuam como as newtonianas se insinuaram no ponto anterior do argumento. Não é o caso do funcionário se adaptar, numa série de tentativas e erros, e em lutas com concorrentes, à repartição, e assim especializar-se, como sugere a biologia darwiniana. Não é o caso, porque o funcionário não é algo que existe independente da repartição e que, portanto, a ela possa adaptar-se. A biologia que pode servir de modelo para a compreensão da especialização não é a darwiniana, mas aquela atual que se chama "ecologia". A repartição é o espaço, o *oikos*, que realiza funcionários pelo seu funcionamento. Tomemos como exemplo um lago, e consideremos esse lago como repartição do aparelho "natureza". O lago se apresenta como estruturado por diversos círculos frequentados por funcionários especializados. Grosso modo podemos distinguir quatro círculos: o do fundo lamacento do lago, o da água do lago, o das margens, e o da atmosfera que cobre o lago. A lama, as bactérias, os insetos, moluscos, crustáceos e peixes que habitam o fundo funcionam nesse círculo, e são especializados, isto é, perfeitamente adaptados uns aos outros pela frequência do círculo e pela estrutura do lago. O mesmo se dá com os funcionários dos demais círculos, como plantas, peixes, insetos, aves e pescadores. São todos eles funcionários que são especialistas perfeitos, não porque se adaptaram ao lago, mas porque são realizações do lago e foram programados pelo lago como especialistas. Funcionam em função do lago, são reais apenas em função do lago, e toda pergunta que demande pela "adaptação ao lago" é metafísica e carece de significado. Se conseguirmos imaginar o lago como repartição, se conseguirmos eliminar toda sugestão darwiniana de luta e tentativa, teremos, creio, intuído a qualidade ontológica do especialista.

Se arranco uma concha do fundo do lago, seja para estudá-la, seja para comê-la, submeto a concha a uma operação ontológica na qual ela perde o seu status de especialista. Ao ter arrancado a concha da sua repartição, individualizei a concha, e falsifiquei seu *eidos*. A concha não é um algo que existe, não é um algo que transcende o fundo do lago, mas é algo que funciona no fundo do lago. A concha é especialista. Assim também o funcionário especializado. Toda tentativa de compreendê-lo fora da sua especialização, fora da repartição na qual funciona, é uma tentativa individualizante que lhe encobre o *eidos*. Por não termos ainda assimilado esse fato fundamental da especialização, cometemos constantemente essas tentativas, com resultados funestos. Arrancamos o especialista da sua repartição e fazemos com que articule opiniões pelo rádio e pela imprensa como se não fosse especialista, mas homem. Não compreendemos ainda que especialização é o exato contrário de individuação, e que o especialista é o exato contrário da existência que se encontrou a si mesma. Esta é, pois, a função da repartição na carreira: especializa o funcionário ao realizá-lo e evita assim que se encontre a si mesmo.

A terceira categoria da carreira a ser considerada é a da promoção, e esta categoria tem obviamente dois significados. Um é o salto entre órbitas de uma repartição, o outro é o salto entre repartições de um aparelho. São dois significados diferentes, porque no segundo o funcionário supera o seu status de especialista. Consideremos o primeiro significado. Em outras palavras, consideremos por que e como salta o funcionário de uma órbita para outra. Creio que a resposta é esta: o funcionário salta porque a alta frequência pela qual circula provoca uma tendência centrífuga que se realiza no instante da abertura de um vácuo na órbita seguinte. E o funcionário salta de órbita para órbita sem gastar tempo. A promoção de funcionários de uma repartição é um processo de tendência centrífuga que se realiza enchendo vácuos sem gastar tempo. É óbvio que o modelo da promoção é o modelo atômico da atualidade, mas não pretende exagerar a semelhança. Pretende, pelo contrário, sorver vivencialmente este processo. Pois o funcionário frequenta o círculo ao qual está especializado, e do qual é realização, com a tendência íntima de saltar para fora dele. Não habita o círculo, não está abrigado por ele, como estava abrigada a existência pela circunstância que lhe era mundo. Pelo contrário, quanto mais frequenta o funcionário seu círculo, tanto mais tende a saltar para fora dele. É como se a frequência acumulasse no funcionário a tendência para o salto. Se a frequência é a medida do tempo, podemos dizer que esse tempo é vivenciado pelo funcionário como acúmulo da tendência para o salto pelo circular repetitivo. Quando o salto é realizado, quando o funcionário foge do seu círculo e é lançado no outro, este tempo cessa e surge outro. Com toda promoção recomeça o tempo. O novo tempo é em tudo igual ao antigo, e nesse sentido é a promoção um eterno retorno. Mas a repetição não é vivenciada imediatamente pelo funcionário em carreira. Apenas quando a tendência para o salto estiver novamente acumulada pela frequência do segundo círculo, vivenciará o funcionário o aspecto repetitivo. No instante da promoção sente o funcionário o alívio do peso da descarga. Esta é, pois, a função da promoção do ponto de vista do funcionário em carreira: descarregar a tensão insuportável da frequência crescente. A carreira como série de promoções é uma fuga ao centro. E essa é, pois, a função da promoção do ponto vista do aparelho: transformar a tensão insuportável das frequências dos funcionários em força propulsora do aparelho.

A promoção demonstra ser o funcionário um homem desabrigado, um expulso do lar, um nômade nas estepes do aparelho. Com toda promoção muda de pastagem e constrói uma tenda nova, tão frágil e transitória quanto a abandonada. Como veremos logo mais, cerca o aparelho o funcionário, pelas férias remuneradas, de uma muralha de coisas de consumo. Pois essas coisas são testemunhas do círculo que o funcionário frequenta. Com toda promoção migra o funcionário de muralha para muralha. Abandona a cerveja e muda para uísque, abandona a bicicleta e muda para o Volkswagen, abandona a radionovela e muda para Jorge Amado. É um ser sem raízes e sem fundamento. Mas não é um nômade, como o foram os ancestrais primitivos. Não migra com sua tribo. Migra só e migra de pseudotribo para pseudotribo. Com toda promoção, abandona o funcionário a sua turma, a sua equipe, e é lançado em outra. Com a camisa azul abandona o funcionário na promoção aqueles parceiros que lhe serviam de ambiente para conversas fiadas na fase superada da sua carreira, e adapta, com a gravata, novos parceiros. Pois essa fuga de ambiente falso para ambiente falso é a hierarquia de valores que o aparelho imprime sobre a carreira. O aparelho programa o funcionário de tal forma, que este valoriza todo ambiente novo como sendo melhor que o velho. Uísque é melhor que cerveja, Jorge Amado é melhor que radionovela, e conversa fiada de gravata é melhor que conversa fiada de colarinho aberto. O funcionário pode comprovar "objetivamente" essa valorização nas conversas fiadas das quais participa. Todos concordam com a hierarquia. Com efeito, uísque é melhor que cerveja porque, e justamente porque, todos concordam. O gosto subjetivo do uísque não entra no jogo. Pelo contrário: se o funcionário julgar, subjetivamente, que cerveja é melhor que uísque, deve esconder, envergonhado, esse juízo falso. Esse juízo falso é prova inconfessável que o funcionário não merecia ser promovido. Os valores do aparelho são objetivos, porque todos os funcionários concordam com eles, e todos os funcionários concordam com eles porque são valores do aparelho. A conversa fiada é o método pelo qual o aparelho estabelece esse círculo vicioso valorativo. Por isso são as conversas fiadas de cada novo círculo que o funcionário penetra pela promoção essencialmente iguais às antigas. E por isso mesmo também são melhores que as antigas. O que na realidade acontece é o seguinte: com toda promoção torna-se o funcionário mais valioso para o aparelho, porque mais realizado por ele. O funcionário, sendo instrumento, é valioso no sentido de valor de troca. O aparelho verifica o valor do funcionário pelas promoções chamadas, apropriadamente, mercado de trabalho. O funcionário é, pois, o equivalente atual do escravo da antiguidade. Como este, migra e não habita, e como este, não estabelece valores, mas é avaliado. Apenas criou o aparelho uma conversa fiada de valores pretensos para o funcionário que tapa esse fato. A promoção é, portanto, o processo equivalente ao mercado de escravos, pelo qual o funcionário é leiloado e vendido, e, como autêntico escravo do aparelho que é, vivencia essa venda como dignificação do seu status.

A promoção no segundo sentido do termo, a promoção de repartição para repartição tem, por ser mais radical, outros aspectos. Creio que esses novos aspectos podem ser reunidos pelo termo "administração do aparelho". O funcionário especializado de uma determinada repartição sabe que funciona em função de algo que ultrapassa o seu horizonte. Este algo um tanto nebuloso dá significado ao seu funcionamento. É o centro, o coração do aparelho, aquele coração do qual irradiam programas e para o qual confluem as tendências das repartições todas. É verdade que esse coração, a administração, é, por sua vez, repartição que consiste de círculos nos quais frequentam funcionários que administram o aparelho. Os administradores, os ministros e ministrantes do aparelho são por sua vez especialistas. Mas esta verdade é velada pela estrutura do aparelho. Os especialistas das repartições vivenciam os administradores não como escravos do aparelho que são, mas como potências reguladoras. O aparelho isola os administradores, para cercá-los de uma fossa que esconde aos olhos do funcionalismo o seu status de escravos. Assim é o ministro a única aproximação de uma existência na atualidade, no sentido de ser a única aproximação do exercício de escolhas. Mas é uma existência falsa, imitativa, e a progressiva substituição de ministros e administradores por computadores o prova. As escolhas tomadas pela administração são resultado da programação do aparelho, e o administrador não detém poder, apenas serve de instrumento. O poder é enorme, com efeito, é um poder até agora inimaginável. Os administradores de aparelhos gigantescos, e mais especialmente o presidente dos Estados Unidos e o secretário-geral do Partido Soviético, parecem, dado a fossa que nos separa deles, emanar um poder titânico e sobre-humano. Mas na realidade não passam de instrumentos desses poderes. Não são tiranos, porque não existem. São executantes de um poder não sobre-humano, mas desumano. Categorias antiquadas como as categorias do humanismo moderno, não se aplicam a eles.

A distância nos separa dos administradores, cria em nós duas ilusões igualmente falsas. A primeira diz respeito à responsabilidade. A responsabilidade pelas decisões tomadas nos parece terrível. Mas não há responsabilidade. Os administradores não são responsáveis. Responsabilidade significa resposta a uma pergunta, pressupõe, portanto, uma situação de conversação com outros. O administrador não conversa. Executa. E antes de executar, confere e conferencia. Os processos de Nuremberg demonstraram a completa inadequação dos termos "administração" e "responsabilidade". A segunda ilusão diz respeito à programação do aparelho. Parece-nos que são os administradores que programam o aparelho. Concordamos talvez em admitir que a administração é uma repartição executiva, mas não queremos admitir ser ela uma repartição cegamente executiva. Queremos crer que existe uma repartição legislativa, programadora do aparelho. Não queremos admitir a automatização do aparelho. É verdade que, historicamente, o aparelho foi programado, digamos, legislativamente. O problema será discutido no capítulo seguinte. Mas na atualidade, isso não é mais o caso. Pelo sistema de feedback o aparelho se programa automaticamente. Pode haver ainda certas influências aparentemente humanas sobre o programa, dada a imperfeição provisória do aparelho. São essas influências aparentes que nos enganam. Mas esses pretensos homens que ainda influem no aparelho são, por sua vez, programados por ele, e são, portanto, uma excelente demonstração do funcionamento do feedback.

Pois, a promoção pela qual o funcionário é lançado da repartição em direção à administração tem esse caráter do feedback. A informação acumulada pelo aparelho no funcionário é, nessa promoção, recuperada pelo aparelho. Servir de instrumento para o feedback é, portanto, a derradeira realização do funcionário, e a meta raras vezes alcançada da carreira. E a sensação do feedback é o equivalente atual do misticismo. O funcionário que é lançado, por esse tipo de promoção, da repartição em direção à administração sente como se dilui sua condição de especialista, e como se funde e confunde com o aparelho. Pelo feedback alcança o funcionário a *unio mystica* com o aparelho. E é por isso que o próprio administrador pode confundir o seu funcionamento com exercício do poder, uma confusão que me parece ser extremamente nefasta, Himler e Eichmann o provam.

Por último discutirei a categoria de carreira que chamei de "férias remuneradas". A carreira do funcionário, a sua frequência nos círculos, é remunerada pelo aparelho. O funcionário recebe "gage". Parece, pois, que o funcionário vendeu-se ao aparelho e que nele está engajado. Se isso for verdade, deitaria por terra a minha tese que o funcionário é instrumento, escravo do aparelho. Um instrumento não vende a si mesmo, nem se engaja um escravo. Mas a remuneração que o funcionário percebe não é pagamento. Pagamento é o que recebe o artesão ao trocar sua obra no mercado. É o equivalente ao valor de troca da sua obra. Esse equivalente está agora disponível, isto é, sujeito ao livre arbítrio do artesão, e é justamente nesse sentido que o artesão se torna livre ao trocar sua obra. O funcionário recebe salário ordenado, e não pagamento livre. A sua remuneração é ordenada. O ordenado que o funcionário recebe é programado e ordenado pelo aparelho. O funcionário é remunerado ordenadamente. A ordem que informa e programa a remuneração é chamada "férias", cujo significado se torna óbvio na tradução para as línguas inglesa e tcheca. O termo inglês "*leave*" significa "permissão" ou "saída da prisão condicional", e o termo tcheco "*dovolená*" significa "a permitida". A remuneração que o funcionário recebe é ordenada por férias e condicionada pelo aparelho. O aparelho permite, pela remuneração, que o funcionário deixe de frequentar os círculos de sua repartição para frequentar outros, sob condição que esses outros círculos sejam também círculos do aparelho, e que o funcionário volte para os círculos primitivos em prazo pré-fixado.

O fato de ser a remuneração um ordenado distingue as férias da aposentadoria. Embora também programada pelo aparelho, é a aposentadoria menos ordenada. É por isso que a aposentadoria pode ser confundida com a vida. Mas é impossível confundir férias com vida. As férias funcionam obviamente em função da carreira, e são, obviamente, fugas, como o é a carreira. Podemos distinguir férias diárias, semanais e anuais, isto é, horas do dia, dias da semana, e semanas do ano nos quais o funcionário frequenta círculos fora da sua repartição e que não são da sua especialidade. Existem, ainda, dias feriados, que se distinguem dos dias úteis (úteis, é claro, para o aparelho), pela cor vermelha no calendário e que são resíduos das festas de épocas passadas. É óbvio que o funcionário não pode participar de festas, porque a carreira não comporta elemento festivo. Mas os feriados são festas metamorfoseadas. Este é, pois, o programa das férias remuneradas. Esta é a frequência, o aspecto temporal da remuneração que o funcionário percebe.

Os círculos que o funcionário frequenta durante as férias remuneradas são projeções dos círculos da repartição, e a presença do aparelho é neles implícita e perfeitamente sorvível. Nas férias diárias circula o funcionário no círculo familiar em redor da televisão, ou no círculo bairrista em redor da tela do cinema. Esses círculos foram projetados pelo aparelho para manter e aumentar no funcionário a necessidade de um consumo crescente. Nas férias semanais circula o funcionário em círculos compactos que canalizam massas de funcionalismo amorfo e orbitam em redor de campos de futebol, piscinas ou praias. Embora se transforme o funcionalismo nas férias semanais em massa amorfa, conserva a estrutura do aparelho pela hierarquia dos círculos que frequenta. Esses círculos foram, pois, projetados pelo aparelho para suprimir no funcionário todo vestígio de individualidade que porventura ainda não for eliminado pelos testes, já que esses vestígios tendem a aparecer no instante da interrupção da frequência na carreira. E têm a segunda função, de intensificar, pela sua hierarquia, a tendência para a promoção, já que o tédio insuportável da frequência do mesmo círculo se torna mais óbvio nesses fins de semana que são, vivencialmente, *fins de siècle*. Nas férias anuais o funcionário viaja, e essas viagens de turismo, programadas e realizadas por agências especializadas são o equivalente atual da teoria da antiguidade. Na antiguidade grega e romana era o *bios theorétikos* a *vita contemplativa*, aquele estágio de libertação de toda atividade na qual o homem superava a sua condição de ser determinado e contemplava as ideias, a eternidade. Atualmente a contemplação foi substituída pelo *sight seeing*, e o pensador teórico pelo turista. As viagens de turismo nas quais o funcionário orbita durante as férias anuais formam círculos que se distinguem apenas pelo diâmetro, mas essa distinção diametral é a função das viagens. A distinção diametral entre uma viagem a Santos e uma viagem a Katmandu fornece a medida das promoções de uma dada carreira. Os círculos que o funcionário frequenta nas férias anuais foram, pois, projetados pelo aparelho a fim de demonstrar o valor de troca do funcionário, e é em função dessa demonstração, e não por "interesse contemplativo", que o funcionário viaja. Estes são os círculos, o aspecto espacial, da remuneração que o funcionário percebe.

É claro que essas considerações não esgotam os aspectos das férias remuneradas. Alguns desses aspectos adicionais serão discutidos no tópico seguinte, cujo tema é a aposentadoria. A aposentadoria pode, sob certo ângulo, ser considerada como uma espécie de férias remuneradas. Encerro, pois, a discussão da carreira no seguinte resumo: a carreira do funcionário se inicia pelo teste de admissão, no qual o funcionário surge, consiste de frequência de círculos dentro de uma repartição, nos quais o funcionário se especializa, de saltos orbitais chamados "promoções" pelos quais o funcionário se torna mais valioso para o aparelho, de férias remuneradas nas quais o funcionário é condicionado, como veremos, para a aposentadoria, e do teste final, no qual o funcionário é aposentado. Do ponto de vista do aparelho, o funcionário tem a função de manter o seu funcionamento. Do ponto de vista do funcionário, a carreira tem a função de disfarçar o absurdo do aparelho, já que é a carreira a que dá significado ao funcionamento.

4.2.3. APOSENTADORIA

Sob certo ângulo, como disse, pode a aposentadoria ser considerada como férias remuneradas. Sob outro, como o equivalente atual da morte. Sob outro, como a passagem de funcionário de carreira para a vida. Vista sinopticamente, é, pois, a aposentadoria o equivalente atual do paraíso. As três tendências mestras da atualidade que mencionei no início deste capítulo, a saber, energia atômica, cibernética e controle da "alma", tendem para o estabelecimento de um aparelho no qual o funcionalismo humano é aposentado no instante da sua admissão ao aparelho. Tendem, pois, para o estabelecimento do paraíso. São os três Joões Batistas que anunciam a boa-nova da vinda do Messias e o cumprir dos tempos. É por antecipação dessa vinda que a atualidade é caracterizada pelo pós-historicismo. Somos uma época pós-histórica porque antecipamos a aposentadoria. Mas somos também uma época pré-histórica porque sentimos o absurdo da aposentadoria. Como funcionários cuja carreira tende para a aposentadoria, somos, por antecipação, cidadãos da Cidade de Deus, portanto, anjos. Como existências rebeldes e prontas a se demitirem do aparelho para se lançarem em terra incógnita, somos dinossauros *in statu nascendi*. O anjo como ovo de dinossauro, isso nos parece ser uma imagem adequada do homem da atualidade em face da aposentadoria.

Que é aposentadoria? É uma situação na qual o funcionário não tem ocupação nem pré-ocupação, isto é, na qual nada ocupa presentemente nem futuramente. Tratarei da falta de ocupação imediatamente. Mas é a falta de pré-ocupação que exige comentários preliminares. Sêneca diz: "*Cura hominis bonum perficit*"[1] ("A preocupação aperfeiçoa o bem no homem"). E os antigos diziam: "*Cura teneat, quamdiu vixerit*"[2] ("Que a pré-ocupação o possua enquanto há vida"). A análise existencial mostra que a preocupação é o ser da existência humana. O ser existe se e quando se preocupa com o mundo e com os outros. Na preocupação a existência se supera a si mesma, porque se abre ao terreno do poder ser. A preocupação antecipa angustiosamente o futuro, e é nessa antecipação que a existência supera a situação na qual se encontra. Em suma, a preocupação é a voz da consciência que proclama o fato de transcender a existência a mera atualidade. O aposentado não se pré-ocupa. O aparelho se pré-ocupa por ele, é o "procurador" do aposentado. O aposentado não tem consciência, não tem futuro, portanto, não existe. O aposentado está no paraíso.

Dada essa preliminar, passo a considerar a falta de ocupação que caracteriza a aposentadoria.

---

[1] Parafraseado.

[2] Idem.

Que pretendo dizer quando digo que alguém não se ocupa, não está ocupado ou não tem ocupação? Pretendo, nessas três sentenças um tanto contraditórias, articular a ausência de uma invasão no ser do desocupado. A ocupação é, como sabemos da Segunda Guerra, resultado da invasão de forças externas que se infiltram por brechas. O desocupado é um ser que não tem brecha, e sua linha Maginot é impenetrável. Mas o paralelo da Segunda Guerra é incompleto. As forças externas que penetram as brechas do ocupado são as da própria existência viradas em reflexo, e as brechas foram abertas pelo próprio ser que construiu a muralha. Pela ocupação a existência se invade a si mesma, "se ocupa" a si mesma. Na ocupação é todo *maquis* seu próprio nazista. Ocupação é agonia no sentido de luta até a morte que a existência trava contra si mesma, e na qual se invade a si mesma. É graças a essa luta que a existência ocupa um lugar, "tem ocupação" na circunstância na qual se encontra. Porque a luta até a morte é como se encontra a existência no meio das coisas. A luta é o lugar da existência entre as coisas. Resumindo: a existência se invade a si mesma pela brecha da decisão para a morte, e nessa reflexão ocupa o seu lugar no meio das coisas, um lugar que a caracteriza como existência, isto é, como ser ocupado. Pois, na aposentadoria, que é o estágio alcançado pelo funcionário pelo último teste da sua carreira, torna-se óbvio que o funcionamento não é ocupação nesse sentido do termo. Na aposentadoria cessa o funcionamento ostensivo. E com ele cessa a ilusão de ocupação que o funcionário exerce. O aposentado é desocupado num sentido retroativo. Cessada a frequência dos círculos do aparelho, estabiliza-se uma situação até agora fluída, dada a rotação do funcionário dentro do aparelho. Nessa estabilização torna-se óbvio que o funcionário é um ser impenetrável, cercado de muralhas, e tão cheio de si mesmo que nunca pode ocupar-se. A aposentadoria é a demonstração da condição do funcionário como ser desocupado. Pois é nesse sentido, isto é, como estágio de despreocupação e desocupação que a aposentadoria é férias remuneradas, morte e vida do funcionalismo. É férias remuneradas porque nela a frequência é transformada em estabilidade. É morte, porque essa transformação quebra a ilusão de ocupação que é o funcionamento. E é vida, porque essa quebra de ilusão é uma ressurreição do funcionário como ser muralhado. A aposentadoria como morte, ressurreição e transfiguração do funcionário é o paraíso.

Mas estas considerações iluminam a aposentadoria apenas negativamente. Dizer que o aposentado é um ser despreocupado e desocupado é caracterizá-lo negativamente. É preciso tentar uma caracterização mais positiva, e essa tentativa será, com efeito, um esforço de uma visão profética da cena. Para tanto, compararei o aposentado com três figuras aparentemente semelhantes: o cidadão livre da ciência antiga, o monge medieval e o cavalheiro independente do Iluminismo. A semelhança aparente reside no lazer do qual dispõem todas essas figuras. Não compararei o aposentado com figuras mais recentes porque não havia lazer no século XIX. Do ponto de vista do lazer, pode ser encarada a Revolução Industrial como processo que destrói, na sua primeira fase, o lazer, para na sua segunda fase reconstruí-lo agigantado. Mas, como procurarei mostrar, o lazer reconstruído é diferente do lazer destruído.

O cidadão livre da antiguidade dispunha de lazer porque havia escravos. Os escravos eram para o cidadão o que o corpo é para a mente, e pertenciam, portanto, a uma camada diferente da realidade. A vida do cidadão, embora de certa forma condicionada pelo escravo, passava-se em outro nível. Esse nível é caracterizado pelos termos "política" e "teoria". O lazer proporcionado ao cidadão pela relegação do trabalho pelo escravo era o corpo no qual se realizava a política e a teoria. É nesse sentido que o lazer era o fundamento da cultura. Longe de ser o cidadão um ser desocupado, era uma existência ocupada politicamente, e preocupada teoricamente. O monge medieval dispunha de lazer, porque se afastou, deliberada e disciplinadamente, do mundo fenomenal que não interessava. Pelos votos de castidade, pobreza e obediência, eliminou o monge ao máximo a sua dependência desse mundo, e abriu o campo de lazer no qual se passava a sua vida. Essa vida é caracterizada pelos termos "contemplação" e "reza". O lazer proporcionado ao monge pelo desinteresse no mundo fenomenal era o campo no qual se realizava a busca da salvação da alma. É nesse sentido que o lazer era o fundamento da cultura. Longe de ser o monge um ser desocupado e despreocupado, era uma existência ocupada pela oração e preocupada contemplativamente. O cavalheiro independente do Iluminismo, o *independent gentleman of means*, dispunha de lazer porque a engrenagem da sociedade permitia, neste melhor dos mundos possíveis, uma progressiva libertação do trabalho. Nessa libertação, o cavalheiro se tornava pura coisa pensante, isto é, coisa virada contra o mundo material e extenso. O lazer abria o campo para essa virada. O cavalheiro passa a vida nesse campo como coisa pensante. Essa vida é caracterizada pelos termos "ciência", "arte" e "filosofia". O lazer proporcionado ao cavalheiro pelo progresso era o campo no qual se realizava o conhecimento. É nesse sentido que o lazer era o fundamento da cultura. Longe se ser o gentleman um ser desocupado e despreocupado, era uma existência ocupada científica e artisticamente, e preocupada filosoficamente. O aposentado dispõe de lazer porque o aparelho funciona sem ele. O lazer é consequência de sua inutilidade para o aparelho. O campo que esse lazer abre é vazio. Não se pode viver nele. "Política" e "teoria" no significado antigo são, atualmente, funções do aparelho. "Contemplação" e "reza" no significado medieval são, atualmente, termos sem significado. "Ciência", "arte" e "filosofia" são, atualmente, funções do aparelho. Mas há uma coisa: essas três funções, desde que redefinamos o termo "ciência", são atualmente funções do aparelho que funcionam para a aposentadoria. A aposentadoria é o vácuo para dentro do qual se precipitam os produtos do aparelho rotulados por "ciência" (redefinida), "arte" e "filosofia". O lazer proporcionado pelo funcionamento automático do aparelho abre o campo para o consumo desses produtos. É nesse sentido que atualmente é o lazer o fundamento da cultura. Não como chão do qual a cultura brota, mas como depósito no qual é consumida. E é por isso que o aposentado deixou apenas aparentemente de funcionar em função do aparelho. Na realidade, continua funcionando como consumidor dos seus produtos. A aposentadoria é, portanto, o contexto no qual devemos tentar compreender a cultura da atualidade.

A cultura da atualidade, isto é, a ciência (redefinida), a arte e a filosofia da atualidade, é aquele tipo de produto que o aparelho vomita em direção à aposentadoria para lá ser consumido. O produtor da cultura atual é o aparelho, embora este setor da produção se ache ainda pouco automatizado. Ainda depende quase que exclusivamente de funcionários humanos para o seu funcionamento. Mas o fato de ainda não existirem máquinas para a produção de hipóteses científicas, esculturas ou tratados filosóficos não deve nos confundir nos nossos esforços de definir a cultura da atualidade. Proponho o seguinte: a cultura da atualidade é o conjunto dos objetos que resultam do funcionamento do aparelho. Este conjunto pode ser classificado em duas sub-regiões: a dos objetos consumidos por instrumentos humanos e a dos objetos consumidos por instrumentos não humanos. A primeira sub-região admite uma nova divisão, a saber: a dos objetos consumidos por funcionários em carreira, e a dos objetos consumidos por funcionários nas férias remuneradas e na aposentadoria. Os objetos que perfazem esta última divisão constituem a cultura *sensu stricto*.

A cultura atual distingue-se, pois, fundamentalmente das culturas históricas pelo seguinte: no passado era a cultura produto de lazer humano, e atualmente é ela artigo de consumo do lazer humano. Atualmente é a cultura produto do aparelho em funcionamento, e no passado era a cultura a produtora de instrumentos. Assistimos, portanto, a uma reversão do fluxo da cultura. Antigamente fluía do lazer para a atividade, atualmente flui do funcionamento para a aposentadoria. Antigamente era a cultura a articulação da preocupação humana e sua fonte eram existências abertas. Atualmente é a cultura a articulação do aparelho e sua meta são funcionários aposentados e fechados sobre si mesmos. Essa reversão do fluxo da cultura é uma característica fundamental, admitida pelas críticas *engagés*, mas negada, embora sem grande convicção, pelos críticos rebeldes. Proponho uma rápida análise desses dois pontos de vista.

Já procurei dizer o que é *engagé*: é uma existência que escolheu ser funcionário pela supressão deliberada de conhecimento do aparelho, um conhecimento pelo qual o aparelho é visto como modelo absurdo. Um *engagé* não é um funcionário perfeito, porque vestígios de sua escolha emperram o seu funcionamento. E essa imperfeição permite ao funcionário *engagé* que critique a cultura. Por razões óbvias, essa crítica coincide amplamente com o marxismo, já que o marxismo é o profeta do aparelho como realização histórica, e da aposentadoria como sociedade comunista. Mas é igualmente óbvio que o aparelho marxista não pode tolerar essa crítica sem controle constante, porque o *engagé* é um funcionário imperfeito e suspeito de revelar, inadvertidamente, o absurdo do aparelho. Pois essa crítica concorda, nas linhas gerais, com a minha caracterização da cultura da atualidade. Ciência (redefinida), arte e filosofia são produtos do aparelho, isto é, produtos de funcionários especializados na repartição "cultura *sensu stricto*", e a sua meta é serem consumidos pela humanidade aposentada. Vejamos um pouco mais detalhadamente como essa repartição funciona.

A ciência (redefinida) é o primeiro aspecto dessa função cultural do aparelho. Dei várias definições da ciência no tópico "Modelo" do capítulo "Eterno Retorno". No contrato atual é preciso redefini-la. Todas as definições anteriores evidenciavam o fato de ser a ciência uma articulação de existências preocupadas.

Isso deixou de ser o caso. Atualmente a ciência é a articulação da repartição cultural do aparelho. Proponho a definição seguinte: a ciência atual é um discurso com dois aspectos. O primeiro aspecto é de uma reprogramação do aparelho pelo feedback. Este aspecto, que não é cultural *sensu stricto*, será discutido no capítulo seguinte. O segundo aspecto é o de uma "explicação" que o aparelho oferece de si mesmo ao funcionalismo aposentado. Este é o aspecto cultural *sensu stricto* da ciência da atualidade. Com efeito, trata-se de um subproduto de primeiro aspecto. Na medida em que o aparelho se reprograma, excreta explicações a serem consumidas pela aposentadoria. A análise lógica previu a iniquidade dessas explicações de forma definitiva. Mas essa iniquidade epistemológica não lhes tira a sua função dentro do aparelho. As explicações científicas servem de assuntos para a conversa fiada da humanidade aposentada. A aposentadoria, esse paraíso iminente, consistirá em parte de uma conversa fiada cujos assuntos serão fornecidos pelas explicações científicas do aparelho. E esses assuntos não permitirão que o aposentado se encontre jamais a si mesmo e continue, portanto, funcionando como consumidor dos produtos do aparelho. O crítico *engagé* não concordará com os termos nos quais articulei os fatos, mas concordará com os fatos.

A arte é o segundo aspecto da repartição cultural do aparelho. Procurei mostrar, em argumentos anteriores, que "objetos de arte" são consequências da bifurcação da atividade humana a partir do

Renascimento, e que não havia "objetos de arte" nas épocas pré-modernas. Mas atualmente, embora continuem sendo produzidos "objetos de arte" no sentido moderno do termo, são eles resultado de uma curiosa bifurcação da atividade do aparelho. O aparelho especializa funcionários para a produção desses objetos. Podemos definir atualmente o objeto de arte com uma nitidez que a época moderna nunca alcançou, a saber: é um objeto produzido por funcionários especializados na repartição cultural do aparelho a fim de serem consumidos pelos funcionários em férias remuneradas e na aposentadoria. O objeto de arte distingue-se de um objeto da tecnologia por isto: o objeto técnico é consumido pelo funcionário na carreira, e o artístico na aposentadoria. A nitidez da distinção é, no entanto, enganadora, dada a tendência da aposentadoria de suprimir a carreira. A situação final, aquela que surgirá quando o funcionário for aposentado no momento da admissão, será esta: o aparelho produzirá objetos técnicos automaticamente, e estes, por sua vez, produzirão objetos de arte a serem consumidos pela humanidade aposentada. Será o paraíso. Um estágio intermediário será este: os funcionários humanos serão substituídos por funcionários imitativos em todas as repartições do aparelho, salvo a repartição cultural, e nessa funcionarão na produção de objetos de arte. É este o pré-paraíso anunciado pelos críticos *engagés*: um paraíso no qual a carreira do funcionário consistirá na produção de objetos de arte, e a aposentadoria no consumo desses objetos.

Mas qual é a função desses objetos? Esconder o absurdo ao aparelho. O aparelho como produtor de objetos de arte, portanto, como imitador do artista humano, não pode ser vivenciado como absurdo. As exposições de quadros e esculturas, os concertos e as edições de poesia e literatura que o aparelho programa são movimentos do aparelho pelos quais este prende a si a humanidade aposentada. O artista atual é um funcionário especializado da repartição cultural do aparelho, e a sua função é evitar que se revele o absurdo do aparelho. Ou, como dirão os críticos *engagés*, articulando o mesmo fato em termos diferentes, a função do artista é fortificar a sensação da realidade nos consumidores. A arte é "realista" se e quando cumpre essa função, já que a realidade atual é o aparelho.

O terceiro aspecto da repartição cultural é a filosofia. Creio que a análise lógica provou definitivamente a impossibilidade de uma filosofia dentro do aparelho. A filosofia é um discurso reflexivo, e é, portanto, possível apenas dentro de existências autênticas que são ocas pelo roer da mente. O vácuo da morte dentro da existência permite que dentro dele reflua o discurso da filosofia. O funcionário não pode filosofar, porque está compacto, e a análise formal prova essa impossibilidade. O aparelho, no seu nível desumano, efetua um movimento reflexivo que é o feedback. Mas por ser desumano, não é o feedback filosofia. Aquilo que passa atualmente por filosofia é, portanto, a demonstração sempre repetida em termos diversos que filosofia é impossível, já que resulta em sentenças insignificantes. A função dessa demonstração é evitar que o funcionário aposentado reflita. Os filósofos atuais são funcionários especializados no evitar da reflexão nos aposentados. O crítico *engagé* confirmará esse fato em termos diferentes. Dirá, como Marx, que os filósofos apenas explicam a realidade de diversas maneiras, mas o que importa é modificá-la. Mas no contexto atual essa sentença significa que o que importa é o aparelho, já que é este que modifica a realidade. A aposentadoria é, portanto, marcada pela ausência da filosofia, mas também demonstração repetida da impossibilidade para a filosofia. É paraíso, porque nesse sentido é a aposentadoria, de maneira curiosa, um estágio sem dúvidas, portanto, de sabedoria. Ou, como diria Wittgenstein, é um estágio sem enigma.

O crítico rebelde não concordará com essa descrição da cultura da atualidade. Negará que o termo "cultura" possa ser autenticamente aplicado aos produtos da repartição cultural do aparelho. Afirmará que a cultura autêntica se dá no além do aparelho. Mas o crítico rebelde é um funcionário demitido, um ser portanto que não sabe se se demitiu ou se foi demitido, mas que sabe da sua exclusão do aparelho. Tratarei, pois, da sua crítica da cultura atual no tópico seguinte.

Resumo o meu argumento da aposentadoria: é ela férias remuneradas, porque recompensa, na forma de explicação científica, de objetos de arte e da demonstração da impossibilidade para a filosofia, o funcionário pela sua frequência nas repartições do aparelho. É morte, porque o funcionário é um ser despreocupado e desocupado. E é ressurreição e vida, porque nela o funcionário se transforma em consumidor da cultura. Em suma: a aposentadoria é o estágio paradisíaco para o qual tende a atualidade.

4.2.4. DEMISSÃO

É óbvio, para quem leu as observações precedentes, que a aposentadoria não é a meta de quem escreve estas linhas. É, portanto, nesse sentido, um desatualizado. Isto é, de certa forma, curioso, porque estas linhas estão sendo escritas no Brasil, um país "subdesenvolvido". Que significa este termo tão abusado? Significa que o Brasil é um país no qual o aparelho ainda não funciona perfeitamente. A grande maioria da sua população vegeta num estágio pré-funcional, e ser funcionário é um ideal perseguido e alcançável num futuro relativamente distante. A grande maioria da população ainda é jazida humana não aproveitada pelo aparelho. Num país subdesenvolvido está desatualizado alguém que se demite do aparelho num grau muito maior que num país desenvolvido. O *degagement* do aparelho (que é a demissão) exige, num país subdesenvolvido, uma capacidade maior de indignação, e isso significa que exige uma maior negação da atualidade. Esta negação se confunde, com facilidade, com irresponsabilidade, mesmo para aquele que se decide por ela. Pois não é acaso irresponsabilidade negar uma aposentadoria como futuro salvador de uma população faminta, doente e ignorante que certamente não "existe" no significado do termo elaborado no argumento precedente? Não é irresponsabilidade não engajar-se no aparelho que pode proporcionar essa aposentadoria salvadora? Não é a decisão para a demissão uma traição, a qual, embora dando-se ares de uma decisão penosa, é, na realidade, uma fuga da responsabilidade? Não há como negar que esta é a pergunta crucial que o demissionário deve procurar responder honestamente.

A miséria intolerável da grande massa da população humana do globo é uma das constantes da cena. É miséria, porque é vivenciada como frustração e sofrimento. É intolerável, porque é vivenciada como sem significado, desnecessária e absurda. E é constante, porque todas as épocas das quais temos conhecimento nos legaram testemunhos da sua rebelião contra ela. Com efeito, toda cultura pode ser definida como rebelião contra a miséria intolerável. Mas é importante notar que toda época tinha a sua miséria, e a considerava intolerável por motivos seus. Para os gregos, por exemplo, a miséria era a dependência trágica do mortal de forças cegas da necessidade. Essa miséria era considerada intolerável, porque velava a visão teórica da eternidade. Para os medievais a miséria era a situação indefesa da alma ante as tentações do diabo. Essa miséria era considerada intolerável, porque barrava o caminho da alma para a imortalidade. Para a época vitoriana a miséria era a diminuição das potencialidades virtuais e biológicas do homem pela falta de bens de consumo. Era considerada intolerável, porque a produção e distribuição desses bens era inteiramente planejável. Pois o aparelho acaba com a miséria intolerável no sentido vitoriano. (Como acaba a filosofia com a miséria intolerável dos gregos, e a fé com a miséria intolerável da alma.) A demissão do aparelho é, portanto, a coordenação da grande massa da humanidade para a miséria intolerável no sentido vitoriano. E não há como negar que essa condenação seria uma atitude indigna e desprezível, se este for realmente o seu significado.

Mas não é o que a decisão significa. Não o é por duas razões diferentes. A primeira é esta: uma visão da atualidade demonstra que o aparelho funciona automaticamente e independente de decisões minhas. A miséria intolerável da grande massa da humanidade no significado vitoriano do termo será superada pela aposentadoria que o aparelho projeta. Se eu quiser apressar esse acontecimento inevitável pelo meu *engagement*, conseguirei no máximo emperrar o funcionamento automático do aparelho. Com efeito, podemos observar que os diversos *engagements* da atualidade conseguem tão somente, com suas guerras e revoluções, atrasar o funcionamento automático da tecnologia que tende a inundar a cena com bens de consumo. Não fossem esses *engagements*, talvez a aposentadoria total já tivesse instalada no globo. A segunda razão é esta: a miséria intolerável que aflige a humanidade atual não é a vitoriana, e é o aparelho que a espalha. Essa nossa miséria é a de ser transformado o homem em funcionário, e é intolerável por ser degradante. A decisão para a demissão é uma decisão da rebeldia contra a miséria intolerável da atualidade. É ela o equivalente atual da filosofia grega, da fé medieval, e do empenho vitoriano. Com efeito, a demissão é o verdadeiro empenho da atualidade. Mas distingue-se ontologicamente do empenho vitoriano, e assemelha-se muito mais à filosofia grega e à fé medieval, porque é uma decisão contra o imanente. É nesse sentido, principalmente, que deixamos de ser modernos. É nesse sentido, principalmente, que somos uma geração que emerge do crime cometido pelo Renascimento.

A primeira razão, a que apela para o funcionamento automático do aparelho que, me exime do empenho no imanente, é uma razão negativa. É por isso uma razão suspeita. Apelando para ela, aceito ainda os valores vitorianos, e relego a responsabilidade sobre o aparelho. Pode ser uma razão muito boa (como de fato acredito que seja), mas é uma razão indigna. Quem fundamentar sua decisão para a demissão sobre ela merece, creio, o desprezo que o engajado reserva para o não empenhado. Mas a segunda razão desenvolve-se em clima existencial diferente. À sua discussão dedicarei o presente tópico.

Como posso me demitir nesse sentido positivo? Como posso me demitir num ato de rebelião contra a miséria intolerável da atualidade? E em prol de que me demito? Estas são as perguntas correlatas da pergunta que demanda se a demissão não é fuga. Darei, com todas as reservas possíveis, as seguintes respostas. Posso me demitir se conseguir, num ato violento de reflexão, fazer parar a minha frequência rotativa nos círculos do aparelho. Nesse ato a minha tontura funcional será transformada em vertigem da visão do absurdo que é o aparelho. Essa transformação é o primeiro passo da demissão, porque me expulsa centrifugamente do aparelho. E posso me demitir, se conseguir resistir, doravante a força sugadora do aparelho que tende a transformar a própria demissão em função do aparelho. Porque o terrível da nossa situação é o fato de que o próprio demissionário é visto, a partir do aparelho, como um funcionário especializado, cuja especialidade é a demissão do aparelho. Se conseguir evitar essa farsa, terei me demitido. E, finalmente, posso conseguir tudo isso se eu souber plenamente que o funcionamento no aparelho é a genuína solidão da decadência, e que na atualidade a única alternativa é a escolha da solidão no além do aparelho. Se a minha decisão para a demissão for, positivamente, uma decisão para essa solidão transcendente e rebelde, a minha decisão para a demissão terá sido realizada.

Mas uma solidão transcendente e rebelde como lugar para dentro do qual o demissionário se demite não será fuga? A primeira pergunta retorna, pois, com força redobrada. Não pergunta mais de que estou fugindo, mas para onde estou fugindo. A resposta a essa forma da pergunta me parece ser esta: não terá sido fuga se eu conseguir tomar a solidão como ponto de apoio para uma conversação com outros solitários, uma conversação a estabelecer o assunto do futuro. Se, portanto, conseguir me encontrar na solidão, e nesse encontro comigo mesmo encontrar assunto. Uma solidão com assunto, uma solidão dialógica, não seria contradição de termos? Talvez seja num significado. Mas em outro significado não é contradição, porque o outro que encontro na solidão, se e quando me encontro a mim mesmo, sou eu mesmo. E nesse curioso encontro comigo mesmo na solidão, como se eu fosse um outro, aparece um Outro. Com efeito, um totalmente Outro. É a experiência kierkegaardiana. Kierkegaard é o grande demissionário que preparou para nós, com mais de cem anos de antecedência, o lugar da solidão para que possamos nos demitir para dentro dela. E o assunto do diálogo solitário no além do aparelho, qual é ele? Pois creio que a resposta é esta: o assunto do diálogo é o diálogo mesmo. A demissão do aparelho é a saída para a solidão de um diálogo cujo assunto é o diálogo mesmo, cujo parceiro é o eu transformado num outro totalmente diferente.

Tudo isso que acabo de dizer parece muito nebuloso se comparado com a nítida clareza do aparelho do qual me demito. Com efeito, abandono, na demissão, uma situação nítida e penetro uma situação nebulosa. Não fosse assim, não seria a demissão o risco que é, a saber, o risco da loucura. Mas dentro na situação nebulosa posso, não obstante, distinguir contornos vagos. São contornos que lembram, vagamente, os da filosofia antiga e os da fé religiosa. Mas apenas lembram contornos, não se identificam com eles. A transcendência do aparelho dentro da qual me projeto pela minha demissão, não é o terreno da especulação filosófica ou da fé religiosa. É um terreno virgem, no qual a ciência, essa grande espinha dorsal da Idade Moderna, se transforma em arte. Essa transformação da ciência em arte, essa sua transferência para outro nível de significado, é justamente o que faz lembrar filosofia e religiosidade. Porque ciência assim transformada, não mais método de adequação, mas agora articulação do eu em face do que me é totalmente diferente e inteiramente a mim inadequável, tem semelhança com especulação e com prece. Mas não é nem especulação nem prece. É uma articulação pela articulação, é um falar por falar, é um diálogo que é seu próprio assunto. E nisso reside a sua humildade. Nada explica, nada manipula, mas apenas articula. O terreno para dentro do qual me demite é o terreno do puro falar pelo qual me rebelo contra a miséria intolerável que é o aparelho, e pelo qual me encontro a mim mesmo com o que me é totalmente indecifrável. E creio que esta é a situação na qual se encontra o demitido.

PÁG. 321

Da situação nebulosa na qual se encontra o demitido abrem-se dois horizontes. Um horizonte de névoas cerradas para dentro do qual o demitido se dirige dialogicamente e através do qual penetram até ela os primeiros raios difusos do sol do futuro. E um outro horizonte contra o qual se delineiam nitidamente os contornos do aparelho, tendo por fundo a noite clara da obscuridade. E o demissionário sabe intimamente da ambivalência da sua situação: avançará futuro adentro, ao rebelar-se contra o aparelho que lhe é passado. A rebelião contra o passado cria futuro. O método do diálogo criador do futuro é a rebelião contra o passado. O assunto do diálogo é, negativamente, o aparelho. Na medida em que o diálogo nega o aparelho, nessa medida avança. A sua meta negativa é esvaziar o aparelho de interesse. Nessa sua crítica destruidora do passado abre caminho. Desvendando o absurdo do funcionamento do aparelho, o absurdo dos seus produtos e o absurdo dos seus valores, abre espaço para o avanço. E é óbvio que essa crítica destruidora atinge, em primeiro lugar, a aposentadoria. Esta se afigura, do ponto de vista do demissionário, não como o paraíso prestes a ser estabelecido, mas como o perigo contra o qual é preciso lançar-se. A aposentadoria como paraíso iminente afigura-se ao demissionário como o derradeiro estágio da tendência moderna, no qual a loucura criminosa dessa tendência se institucionaliza. Com efeito, o *engagement* do demissionário é justamente o de evitar que o paraíso se estabeleça. Não adianta procurar por aspectos positivos desse *engagement*, se não for evitado o paraíso. Uma vez instalada a aposentadoria, não haverá futuro. Terá sido alcançado um estágio pós-histórico, e isso significa que cessará a existência humana. O aspecto negativo da demissão como rebelião contra a aposentadoria é o aspecto predominante do *engagement* na atualidade. E nos cabe manter aberto o caminho do futuro, para que outras pessoas possam pisá-lo. Do futuro temos apenas visões nebulosas. Mas devemos ter uma visão nítida do passado, para que haja futuro.

A crítica da cultura atual, a crítica daquilo que é consumido na aposentadoria, e cujos aspectos intra-aparelhísticos discuti no tópico precedente, deverá desvendar, portanto, que não se trata de cultura *sensu stricto*. A ciência como explicação do aparelho aos aposentados, a arte como condicionamento do aposentado ao aparelho e a filosofia como demonstração da impossibilidade da demissão — nada disso é cultura. Não é cultura, porque não é obra do homem, mas obra do aparelho. Se o aparelho é reconhecido pelo demissionário como o obstáculo a ser vencido para que haja futuro, passam todos esses produtos de uma pseudocultura a serem reconhecidos como fatores determinantes e, portanto, degradantes. É contra esse tipo de falsa ciência, falsa arte e falsa filosofia que o demissionário na sua procura de si mesmo é chamado a afirmar-se. Se esses produtos todos forem concebidos como cultura (como de fato o são pelos funcionários empenhados no aparelho), a atitude de demissionário é anticultural e "reacionária", e será bem se o demissionário o confessar espontaneamente. Mas se esses produtos todos forem concebidos como detritos de aparelho, a atitude do demissionário passa a ser aquela que abre campo para o surgir de uma nova cultura no sentido genuíno do termo. Negando o status de cultura à ciência, à arte e à filosofia, tal como são atualmente produzidas pelo aparelho, afirma o demissionário a possibilidade de um outro tipo de cultura. Com efeito, nessa sua negação e afirmação já participa, de certa forma, de nova cultura. De uma cultura inspirada pelo espírito da solidão e do encontro com o totalmente diferente. Na negação dos produtos do aparelho como cultura já participamos de uma cultura nova. O capítulo seguinte, o último deste livro, terá, pois, uma dupla tarefa: tornando o mais nítido possível o contorno do aparelho, e negando aos seus produtos a qualidade de cultura, deverá poder sugerir algo quanto à nova cultura que começa a delinear-se.

Resumo o argumento que apresentei no presente capítulo: a vitória do aparelho, alcançada principalmente graças à energia atômica, à cibernética e à manipulação dos pensamentos, desejos e sentimentos, está transformando rapidamente a humanidade em funcionalismo. O homem é transformado, pelo teste de admissão, em instrumento do aparelho, dentro do qual percorre a sua carreira, para depois ser aposentado e consumir cultura. Essa transformação representa o fim da história, porque representa o fim do homem. O homem é um ser que nasceu e morrerá, e é por essa sua qualidade efêmera que é o portador da história e da liberdade. O funcionário é um ser repetitivo e substituível, não nasce nem morre, e os termos "história" e "liberdade" não se aplicam a ele. Mas a vitória do aparelho ainda não é absoluta. Não o é em sentido duplo. Ainda há regiões subdesenvolvidas, nas quais a humanidade ainda não foi inteiramente mudada. E há ainda a possibilidade de demissão, que é a negação da aposentadoria. Essas falhas do aparelho abrem o corpo para o futuro, isto é, para uma situação na qual a pós-história não se realiza. A despeito do castigo que se abateu sobre a humanidade ainda persiste a possibilidade da penitência na forma de uma pré-ocupação com o futuro. Funcionários e penitentes, estes são os habitantes da atualidade. Não há, nessa situação, certa semelhança com a queda do Império Romano? Não somos, os demissionários, de certa forma monges de uma Idade Média que se aproxima? Somos, por certo, monges sem fé no Messias. Isso distingue os nossos mosteiros dos mosteiros pós-romanos. Mas construir mosteiros é para nós, como o foi então, a única garantia de uma nova cultura.

4.3 APARELHO

A capacidade imaginativa da nossa geração não se adéqua à atualidade. As nossas fantasias ficam aquém da nossa "realidade". Creio que isso se dá porque a nossa imaginação continua cartesiana. Fantasiamos coisas extensas. Mas a atualidade não consiste em coisas extensas. Consiste em algo inimaginável chamado "estruturas". Ao procurarmos imaginar estruturas, surgem em nossa fantasia coisas extensas como são as estruturas metálicas e edifícios em construção, ou traços de lápis num papel de desenho. Sabemos que esta nossa imaginação é inadequada. Mas podemos imaginar pelo menos isto: futuramente haverá seres cuja imaginação será estrutural, e para estes seres a nossa "realidade" será a realidade. Serão estes seres os nativos de um mundo do qual somos os pioneiros e descobridores. E para eles será difícil captar o nosso tipo de imaginação, já que para eles coisas extensas passarão a ser inimagináveis. Não compreenderão esses seres que nós, os da primeira geração pós-moderna, imaginávamos e vivenciávamos o aparelho como coisa extensa. E por não poder compreender isso, não conseguirão captar o clima absurdo que nos cerca. O nosso absurdo é consequência da inadequação de coisas extensas com o aparelho. A nossa "realidade" é inimaginável, e a nossa imaginação é irreal, e é por isso que encaramos o nada. Mas não pense o leitor que esta minha observação ajuda a superar o clima. Se um ser do futuro ler esta página, não lhe captará o significado. Isso porque penso e, portanto, imagino de forma discursiva. Os meus pensamentos e, portanto, a minha fantasia consistem em sujeitos e predicados. O ser do futuro pensará e imaginará estruturalmente, isto é, não discursivamente. Falamos línguas diferentes, os atuais e os futuros. E o meu absurdo reside no fato de falar eu discursivamente a respeito de algo que não pode ser discursado. A minha consciência disso não supera o absurdo, embora essa minha consciência já me distancie da Idade Moderna.

O pensamento discursivo, o pensamento sujeitiforme, aquele que predica sujeitos em direção de objetos, nunca poderá captar o aparelho. Seria necessário para tanto evoluir um novo tipo de língua. E, com efeito, estamos dedicados, os da atualidade, exatamente a essa tarefa. Mas tenho certeza que uma vez estabelecida a nova forma de língua, deixará de interessar-nos o aparelho. Era isso o que tinha em mente ao dizer que o diálogo da solidão é seu próprio assunto. A nossa demissão do aparelho é a procura da nova linguagem. Este último capítulo será a tentativa de esboçar a tentativa. E começará, negativamente, pela discussão do aparelho.

O aparelho não é uma coisa extensa. Não é algo que podemos ver, ou apalpar, ou cheirar, ou ouvir-lhe o zumbido. Aquilo que vemos, ou apalpamos, aquilo que cheira mal e que zumbe não é o aparelho, mas os seus instrumentos. O aparelho é o que estrutura os instrumentos. Sabemos que estamos em face de um aparelho, ou dentro de um aparelho, quando todas as coisas na nossa frente, ou ao nosso redor, se transformam em instrumentos. Quando, como que por encanto, as coisas deixam de estar diante da mão, ou à nossa mão, ou de existir, e põem-se a funcionar sistematicamente. Se digo que estou lançado dentro de um aparelho, é a essa transformação impalpável e inimaginável de todas as coisas que estou me referindo. E se digo que me decidi pela demissão do aparelho, é contra esta transformação das coisas e de mim mesmo que estou me rebelando. Permitam que descreva, a título de introdução, essa estrutura impalpável das coisas que me cercam. E como não posso descrever essa estrutura em todos os níveis, permitam que me limite ao nível político da cena.

Desfraldemos um mapa da Terra na projeção Mercator. Escolhamos um mapa que marque a densidade populacional com bolinhas vermelhas. O mapa é um modelo da Terra, e as bolinhas simbolizam diversas estruturas. O mapa é um modelo cartesiano, mas as bolinhas pertencem a outra realidade. Sentimos, ao observá-las, que simbolizam funcionamentos. Ignoremos esse aspecto e consideremos a distribuição espacial, cartesiana, das bolinhas. Coagulam-se em quatro ou cinco lugares do mapa. Na península europeia com um tentáculo cumprido a apontar o espaço siberiano. Na costa oriental da América do Norte. Na península indiana. Na parte oriental da Ásia e nas ilhas adjacentes. E há uma pequena mas intensa coagulação em algumas ilhas da Sonda. O resto do mapa é relativamente vazio, embora haja pequenos focos isolados na costa oriental da América do Sul e ao redor dos grandes lagos africanos. Esta é, falando cartesianamente, a distribuição da humanidade no espaço da Terra e no momento da segunda metade do século XX. Mas é óbvio que esse aspecto cartesiano não espelha a nossa realidade. Uma consideração mais atenta das bolinhas vermelhas o prova. Esta consideração desvenda o seguinte: algumas das coagulações são fortemente estruturadas, e outras são quase amorfas. A estruturação das coagulações é simbolizada por traços que ligam bolinhas, e esses traços são símbolos de estradas de ferro, de linhas aéreas, de balanços comerciais, de trocas culturais e de outras funções de aparelhos. Verificamos que há no mapa duas coagulações assim estruturadas: uma que reúne as bolinhas da costa oriental da América do Norte com a metade ocidental das bolinhas europeias numa estrutura chamada "neocapitalismo", e a outra que reúne as bolinhas da metade oriental da Europa e o tentáculo siberiano numa estrutura chamada "socialismo". As duas ou três coagulações restantes são pouco estruturadas. Estamos diante da seguinte cena: o mapa nos mostra um aparelho enormemente eficiente, o neocapitalista, que funciona com rapidez geometricamente acelerada para resultar em aposentadoria do seu funcionalismo humano; um aparelho menor e menos eficiente, o socialista, que funciona com aceleração ainda maior, mas com falhas curiosas,

PÁG. 329 para alcançar a mesma meta; duas ou três massas amorfas que servem de campo para o surgir de aparelhos por ora embrionários; e ilhas periféricas ligadas com laços tênues ora a um, ora a outro, ora a ambos os aparelhos em funcionamento. Se visto assim, de um ponto de vista funcional, o mapa nos proporciona, creio, uma visão significante da cena política da atualidade. Não é, admitamo-lo, uma visão especialmente convidativa a um empenho.

Existencializemos essa visão um pouco, e comecemos pelo aparelho neocapitalista. No período entre as duas guerras sofreu o aparelho capitalista uma série de falhas no seu funcionamento, chamadas "crises". Pelo método do feedback, de qual tratarei mais adiante, modificou este aparelho a sua estrutura para resultar no neocapitalismo. A eliminação dessas falhas, e mais a introdução da energia atômica, da cibernética e da propaganda (que se iniciam atualmente), aceleraram fantasticamente o seu funcionamento. A curva desse funcionamento oscila pouco e tem tendência nitidamente ascendente. Essa tendência espalha ao seu redor o clima do tédio e da solidão no meio da massa que caracteriza o funcionário em carreira rumo à aposentadoria. Não fosse o atrito periférico deste aparelho com o outro, e com os demais aparelhos *in statu nascendi*, um atrito que freia o seu funcionamento e cria a aparência de uma tendência transcendente do aparelho, provavelmente já teria alcançado um estágio de tal perfeição automática que o seu absurdo seria patente. Os atritos periféricos, e o perigo que representam para o aparelho, conferem uma aparência de *engagement* a um funcionamento que é na realidade automático e perfeitamente previsível. A visão do mapa demonstra isto: o aparelho neocapitalista, herdeiro geográfico e cultural do Ocidente, será, mais dia menos dia, englobado pelos aparelhos que estão surgindo nas coagulações orientais mais vastas e mais densas.

O aparelho socialista difere do neocapitalista mais pela sua programação inicial que pelo seu funcionamento na atualidade. O método do feedback tende, como procurarei discutir mais adiante, a igualar todos os programas. Mas a programação inicial do aparelho socialista era mais rígida e, portanto, menos apta a ser modificado o funcionamento. E o aparelho socialista surgiu historicamente em terreno no qual a revolução industrial se deu mais tarde. Isso explica o relativo atraso do seu funcionamento. Embora esse aparelho tenha transformado a humanidade em funcionalismo, pelo menos tão radicalmente quando o fez o outro, e embora esta seja a sua meta confessa (*"apparatchik"* é o termo ao qual recorre para designar um funcionário do partido), deixa, por suas falhas, uma sensação de frustração nos seus funcionários que tende a humanizá-los. E a existência do outro aparelho, mais eficiente, age como incentivo. Esta é a razão por que o aparelho socialista parece, se visto de fora, o mais empenhado dos dois e, portanto, o menos absurdo. Mas é obviamente engano. Dada a aceleração rápida de seu funcionamento, alcançará dentro em breve o estágio de tédio e solidão que caracteriza o outro. Neste estágio não estará necessariamente no mesmo nível de abundância na aposentadoria. Um aposentado pode ser igualmente desocupado e despreocupado se o aparelho lhe fornecer bicicletas ou automóveis. E há mais isto: o aparelho socialista compete ostensivamente com o aparelho neocapitalista, e este é o seu aparente empenho. Um olhar sobre o mapa revela, no entanto, que isso não passa de pose. Será englobado pelos aparelhos nascentes do Oriente tanto quanto o outro. A consciência desse fato, que está despertando atualmente, revela, paradoxalmente, o absurdo de ambos os aparelhos atualmente em funcionamento.

Mas essa consciência não modificará o curso dos acontecimentos. Os dois aparelhos funcionam automaticamente e cumprem, inexoravelmente, o seu programa. Meras considerações humanas, sejam considerações feitas por funcionários administrativos das repartições mais centrais, não emperram o funcionamento. Estas linhas estão sendo escritas durante a guerra americana no Vietnã. Talvez seja ela, em certo sentido, a última guerra do homem contra o aparelho. Mas em outro sentido é ela uma guerra de funcionários nascituros contra funcionários realizados. O que importa, na consideração dessa guerra, é, no entanto, o seguinte: a discussão que se trava atualmente nos Estados Unidos sobre a guerra prova vivencialmente como estão marginalizadas decisões humanas pelo funcionamento do aparelho. E as discussões que se travam atualmente no resto da Terra sobre a guerra provam vivencialmente o absurdo de todo empenho. Comparem essa discussão com aquela que se travava durante a guerra na Espanha. Podemos, é verdade, ainda sentir a beleza da luta de camponeses contra helicópteros, mas já sabemos que os camponeses são futuros instrumentos de outro aparelho, e que o são inexoravelmente. Como, portanto, escolher entre dois aparelhos? A própria escolha é absurda.

As concentrações orientais de bolinhas vermelhas no mapa simbolizam detritos de culturas antigas destruídas pelo Ocidente. E simbolizam também a maioria numérica da população da Terra. A Revolução Industrial, já na sua forma do aparelho, está penetrando atualmente essas regiões e mina assim o domínio ocidental sobre elas. Os aparelhos que surgirão no Oriente serão geneticamente diferentes dos nossos, porque estão surgindo não como consequência de um desenvolvimento autônomo, mas como imitação de um desenvolvimento estranho. O Oriente deverá pagar, por assim dizer, por uma culpa que não é sua. Não tendo passado pelo cristianismo, pelo Renascimento e pelo processo moderno do pensamento, não tendo, portanto, evoluído uma ciência autêntica, adaptará o Oriente o resultado de uma história milenar que não é a sua. Mas não creio que isso alterará profundamente o desfecho. Os aparelhos orientais serão funcionalmente idênticos aos nossos. Apenas funcionarão provavelmente com eficiência ainda mais perfeita. Ignorando a estrutura do aparelho e conhecendo apenas o seu funcionamento, serão os orientais funcionários perfeitos. Podemos observar esse fato já agora no Japão, o primeiro país oriental a imitar o Ocidente. É mais americano que os Estados Unidos, e o tédio, a feiura e o absurdo são nele ainda mais marcados. Por essa sua perfeição, e pela massa e extensão do seu campo, creio que serão estes os aparelhos que unificarão a superfície da Terra numa aposentadoria derradeira.

O resto do globo sente a ação sugadora dos dois aparelhos em funcionamento e começa a estruturar-se de acordo com ela. Consiste, portanto, em uma população que passa, em salto, de um estágio pré-histórico para um estágio pós-histórico, e de uma situação marcada pela luta contra a natureza a uma situação marcada pela vitória do aparelho. A miséria intolerável de doenças, fome e desabrigo que marca a situação da luta contra a natureza será substituída rapidamente, nessas regiões, pela miséria intolerável do tédio, da inautenticidade e da despreocupação que marca a situação fechada pelo aparelho. A transição é penosa e cheia de dificuldades, já que o aparelho funciona muito mal nessas regiões ainda não estruturadas. Isso cria a ilusão de uma passagem libertadora, como se essas populações despertassem para uma participação na história, portanto para uma vida de decisões e escolhas. Mas é obviamente

4. PENITÊNCIA / 4.3. APARELHO

engano. Passam apenas de uma escravidão para outra. A explosão demográfica que acompanha esse processo, e que se deve ao fato de começar o aparelho a funcionar e, portanto, a proteger o seu funcionalismo contra os perigos da natureza, recalca provisoriamente a tendência do processo. Já que o número dos funcionários *in statu nascendi* aumenta mais rapidamente que os produtos do aparelho *in statu nascendi*, acentua-se ainda mais a fome. Mas é um fenômeno passageiro. A tendência é para uma superação da curva produtiva, e logo mais começarão essas regiões a desfrutar as delícias do paraíso do aparelho. Este livro está sendo escrito numa região dessas. Os sofrimentos que o autor presencia ao seu redor, e que são sofrimentos pré-aparelhísticos, não devem ofuscar o verdadeiro perigo.

Este é, pois, a meu ver, o aspecto político da atualidade. Dois aparelhos funcionando, e outros em vias de funcionar, e os dois aparelhos, herdeiros do Ocidente, em vias de serem englobados pelos outros. Não choremos a sua sorte. Já não nos dizem respeito. O nosso interesse existencial está alhures. Não na política, que se transformou em função desses aparelhos, mas na região transaparelho na qual devemos procurar por nova cultura e novos valores. Mas a contemplação da cena serve para o nosso propósito de transcendê-la. Ilustra o aparelho. Ilustra que há diversos aparelhos que se distinguem pelos seus programas, e ilustra que todos os programas tendem para uma unificação derradeira na aposentadoria. Que é, pois, programa?

4.3.1. PROGRAMA

Iniciarei a discussão por uma consideração formal do conceito "crenças". Creio que o sol nascerá amanhã aproximadamente às seis horas. Por que creio nisso? Indutivamente. Induzo o fato do nascer do sol amanhã do fato de ter ele nascido no passado repetidas vezes. O problema da crença está intimamente ligado ao da indução, e é nesse contexto que pretendo discuti-lo. Peço que o leitor esqueça todos os argumentos que o iluminismo acumulou em redor do problema, e que não pense cartesianamente, mas funcionalmente. Que esqueça Hume e Leibniz e pense da seguinte forma: disponho de uma série de informações que são sentenças como esta: "Ontem o sol nasceu aproximadamente às seis horas". Estas sentenças provocam em mim a seguinte: "O sol nascerá amanhã aproximadamente às seis horas". É assim que funciona. Creio na sentença induzida e no movimento de acordo com ela. A minha crença é resultado das informações das quais disponho, e funciono em função dessa crença. Funciono em função de sentenças informativas e de sentenças induzidas. Sou um sistema de sentenças.

As sentenças informativas das quais disponho não são sempre tão concordantes como no caso do sol nascente. No caso do sol nascente não tenho nenhuma sentença discordante. Todas afirmam que o sol nasceu. A minha crença no nascer do sol amanhã é praticamente certeza. O caso da chuva é diferente. As sentenças das quais disponho são, por exemplo, estas: "Ontem choveu, anteontem choveu, trasanteontem não choveu". A crença que resulta dessas sentenças informativas é esta: "É mais provável que amanhã chova do que não chova". A minha crença é, neste caso, uma probabilidade. Mas as sentenças informativas cujo assunto é a chuva são de número limitado. Presumamos que dispomos apenas das três sentenças mencionadas, duas afirmativas e uma negativa. A minha crença terá, pois, esta forma: "A possibilidade de chuva amanhã é duas vezes maior que a possibilidade de não chover". Embora a minha crença na chuva amanhã seja uma probabilidade, a minha crença nessa probabilidade é uma certeza. Há casos nos quais as informações não apenas discordam, mas divergem. Por exemplo, no caso do jantar que me será servido. Afirmam essas informações que jantei ontem sopa, anteontem pão com manteiga e trasanteontem carne. Se essas informações estiverem em número suficientemente alto, posso induzir diversas crenças, cuja probabilidade será calculável. Não terei uma crença definida quanto ao jantar que ganharei, mas terei uma crença definida quanto à probabilidade. Funcionarei, portanto, no caso do sol nascente em função, da crença mesmo, e nos dois casos posteriores em funções da crença na probabilidade. Há casos nos quais não disponho de informação nenhuma. Por exemplo, se amanhã, em vez de chover água, chover dinheiro. Seria um acontecimento inesperado, e não saberei como me comportar. Não funcionarei neste caso. Mas seria um caso altamente informativo. Traria uma nova informação em função da qual induzirei sentenças da crença nova, e funcionarei em sua função doravante.

Num dado instante sou um sistema de sentenças informáticas e crenças. Mas sou um sistema aberto. Novas informações continuam a incidir sobre mim, e modificam as minhas crenças, ora consolidando, ora enfraquecendo as crenças existentes, ora provocando crenças novas. A pergunta que se põe imediatamente é a seguinte: se sou no instante atual um sistema de sentenças informativas e crenças, o que era eu antes de receber a primeira sentença informativa? Repito que devemos esquecer a *tabula rasa* dos empiristas na nossa tentativa de resposta. Numa *tabula rasa* não se dá o funcionamento que descrevi acima. Deve ter tido, inicialmente, uma estrutura que permite que sentenças informativas sejam recebidas como tais e que delas sejam induzidas crenças. Kant parece sugerir a resposta, e, com efeito, Kant é o pai da resposta dada atualmente. Mas é uma resposta muito modificada. A resposta é aproximadamente esta: inicialmente sou apenas um programa. Sou uma estrutura que capta determinadas sentenças como informativas, e deixa passar todas as demais sentenças sem captá-las. Recebo apenas as informações para as quais fui programado. A razão pura kantiana não passa, com efeito, de uma entre muitas programações possíveis. No caso de Kant essa programação é a língua alemã ou semelhantes estruturas. Nesse caso sou programado para receber sentenças alemãs ou semelhantes, caso informativas, e induzir delas as minhas crenças. Ou, como se diz atualmente (Rudolf Carnap), neste caso específico é a língua alemã a minha crença de partida, a minha crença 0. Fui programado, no caso kantiano, pela língua alemã, e funciono em função desse programa. As chamadas "categorias da razão pura" são, com efeito, as categorias da língua alemã ou semelhantes. Andamaneses e iorubás funcionam de maneira diferente, porque são programados de maneira diferente. Têm eles outras crenças, porque têm outra crença 0. Recebem informações que nós não recebemos, e não recebem informações que nós recebemos. Em suma: a programação em função da qual recebo informação e formo crenças, e em função da qual funciono, é a estrutura da língua dentro da qual fui lançado. Nascer significa, portanto, estar lançado ao meio de uma conversação determinada.

Mas esta resposta, por mais que nos distinga dos modernos, obviamente não resolve o problema. Como se deu a programação mesma, e como evoluiu de si mesma aquele sistema funcional que tem crenças e que funciona de acordo, chamado "eu"? São justamente estas algumas das perguntas que devemos tentar responder ao nos demitirmos do aparelho. Não entrarei no seu mérito no presente contexto, mas direi apenas o seguinte: a resposta formal dos lógicos ignora o fato de que existimos, de que não somos aparelhos. A sua explicação é perfeitamente válida no caso dos aparelhos, mas não capta a existência, aquela que não funciona, mas vive. Voltemos, para exemplificar, ao caso do sol nascente. Espero, como praticamente certo, o nascer do sol amanhã às 6h, dada a minha programação pela língua portuguesa, e dadas as sentenças informativas das quais disponho. Pois imaginemos que amanhã, em vez de sol, nascerá uma garrafa de Coca-Cola. Qual será a minha reação, de acordo com a análise lógica? A garrafa de Coca-Cola enfraquecerá a minha crença futura no nascer do sol, mas será um enfraquecimento calculável. Admitamos que tenho um estoque de sentenças informativas que afirmam que o sol nasceu 1 bilhão de vezes. A ese estoque junta-se agora a sentença que afirma o nascer da Coca-Cola. Esperarei, para depois de amanhã, pelo nascer do sol na proporção 1 bilhão para um. E é, com efeito, exatamente assim que funciona o aparelho. Mas não é uma existência genuína.

Vejamos primeiro o que fará o aparelho com uma informação tão nova e, portanto, altamente informativa. Tomemos como exemplo um computador, que é atualmente o aparelho mais aperfeiçoado. O computador foi programado por uma determinada língua, que é, com efeito, um português (ou inglês ou russo) extremamente empobrecido. Essa língua pobre é sua crença 0. Os fios e as conexões dos seus diversos elementos são a estrutura dessa língua fenomenalizada. Sobre essa estrutura recebe o computador sentenças informativas, isto é, sentenças vazadas em sua língua. Com base nessas sentenças forma as suas crenças e funciona. As suas crenças são induções das informações recebidas, mas a sua estrutura permite também que o aparelho deduza. O aparelho articula, pelo sistema do feedback, uma espécie de teoria. Não é uma teoria no sentido humano, por certo, mas é equivalente. Por exemplo, formulará como "todas as manhãs nascerá o sol aproximadamente às seis horas". Agora recebeu a informação da Coca-Cola. Modificará esta sua pseudoteoria. Dirá agora que a probabilidade do nascer da Coca-Cola é 1 sobre 1 bilhão. Terá processado por feedback todas as informações quanto ao nascer do sol, e terá articulado um novo conhecimento. Terá adaptado a nova situação, e continuará funcionário da forma ainda mais perfeita. Terá aprendido como funcionar no caso do nascer de uma Coca-Cola. Por que se deu isso? Porque a "teoria" do aparelho não passa de uma série de sentenças deduzidas de sentenças induzidas das informativas.

Mas o caso de uma existência autêntica é diferente. Esta, ao receber a informação do nascer da Coca-Cola, interromperá o seu funcionamento. Porque essa informação fará ruir nela toda a crença no nascer do sol, e com isso toda a crença 0. A existência ficará estupefata. Não saberá mais o que esperar na manhã seguinte. Diante de uma informação tão nova, tão espantosa, ruirá a sua estrutura. Não poderá, desde já, modificar a sua teoria quanto ao nascer do sol pelo método do feedback, embora tente fazê-lo passado o choque. Por que esse choque? Porque a teoria humana não é a do aparelho. A teoria não é uma simples série de sentenças dedutivas a partir de sentenças induzidas das informações obtidas. É, pelo contrário, o resultado de um salto. O pensamento humano salta das sentenças induzidas para um terreno transcendente no qual se dão teorias. E nesse terreno não funciona a sua crença 0. Funciona outra crença, o que se chama "fé" em contexto diferente. A existência humana tem crença quanto ao nascer do sol, mas tem fé quanto ao transcendente que fundamenta essa crença. Sem essa fé não pode o homem formular teorias. Com efeito, é essa fé a que fundamenta toda crença 0. Por estar aberta para a fé, não está, portanto, a existência inteiramente programada. Tirada essa abertura para a fé, a existência se transforma, efetivamente, em aparelho. Neste caso a análise lógico-formal lhe diz inteiramente respeito. O que distingue a existência do aparelho é justamente essa fé fundante. O aparelho é uma imitação da existência e não uma duplicação, justamente porque lhe falta a fé fundante. O aparelho funciona muito melhor que a existência, justamente porque a fé fundante não abre nele brecha. O aparelho não se espanta, mas continua funcionando, qualquer que seja a informação que recebe. O funcionário perfeito é justamente instrumento do aparelho porque perdeu a fé fundante. Nada lhe espanta. Para o funcionário o nascer da Coca-Cola é mais uma das informações que recebe no curso da sua carreira, mais uma das informações que devolve ao aparelho pelo sistema de feedback. Esta é, em poucas palavras, uma visão do futuro.

Pois a programação inicial do aparelho é a estrutura empobrecida de uma língua. É, portanto, obra do homem, e é nesse sentido que o aparelho é, geneticamente, uma obra humana, um instrumento humano. O homem empobreceu a sua língua para criar instrumentos que o imitam. São imitações obviamente infra-humanas, dada a pobreza relativa da sua estrutura, e dada, portanto, a quantidade de sentenças informativas captadas pelo homem, mas não pelo aparelho. E são instrumentos úteis os aparelhos, porque a sua programação obedece a critérios humanos que visam determinadas metas. O homem escolhe livremente uma linguagem para programar aparelhos, a fim de produzir nelas respostas pretendidas. Como as metas humanas estão em conflito, surgem aparelhos com programas distintos. Esta é a situação inicial no século XIX, no qual surgem os aparelhos.

Mas essa situação se modificou inteiramente na atualidade. A modificação é devida ao método do feedback. O homem, como ser aberto para a fé, não pode recorrer sempre ao feedback. Surgem informações espantosas, que exigem sempre de novo uma reformulação de sua crença 0. E isso emperra o seu funcionamento. O aparelho funciona de forma diferente. Não é inibido. Aceita toda e qualquer informação indiscriminadamente, e adapta-se a ela. Toda nova informação, desde que vazada na sua língua, serve-lhe de incentivo. O aparelho é um sistema totalmente aberto a novas informações, justamente por estar totalmente fechado ao transcendente. Não tem, como se diz, preconceitos. E esta sua abertura para as informações modifica, inclusive, o seu programa primitivo. Amplia a língua que lhe é estrutura. O aparelho aprende por assim dizer novas línguas, que ampliarão constantemente o repertório inicial pelo qual foi programado. Escapa assim paulatinamente ao controle humano. E muito embora conserve sempre a sua primitiva simplicidade e pobreza, a sua cretinice ultrapassa rapidamente o homem enquanto ser que funciona à base de uma crença 0. Essa óbvia superioridade do aparelho é justamente o que força o homem a se empenhar nele como funcionário, como instrumento, ou a ser iluminado pela progressiva perfeição do aparelho. O discurso passou, doravante, do homem para o aparelho. Embora, portanto, geneticamente programado pelo homem, passa agora o aparelho a programar o homem. E isso é o aspecto mais infernal do método do feedback.

Como disse, havia originalmente aparelho de programações diferentes, produtos de vontades humanas em conflito. Mas é óbvio, pelo método pelo qual os aparelhos modificam paulatinamente o seu programa, que todos os aparelhos tendem a alcançar uma programação unificada. Na medida em que recebem novas informações, ampliam o seu repertório, e os repertórios ampliados tendem a se espalharem uns para os outros. Embora, portanto, os centros de programação sejam originalmente distintos para cada aparelho, tendem a se confundir quanto ao espaço do seu funcionamento. E há mais o seguinte: os aparelhos, num dado estágio do seu funcionamento, programam outros aparelhos. Procriam aparelhos. Esses aparelhos de terceira e quarta geração já quase não evidenciaram a programação original humana. Não são mais instrumentos da vontade humana, a não ser se vistas apenas historicamente. São, como seres atuantes, articulações da vontade dos aparelhos, já que por eles programados. Surge, pois, a pergunta seguinte: qual é a vontade do aparelho, ou, reformulando, qual é a tendência de uma programação que se renova e amplia automaticamente?

Creio que a terminologia usada pela teoria da informação ajuda a formular a resposta. Os termos a serem empregados são "ruído", "informação", "redundância" e "feedback". Imaginem, pois, o processo na seguinte forma: o aparelho é um sistema estruturado pelo programa original, isto é, uma rede a captar sentenças informativas. Por que são chamadas "informativas" essas sentenças? Porque são captadas. Informação é o que um sistema capta. Há sentenças que incidem sobre os sistemas sem serem captadas. Passam por entre as malhas da sua rede. Essas sentenças serão chamadas "ruído". Nada significam do ponto de vista do sistema. É óbvio que os termos "informação" e "ruído" são relativos a um dado sistema. Aquilo que é informação para um programa (A) pode ser ruído para um programa (B) e vice-versa. O significado é uma função do programa. Mas informação e ruído são aspectos de sentenças que podem se misturar. Uma sentença pode conter informação e ruído. Com efeito, uma sentença é informativa apenas se contém uma quantidade de ruído. Senão, é redundante. Se uma sentença que incide sobre um sistema consiste exclusivamente em elementos que fazem parte do repertório programado do sistema, essa sentença não informa o sistema. É redundante. Isso significa que sua captação pelo sistema não lhe alterará o funcionamento. Uma sentença assim já é "conhecida", e não precisa ser apreendida. A sua função no sistema é apenas a de reforçar o repertório e de consolidar a estrutura, solidificando a crença. Se, por outro lado, uma sentença consiste exclusivamente em elementos que não fazem parte do repertório programado de um sistema, tampouco informa o sistema. Passa por ele sem poder ser captada, e é ruído. Se, no entanto, consistir essa sentença em elementos do repertório do programa e de elementos estranhos, torna-se informativa. Pelos seus elementos "conhecidos" pode o sistema captar a sentença, e assim "apreender" os elementos novos. A informação é, portanto, uma qualidade de sentenças que resulta da presença de redundância e ruído. Dentro de determinados limites a informação é tanto maior quanto maior for o ruído, porque proporciona ao sistema maior quantidade de elementos novos. Passados esses limites determinados, a sentença deixa de ser informativa, porque a quantidade alta de elementos novos impossibilita a captação da sentença pelo sistema. O assunto da teoria da informação é o cálculo da proporção entre redundância e ruído, e a sua função dentro de um sistema.

Uma vez captada a sentença informativa, são os seus elementos novos incorporados no repertório do sistema. O sistema "aprendeu" esses elementos. Se esses mesmos elementos incidirem futuramente sobre o sistema, serão redundantes. E quanto mais frequentemente aparecerem, tanto mais serão redundantes. Mas não é apenas isso. Os novos elementos que aumentaram o repertório, tendem a modificar paulatinamente o programa. Formam novas estruturas. Não apenas espalham, mas densificam a rede estrutural do sistema, e o tornam apto a captar não apenas um número maior de sentenças, mas também um número maior de formas de sentenças. A medida desse processo que transforma o programa do sistema é uma equação matemática formalmente idêntica com a segunda lei da termodinâmica, a "entropia". E essa é, pois, a tendência de todos os sistemas programados. Esta é a vontade do aparelho: transformar o seu programa até que este alcance uma estrutura na qual todas as sentenças que sobre eles incidirem sejam redundantes. O programa do aparelho é eliminar todos os ruídos, e isso significa que o seu programa é tornar tudo redundante. Com efeito, essa formulação é o aspecto formal da aposentadoria. A eliminação do ruído significa a eliminação de toda ocupação e preocupação, porque o ruído é o elemento perturbador e espantoso naquilo que sobre mim incide. E tornar tudo redundante, significa tornar tudo insignificante, por não informativo. A teoria da informação e a lógica formal são disciplinas que formalizam Camus e tornam calculável o absurdo. Que é, afinal, um duplo absurdo.

Pode-se objetar a esta visão terrificante do futuro, a esta visão que calcula o processo da absurdificação, que ela não interessa existencialmente. Pode-se objetar que os aparelhos atuais estão longe de terem alcançado um estágio no qual as sentenças que sobre eles incidem sejam redundantes. Mas a objeção seria falsa. Do ponto de vista humano, do ponto de vista do funcionário empenhado no aparelho, o estágio redundante está sendo alcançado atualmente. Porque as sentenças informativas que incidem atualmente sobre o aparelho já não são mais informativas para o funcionário empenhado. O funcionário não pode mais compreender as sentenças que informam o aparelho. O repertório de funcionário é infinitamente menor que o repertório do aparelho. Isso porque os papéis se inverteram. Longe de programar o funcionário o aparelho, é o funcionário por ele programado. A língua que lhe serve de estrutura é infinitamente mais pobre que a língua que estrutura o aparelho. Por isso o aparelho continua ainda apreendendo e compreendendo sentenças, mas o funcionário, com sua capacidade compreensiva menor, não mais as capta. A conversação significante da atualidade processa-se no nível do aparelho. No nível do funcionário já alcançou o estágio da redundância, da conversa fiada. O funcionário recebe apenas os resultados da conversação do aparelho na forma do produto. E fornece informações ao aparelho pelo sistema do feedback. E assim já se realizou a vontade do aparelho quanto ao homem: o homem tornou-se redundante. Do ponto de vista do homem, do ponto de vista de um elemento redundante do aparelho, todos os programas de todos os aparelhos já se confundem, porque deixaram de ser informáticos para ele. Mas isso significa também que todos os aparelhos deixaram de interessar ao homem. Está surgindo uma nova era.

4.3.2. RUPTURA

Considerem como funciona atualmente a conversação no nível do aparelho. Para essa consideração, toda e qualquer repartição do aparelho pode servir de exemplo. Toda repartição conversa sentenças igualmente incompreensíveis aos funcionários que nela estão especializadas, e *a fortiori* aos que funcionam em outras especialidades. Escolhi, como exemplo, a repartição chamada "ciência exata". Escolhi essa repartição justamente porque a ciência era o que interessava durante a Idade Moderna, e para mostrar que não pode interessar atualmente.

Ciência exata é um discurso que se dá atualmente em repartições chamadas "universidades", "fundações" e "laboratórios industriais", e obedece ao programa do aparelho. O aparelho fornece a essas repartições os temas a serem discursados e os meios de discursá-los. Os temas estão relacionados com o programa geral do aparelho, e os recursos delegados às respectivas repartições correspondem à função do tema no conjunto do funcionamento do aparelho. Por exemplo, o tema fornecido é balística, que funciona em função das viagens interplanetárias, que por sua vez funcionam em função do prestígio do aparelho "Estados Unidos". Outro exemplo: o tema fornecido é informação genética, que funciona em função da agricultura, que por sua vez funciona em função do aparelho "União Soviética". A pesquisa científica deixou de ser, como o foi na Idade Moderna, uma indagação da natureza pelo homem, para passar a ser uma ampliação do repertório do aparelho.

A repartição dispõe, como ponto de partida, de um estoque de informações armazenadas em livros e revistas especializadas. Essas informações estão relacionadas com o tema que lhe foi proposto pelo aparelho. São sentenças vazadas em linguagem científica, que é uma variante de línguas humanas. Ultimamente estão sendo transferidas essas sentenças para memórias de computadores, e traduzidas nesse processo para outro tipo de linguagem. A massa das sentenças informativas da qual dispõe a repartição ultrapassa de longe a capacidade abarcadora de um intelecto humano.
É a própria repartição que tem ao seu dispor essas informações, e não um funcionário que nela está especializado. A repartição distribui essa massa de informação entre turmas de funcionários, para que a manipulem de acordo com o programa do aparelho. Essa manipulação resulta em novas sentenças informativas, que são acrescidas ao estoque existente e, pelo sistema de feedback, à estrutura total do

aparelho. O método é enormemente eficiente. A massa de sentenças informativas aumenta geometricamente, as repartições especializadas vomitam livros e revistas e programam conferências internacionais científicas nas quais pululam sentenças informativas. E os computadores devoram, ávidos, essas sentenças novas para acrescentá-las às suas memórias infalíveis. É assim que funciona a ciência atualmente.

As turmas de funcionários que manipulam os segmentos da massa informativa e articulam sentenças novas não passam de instrumentos. Não têm compreensão da informação que manipulam, porque não transcendem o seu setor especializado. Mas essa degradação ao cientista moderno em funcionário de uma turma especializada é mascarada pelo aparelho. O aparelho envolve a sua repartição científica em aura de falso mistério, e glorifica os seus especialistas por prêmios Nobel e outras honrarias. Simultaneamente exerce o aparelho um controle especialmente rígido sobre o funcionamento desses especialistas. Faz isso como concessão ao papel preponderante que a ciência tinha tão recentemente na Idade Moderna. Mas é óbvio que essa mistificação da repartição científica é um estágio passageiro. Dentre em breve serão substituídos paulatinamente os funcionários humanos dessa repartição por instrumentos mais eficientes. Pela eliminação dos funcionários humanos será eliminada também a teoria científica, e isso garantirá, por sua vez, um desenvolvimento ainda mais rápido da ciência exata.

PÁG. 351 A única "teoria" pela qual se desenvolverá a ciência doravante será o programa do aparelho. E podemos imaginar perfeitamente um estágio futuro, no qual essa repartição será fechada. O aparelho funcionará sem ela. Será o fim da ciência, perfeitamente lógico, já que a ciência atual não é, como o era antigamente, a articulação de uma existência pré-ocupada, mas uma função do aparelho.

As sentenças que as repartições científicas articulam são perfeitamente compreensíveis para o aparelho. A prova disso é que resultam em produtos. Mas como são vazadas em linguagem especializada, são incompreensíveis aos homens. Apenas os especialistas compreendem essas sentenças, embora as compreendam somente dentro de um contexto restrito. Pois uma das funções desses especialistas é traduzir essas sentenças para a língua cotidiana. O aparelho evoluiu, com efeito, sub-repartições especializadas para essa tarefa. Assim surgem as obras vulgarizadoras e explicativas da ciência, a serem consumidas pelos funcionários em férias remuneradas e na aposentadoria. Mas essas obras falsificam, pela tradução, as sentenças primitivas. A língua cotidiana não tem mais a mesma estrutura da língua científica, porque esta se adaptou ao programa do aparelho. As visões do mundo que as obras vulgarizadoras projetam não concordam, estruturalmente, com as informações fornecidas pelas repartições da ciência exata. Mas são o único acesso do funcionário ao discurso do aparelho. O funcionário não compreende mais o que o aparelho está dizendo. Não o compreende porque não dispõe de capacidade equivalente. Mas não o compreende também (e esta razão é mais profunda) porque não conhece a língua do aparelho. Foi eliminado do discurso. E podemos radicalizar esse fato. Os próprios especialistas que articulam essas sentenças podem compreendê-las apenas enquanto especialistas. Não as compreendem enquanto homens. Participam da conversação apenas como instrumentos, mas não como parceiros. Surgiu uma ruptura entre a conversação na qual está empenhado o aparelho e a conversa fiada na qual o funcionário passa a sua carreira e sua aposentadoria.

As equações e os cartões perfurados, os sinais e os diagramas nos quais se articula o aparelho são para nós ruído. E quando traduzidos para nós e nessa língua, são falsificados. A nossa língua serve apenas para conversa fiada. Não articula mais a realidade que é o aparelho. A nossa língua não passa, atualmente, de um sistema redundante. Inclusive a língua na qual está sendo escrito o presente livro. Devemos abandoná-la. A nossa demissão do aparelho é, se vista formalmente, o nosso abandono dessa nossa língua. É o abandono da conversa fiada para a qual o aparelho quer nos condenar pela sua tendência para a redundância derradeira. O diálogo que devemos travar no além do aparelho requer outra língua. Como criá-la?

A ruptura entre a língua do aparelho e a nossa nos deixa, aparentemente, diante de duas alternativas.

(Isto é, se recusamos a participar doravante da conversa fiada na língua antiga, isto é, se resolvemos nos demitir.) A primeira alternativa é esta: aprender a língua do aparelho, a despeito da mesma limitação, para participar da sua conversação e novamente influir nele. A segunda é esta: criar língua nova e ignorar o aparelho. Ambas as alternativas são ensaiadas, atualmente, por espíritos rebeldes. Mas creio que a escolha é falsa. Direi por que creio nisso.

As línguas ocidentais, aquelas, portanto, cuja conversação resultou ultimamente em programas de aparelhos, têm a estrutura "sujeito-predicado-objeto". Estabelecem ao seu redor mundos que consistem em *Sachverhalte*, de coisas relacionadas entre si, como é relacionado o sujeito com o objeto pelo predicado. Procurei ilustrar, no curso deste livro, alguns dos mundos que esta conversação assim estruturada estabelece. Por exemplo, o mundo enciclopédico da nomenclatura, que é o mundo barroco, ou o mundo predicativo do discurso, que é o mundo do romantismo. O aparelho surgiu, como procurei mostrar, da acentuação do verbo *"to do"* nesse discurso predicativo. A sua língua é, portanto, o resultado desse acento. Com efeito, essa língua se distingue da nossa estruturalmente pela supressão do sujeito e do objeto. É uma língua exclusivamente predicadora, nada prática. É por isso que, quando traduzida, se falsifica. As sentenças do aparelho não têm sujeito nem objeto, articulam processos em funcionamento. O aparelho pensa exclusivamente de forma funcional. A nossa imaginação é subjetiva e objetiva. Não podemos imaginar o que o aparelho está dizendo. Ao traduzir os seus enunciados, subjetivamos e objetivamos imediatamente. Traduzimos relações por substantivos como "campo", "estrutura" ou "programa", para podermos imaginar alguma coisa. Mas o aparelho não pensa em *Sachverhalte*, apenas em *Verhalte*. O aparelho não tem sujeito nem objeto. E isso significa dizer que o aparelho é, para nós, absurdo.

Pois bem: o aparelho nos superou porque não conseguimos acompanhá-lo no seu abandono dos substantivos. Embora a nossa tendência desde o Renascimento tenha sido exatamente esta: abandonar os substantivos, não demos o último passo. Este foi dado não por nós, mas pelo aparelho. O derradeiro castigo pela culpa renascentista de abandonar os substantivos é o aparelho. Porque o abandono do substantivo é o abandono da realidade. É preciso sorver a fundo essa afirmativa grotesca. A falta de substantivos no nosso discurso provaria, se e quando alcançada, que o nosso intelecto ficou fechado para aquela região da fé que fundamenta a crença 0. Um discurso funcional como aquele no qual se articula o aparelho pode eliminar substantivos, porque está fechado para o transcendente. Discutirei, imediatamente, o termo "substantivo". Mas antes preciso dizer por que me parece falsa a alternativa entre a tentativa de aprender a língua do aparelho e a tentativa de criar nova língua. É falsa porque a criação de nova língua requer a superação da língua do aparelho. Se quero forçar nova abertura em direção aos substantivos, preciso passar pelo estágio funcional do pensamento. Tratarei num tópico subsequente do perigo que representa essa opção falsa. Resulta, para aqueles que optam em prol do pensamento funcional, em racionalismo estéril, e para aqueles que optam em prol do salto por cima desse pensamento, em irracionalismo nefasto. Estas observações ficarão, assim o espero, mais claras com o argumento a ser apresentado.

Que é, pois, "substantivo"? O problema que esta pergunta provoca é um problema medieval, intimamente ligado com a contenda escolástica das universais, a qual, como sabemos, contribui poderosamente para a ruína da Idade Média e para o surgir do Renascimento. O fato de estar esse problema agora no centro de interesse prova que deixamos de ser modernos. Do ponto de vista dessa conversa pode toda Idade Moderna ser definida como a época do nominalismo. O aparelho, por ter eliminado substantivos do seu discurso, pode ser definido como a vitória derradeira do nominalismo. Mas é óbvio que na atualidade o problema não se apresenta escolasticamente. Apresenta-se, a meu ver, na seguinte forma: as nossas línguas consistem, pela sua estrutura, em palavras. (Embora, como discutirei mais tarde, tenhamos dificuldades em definir o que seja "palavra".) As palavras podem ser classificadas em grupos. A classificação depende do critério preconcebido, mas sob qualquer critério podemos distinguir substantivos. Estas são palavras cuja função é formar sujeitos e objetos de frases. Podemos definir "substantivo" como palavra com esta função, embora tenhamos, destarte, ampliado a definição tradicional, já que incluímos na descrição palavras como pronomes. Podemos distinguir dois tipos de substantivos: nomes próprios e nomes de classes. Haverá, portanto, dois tipos de sentenças, dois tipos de pensamentos. Sentenças contendo nomes próprios serão chamadas "observacionais", e sentenças contendo apenas nomes de classes serão chamadas "teorias". Pensamentos do primeiro tipo serão chamados "concretos", e do segundo tipo "abstratos". O nível das primeiras sentenças será chamado "vida ativa", e do segundo "vida contemplativa". Haverá ainda sentenças sem substantivos, como a sentença "chove". O nível dessas sentenças será chamado "funcionamento".

A vida contemplativa que consiste em sentenças teóricas surge da vida ativa que consiste em observações concretas. O método pelo qual surge é o da indução por salto. Nomes de classes são induzidos de nomes próprios por salto. O funcionamento, que consiste em sentenças sem substantivos, também surge da vida ativa, mas por método diferente. Surge pela supressão de substantivo pelo verbo ou por outra palavra relacional, por exemplo, pela supressão do substantivo "chuva" na sentença "chove chuva". Uma análise das sentenças teóricas e das sentenças funcionais revelará sempre um nome próprio como sua origem concreta. A vida contemplativa será tanto mais abstrata quanto mais distante do nome próprio concreto. E o funcionamento será tanto mais absurdo quanto mais afastado do nome próprio concreto. A máxima abstração é aquela alcançada pela lógica formal e pela teoria dos números da matemática pura. O máximo absurdo é aquele alcançado pelas sentenças funcionais dos computadores. Há uma semelhança formal entre sentenças extremamente abstratas e extremamente funcionais, embora tenham surgido por métodos diferentes. Ignoremos por enquanto esta semelhança, e formulemos outra pergunta. Se a sentença teórica surgiu pela substituição do nome próprio pelo nome de classe, e se a sentença funcional surgiu pela supressão do nome próprio, como surgiu o nome próprio mesmo?

A pergunta demanda, com efeito, a origem da língua. E como a língua é o nosso programa, a nossa crença 0, demanda, com efeito, a origem da nossa crença 0 e de todas as nossas crenças subsequentes. É uma pergunta fundamental, porque demanda o fundamento. Pela sua formulação superamos o nosso programa e transcendemos a nossa condição de seres programados. O fato de podermos formulá-la prova que existimos. Com efeito, esta é uma das formas da pergunta que formularemos na solidão da demissão do aparelho. Se refletirmos, isto é, se invertermos o fluxo dos nossos pensamentos, esbarramos sempre contra um nome próprio como contra uma barreira instransponível. O nome próprio é o último ponto que podemos alcançar reflexivamente. Se perguntamos: "O que é essa mesa?", não podemos responder a não ser pela palavra "isso", ou por um gesto. Qualquer outro tipo de resposta, por exemplo, "é um móvel", já é antirreflexiva, porque é abstração e afastada do concreto. "Essa mesa", sendo nome próprio, é a barreira do pensamento reflexivo e, portanto, a fonte do pensamento discursivo. Em última análise somos programados por substantivos como "essa mesa". A Idade Moderna é a Idade que se contenta com a barreira. Para ela é a realidade o conjunto de nomes próprios, portanto uma realidade dividida entre sujeito e objeto. Esta é a sua culpa. Ao formularmos a pergunta pela origem do nome próprio, estamos superando a Idade Moderna. A fenomenologia, o existencialismo e a lógica formal são tentativas de resposta. São, queiram ou não queiram sê-lo (e a lógica formal não quer sê-lo), ontologias. Ao perguntar pela origem dos nomes próprios, perguntam pelo ser dos entes.

Ensaiarei uma resposta. O nome próprio surge num ato criativo pelo qual a realidade fundante se articula. O nome próprio é um grito espantado pelo qual o encoberto se descobre a si mesmo. O nome próprio é o ato pelo qual a virtualidade inarticulada se estabelece em realidade. Esse ato primordial criador é ambivalente. Tem dois aspectos. O seu aspecto interno e subjetivo é o pensamento. Visto assim, estabelece o nome próprio um conceito. O seu aspecto externo e objetivo é a coisa. Visto assim, estabelece o nome próprio um objeto. O fundamento inarticulado estabelece, ao articular-se pelo nome próprio, o mundo subjetivo do pensamento, e o mundo objetivo das coisas. Pensamento e coisa são consequências da articulação do fundamento inarticulado. São reais apenas em relação a esse fundamento inarticulado. A esquizofrenia que caracteriza a Idade Moderna reside no fato de ser ela uma procura de adequar os dois mundos sem relacionar essa adequação com o fundamento inarticulado. O presente livro é a tentativa de ilustrar as peripécias dessa loucura. O retorno para essa realidade fundante, que é a formulação da pergunta pela origem do nome próprio, é um movimento em busca de sanidade.

A resposta que ensaiei é necessariamente falha. É falha porque recorri, ao formulá-la, à língua portuguesa. Mas é preciso de outra língua para formular algo que não é pensamento no significado moderno do termo. Não podemos transcender o nosso programa pela nossa língua, que é nosso programa. Ao avançarmos nessas regiões inóspitas do inarticulado com a ajuda da nossa língua, estamos encobrindo o inarticulado. Este é o paradoxo do pensamento. Encobre o inarticulado, ao invés de descobri-lo. Mas, a despeito disso, sinto que, se formular a minha resposta, estou forçando uma abertura na parede que a língua estabelece ao meu redor para me fechar.

Sinto que há em mim uma abertura pré-linguística, pela qual comungo com o inarticulado. Uma abertura que a Idade Moderna procurou fechar, e que o aparelho atual está fechando, mas que ainda persiste, desde que a procure. Que as portas da "Lei" estão abertas, como nos diz Kafka, e que a história do pensamento é mais que uma coleção de feridas adquiridas ao lançarmo-nos contra a parede da língua, como Wittgenstein quer fazer crer os seus leitores. Por que sinto isso?

Porque o ato que articula o nome próprio é um ato poético no significado mais exato do termo, e porque sinto em mim a força da poesia. Se digo que no ato da articulação do nome próprio a virtualidade se estabelece em realidade, digo que se estabelece poeticamente. Vejo que a sentença "No início era o Verbo" e a sentença "No início era o ato" (esta dicotomia fáustica) são no fundo a mesma. O ato criador é o ato poético da articulação da palavra. E sou de certa forma eu que a articula. É por mim e em mim que o nome próprio se formula. Sou eu a boca pela qual se dá o grito do inarticulado. Eu sou a articulação, e foi assim que fui programado. Mas no meu fundo mais íntimo esconde-se o inarticulado. Sou totalmente diferente do inarticulado porque sou língua. Mas o totalmente diferente de mim habita as minhas entranhas. Se reflito, se vou contra mim mesmo num diálogo interno, esbarro contra aquilo que me é totalmente diferente. Descubro, como barreira da minha reflexão e, portanto, como fundamento do meu ser, aquilo que me é totalmente diferente. E descubro isso como aquela vibração espantosa em mim que faz com que eu possa articular nomes próprios novos. Descubro a realidade em mim pela minha vibração com o inefável, que é a minha tendência para poesia.

A ruptura que se deu entre a língua do aparelho e a língua humana pode agora ser vista sob um prisma diferente. O aparelho é um sistema fechado contra a vibração poética com o inefável, e a sua língua o prova formalmente. Não tem substantivos. O funcionário é um ser fechado contra a vibração poética com o inefável, e a sua língua o prova formalmente. Consiste em substantivos que lhe são fornecidos pelo aparelho. Demito-me do aparelho, recuso-me a continuar falando nessas duas línguas, para retomar o contato com o inefável, e para retomá-lo pela poesia. E um dos métodos da demissão, com efeito, um método indispensável, é a análise formal das duas línguas das quais estou me demitindo. A alternativa da qual falei no início é falsa. Devo superar as duas línguas exaustas, profanadas e prosaicas pela sua análise formal, a fim de desvendar a sua estrutura. Ou em outras palavras: é pela teoria que devo procurar reencontrar a vivência concreta. Pelo caminho inverso.

Aquilo que acabo de dizer é absurdo. Mas talvez seja absurdo apenas por ter sido formulado discursivamente. O que preciso é superar o pensamento discursivo. E o que acabo de dizer é justamente uma tentativa de superar o pensamento discursivo. Se digo que é pela teoria que superei o aparelho e reencontrarei a concretude, estou dizendo que será pela superação de todos os modelos que reconquistarei o fundo de todos os modelos. E ao dizer isso, estou confundindo ciência e poesia. Ciência passa a ser, para mim, aquele discurso que desvenda todos os modelos para entrar em contato com o inefável. E com essa confusão, que arranca a ciência do seu contexto moderno e a arrasta para um contexto inteiramente novo, estou forçando, deliberadamente (é preciso confessá-lo), uma abertura. A confusão que estabeleço é deliberada. A ciência passa a ser um discurso cuja meta é superar o discurso. Faço doravante ciência a fim de destruir a ciência no sentido moderno do termo. Mas não é exatamente o que está acontecendo atualmente?

Falei da semelhança formal entre as sentenças teóricas da análise lógica e as sentenças funcionais dos computadores. A semelhança provada pela possibilidade de tradução entre ambas. Explico essa semelhança pela problemática profunda que se esconde na teoria moderna, e da qual falei no curso deste livro. A teoria moderna não é, como a teoria clássica e a prece medieval, um salto para o transcendente, mas um esvaziamento metódico dos nomes próprios em nomes de classes. É uma disciplina estritamente discursiva. Os nomes de classes da teoria moderna são nomes próprios esvaziados de significado. Alcançado um estágio alto de esvaziamento, como na lógica formal, podem ser esses nomes de classes abandonados. A lógica atual é este abandono, e é nisso que ela se distingue tão radicalmente da aristotélica, da qual é desenvolvimento. E é por isso que ela se confunde, atualmente, com sentenças funcionais do aparelho. A teoria moderna parte de premissas nominalistas e acaba sendo funcionamento. A vida teórica, que é falsa vida contemplativa na Idade Moderna, acaba sendo funcionamento. O instrumentalismo vitorioso o prova. Mas essa transformação da teoria científica em função do aparelho esvazia a ciência e a torna aberta para novo significado. Mostra, pelo caminho inverso, que ciência é um discurso deliberado cuja meta foi programada. E isso altera, como que por salto mortal, o seu clima. Deixa de ser o método pelo qual o intelecto se adéqua à coisa extensa, ou o método pelo qual o homem se realiza na natureza, ou o método pelo qual o aparelho funciona, e passa a ser uma articulação sem significado. Uma articulação gratuita, uma articulação *gratia artis*, é arte. A ciência passa a ser arte. E agora não mais num sentido nietzschiano como instrumento de uma vontade vital, mas como uma espécie disciplinada de prece. Porque não é mais articulação de uma vontade, seja humana, seja do super-homem chamado aparelho, mas sim articulação, em última análise, do inefável.

Receio, novamente, que a minha exposição, por mais lógica que queira ser, é, exatamente por isso, confusa. Apelo, portanto, à compreensão intuitiva dos leitores de um argumento que não é mais argumento. Tudo que digo agora se refere ao futuro, portanto às regiões ainda não pisadas. A tarefa de tornar imaginável essa região é tarefa de gerações vindouras. A nossa é apenas a de limpar o terreno. A confusão é a nossa praga, como o é de todas as gerações em trânsito entre idades. Mas uma coisa me parece clara: a demissão do aparelho, formalmente provocada pela ruptura entre a conversação do aparelho e a conversa fiada dos funcionários, aponta para a região da poesia, na qual a ciência se transformará em arte em busca de uma nova linguagem.

4.3.3. CONCRETO

A volta para a realidade concreta passa, pois, pelo terreno de uma teoria da língua. Seria esta a única passagem? Não sei responder a esta pergunta. Para mim é a única passagem que vislumbro. Vejo o aparelho como sistema linguístico a me fechar, vejo uma nova teoria da língua como a abertura pela qual posso escapar ao cerco. E vejo, na minha fantasia, um novo tipo de vida contemplativa no horizonte dessa teoria. Uma vida ativa no sentido de poeticamente produtora de realidades, e uma vida contemplativa no sentido de salto para o transcendente. Em outras palavras: vejo no horizonte de uma teoria da língua a reconquista da condição humana como existência aberta ao que lhe é totalmente diferente. Confesso que é uma visão subjetiva e nebulosa. Mas a contemplação da atualidade parece querer comprovar que essa visão é complicada por muitos. Somos muitos os que procuram, no diálogo da solidão, por nova linguagem a articular o concreto, e a saltar dali para o transcendente. Somos muitos os que se recusam a tomar o aparelho por realidade e que procuram esvaziá-lo de interesse por um novo tipo de pensamento. E os ensaios desses muitos perfazem a cultura da atualidade. Não aquela que o aparelho derrama sobre a aposentadoria, mas outras. Vivemos atualmente em duas culturas. A do aparelho e a que começa a se articular em oposição e rebeldia ao aparelho. Dessa segunda cultura falarei em seguida.

Definimos a cultura da atualidade como o conjunto de obras que visam a captação do concreto pelo abandono do discurso, e que são resultados de uma teoria da língua. Em certo aspecto são essas articulações de uma nova religiosidade, porque ao visar o concreto visam o fundamento transcendente. Em outros aspectos são articulações de demissão do aparelho, porque, ao abandonar o discurso, abandonam o aparelho. E em mais outro aspecto são articulações científicas, porque resultados de uma teoria. Dados esses aspectos múltiplos, creio que a classificação tradicional da cultura em arte, ciência, filosofia e religião está superada. Já procurei mencionar o aspecto artístico da ciência nesse sentido. O mesmo aspecto artístico como momento de criação poética caracteriza a filosofia. E a arte atual é, por sua vez, uma disciplina com métodos científicos e uma pesquisa filosófica e fundada sobre filosofia. E todas as três, arte, ciência e filosofia, são atualmente articulações da nova religiosidade. Com efeito, o critério tradicional, se aplicado a uma determinada obra, apenas ofusca o seu significado. Um quadro de Klee é significante como pesquisa científica, filosófica e religiosa. Uma equação de Heisenberg é significante como pesquisa artística, filosófica e religiosa. Um tratado de Camus é significante como pesquisa artística, científica e religiosa. Abandonarei, pois, o critério tradicional, e enfocarei a cena cultural de outro prisma. Com efeito, creio que este é um sintoma da atualidade: obras classificáveis tradicionalmente não fazem parte da cultura da atualidade. São produtos de repartições especializadas do aparelho.

A cultura como conjunto de obras que visam a recaptação do concreto, uma cultura realista, portanto, num sentido antimoderno do termo "realidade", é uma cultura que se abriu para o inefável a fim de articulá-lo. O seu interesse está nisso, e é por isso que está desinteressada na realidade no significado moderno, isto é, no aparelho. É uma cultura alienada do aparelho, da realidade no sentido do moderno, e justamente por isso é a primeira cultura desde o Renascimento que procura superar a alienação que é a Idade Moderna. Um critério para enfocá-la é, pois, aquele que a contemple como diversas formas da articulação do inefável. Podemos distinguir, grosso modo, duas: obras que recorrem a uma linguagem deliberadamente não discursiva para captar o concreto, e obras que recorrem a uma linguagem discursiva para abrir o caminho até o concreto. Na primeira categoria estão localizadas aproximadamente aquelas obras que são tradicionalmente classificadas como ciência e arte, na segunda aquelas tradicionalmente classificadas como filosofia. Mas a distinção não é nítida, já que há momentos francamente discursivos na primeira categoria e francamente não discursivos na segunda, tratarei da primeira.

A superação do discurso é a tentativa de reformular a estrutura do pensamento, isto é, de reformular a crença 0 de fora. Deve ser explodida a estrutura das nossas sentenças, que é "sujeito-predicado-objeto", que é figurativa. Como pode ser feito isso? No início da matemática e da lógica formal isso pode ser feito pela substituição da lógica linear por uma lógica multidimensional e que é concebida não como espelho de uma suposta realidade, mas como jogo. A explosão do discurso nesse nível permite a construção lúdica de sistemas lógicos, como espaços, relações e sistemas *ad hoc* compostos. A lógica e a matemática passam a ser uma arte que constrói poeticamente mundos que sabem serem modelos. E por saber isso estão a lógica e a matemática localizadas no além desses modelos todos. Estão elas situadas naquele momento de escolha no qual a realidade se dá poeticamente. Está superado o pensamento funcional, porque todo modelo deliberadamente construído funciona à sua maneira, e não é o funcionamento que interessa. O que interessa é o fundamento comum a todos os modelos, que é inefável (gödeliano). A estrutura "sujeito-predicado-objeto" é substituída por estruturas livremente intercambiáveis para abrir a visão fundante do concreto inefável.

Esses modelos deliberados construídos pela lógica e pela matemática podem servir de linguagem intercambiáveis para as teorias da ciência exata. A ciência passa a ser teoria num significado antimoderno. Passa a ser um jogo com estruturas que transcendem o concreto e incidem sobre ele de ângulos diferentes. Em outros termos: a ciência passa a ser uma múltipla explicação de momentos concretos inefáveis, uma explicação cujo significado não é mais o de liquidar o problema, mas o de articulá-lo em estruturas diferentes. O problema mesmo, a essência do fenômeno, é reconhecido, por esta nova ciência, como o fundamento concreto de jogos abstratos, e a ciência é reconhecida como arte abstrata. Portanto a ciência não é mais um subjugar do concreto (como o era a ciência moderna), e passa a ser, em certo sentido, uma adoração do concreto.

No nível da língua *sensu stricto* a explosão da estrutura "sujeito-predicado-objeto" pode ser feita pela substituição da escrita linear por uma escrita plana ou espacial, e pela infiltração, nas nossas sentenças, de estruturas de línguas estranhas. O efeito desses dois métodos é diferente. A substituição da escrita linear por outra dilui a estrutura rígida da nossa programação e abre o nosso intelecto para a captação de sentenças que não foram programadas como significantes. E a introdução de estruturas estranhas interrompe o fluxo do discurso e abre bolsões pelos quais a crença 0 se torna permeável a outros tipos de crenças. Em seu conjunto o efeito desses ensaios, exemplificados pela poesia concreta, pelo teatro do absurdo, pelo *nouveau roman*, etc., é o de desvendar o caráter modelador da nossa língua, e abrir fendas pelas quais podemos escapar do modelo para captar o conceito inefável. Ao mostrar vivencialmente que a realidade no sentido moderno do termo é uma função da programação pela nossa língua, esvaziam estas disciplinas a realidade nesse sentido de interesse, e transferem o interesse para o além do modelo.

No nível da língua da música o problema da explosão da estrutura é um pouco diferente. A música age como corpo estranho em toda a Idade Moderna. Nela se articula um senso de realidade alheio à realidade moderna. A música moderna sabe-se sempre articulação do inefável concreto. É, portanto, como que o núcleo de um novo tipo de pensamento e de realidade em toda a Idade Moderna. Não adéqua o pensamento à coisa, nem realiza o pensamento na natureza, mas brota do fundo transcendente. Em certo sentido podemos dizer que a cultura da atualidade é uma musicalização de todas as disciplinas. Podemos, creio, captar, o significado da nova ciência, arte, filosofia e religiosidade, se as considerarmos como composições no sentido musical do termo. E é por isso que, curiosamente, a música atual é um anticlímax.

No nível da linguagem plástica, dos símbolos em planos e espaços e dos gestos congelados, a explosão da estrutura "sujeito-predicado-objeto" pode ser observada com nitidez especialmente clara. Essas obras, por deixarem de discursar, por deixarem de ser figurativas, mostram claramente o significado da nova linguagem. É este: as obras não têm mais assunto externo, mas são seu próprio assunto. Não adéquam algo com algo, mas articulam poeticamente o concreto. São diálogos não discursivos do inefável consigo mesmo. Essas telas e estruturas plásticas são mundos em seu próprio direito, equivalentes aos mundos projetados pelas diversas ciências com suas estruturas deliberadas. São modelos. Com efeito, o significado de uma teoria biológica e de uma tela é o mesmo: articular o concreto em modelo deliberado. A contemplação dessas obras desvenda para nós a qualidade deliberada de todo modelo, e abre-nos para o abandono desse modelo prepotente que é o aparelho, porque prova que o aparelho é apenas um entre outros modelos.

A segunda categoria das obras da cultura atual é constituída por obras em língua discursiva que são (como o é, à sua maneira, este livro) tentativas de abrir o caminho até o concreto. Em última análise são todas essas obras teorias da língua. São, em outras palavras, tentativas de forçar o caminho da fé pela razão discursiva. São razão discursiva invertida contra si mesma. São reflexivas. Brotam de duas raízes: de um lado da fenomenologia e do existencialismo, e de outro da análise formal da lógica. Não são filosóficas essas obras no sentido moderno do termo, e não o são por duas razões diferentes. Não procuram explicar as aparências dentro das aparências, e não procuram continuar minuciosamente o discurso filosófico dos últimos quatrocentos anos. Mas são obras semelhantes à filosofia no sentido grego do termo. Procuram ultrapassar as aparências e ingressar no reino do transcendente. Mas é óbvio que o seu método não é grego. O mundo das aparências é agora concebido como o mundo lançado para cá pelos modelos que são resultados da programação de línguas. E o transcendente é concebido como o momento de decisão concreta inefável no qual se dão línguas. É por isso que essas obras são sínteses de dois aspectos: do aspecto existencial, porque o momento de decisão é analisável apenas existencialmente; e do aspecto formal, porque modelos são analisáveis apenas formalmente. Se, portanto, sob certo aspecto, está voltando a atualidade para uma espécie de platonismo (o mundo das aparências lançado por modelos), sob outro aspecto é extremamente antiplatônica (os modelos como momentos de decisão deliberada). A superação da Idade Moderna por esse tipo de cultura é ainda um movimento da cultura ocidental, no sentido de apoiar-se sobre tradições pré-modernas, mas é também um movimento que aponta para fora do Ocidente, no sentido de negar o pensamento discursivo que caracteriza todo o Ocidente. É um movimento bivalente.

Pois se o leitor aceitar o meu esboço da cena da cultura autêntica da atualidade, concordará comigo que as suas categorias fundamentais são os termos "concreto" e "abstrato". São categorias que situam a atualidade e, quiçá, o futuro. Procuremos iluminar os termos. Direi que concreto é aquele momento no qual o fundamento inefável se articula por mim na forma de nomes próprios, e que eu sou concreto porque o inefável se articula por mim nesses momentos. É o que o pensamento existencial chama de "vivência", e o que a Idade Média chamava de "*vita activa*". Vivo no sentido de estar sempre aberto à articulação do inefável. Vivo exatamente por não estar englobado pela situação estabelecida ao meu redor por vários modelos, vivo exatamente por não estar totalmente programado, mas vivo por estar eu aberto para o além do meu programa. E direi que abstrato é aquele processo em mim e ao meu redor pelo qual a articulação do inefável se estrutura, ludicamente, em modelos. É o que o pensamento existencial chama de "pensamento", o que Schopenhauer chama de "representação", e a Idade Média de "*vita contemplativa*". Mas creio que na situação, atual as duas categorias, "concreto" e "abstrato", adquiriram um significado radicalmente novo.

As épocas anteriores à Idade Moderna valorizavam a vida ativa em função da vida contemplativa. O homem agia para poder contemplar, e o concreto era o ponto de partida para o abstrato. A Idade Moderna inverteu esses valores, e este é, com efeito, um dos aspectos que a torna moderna. A vida contemplativa passava a ser uma função modeladora da vida ativa. O homem contemplava para agir e o abstrato era o ponto de partida para o concreto. No contexto atual a hierarquização das duas vidas perdeu significado. É igualmente ruído dizer que vivo para pensar ou que penso para viver, porque atividade e pensamento são revelados como os dois polos entre os quais pendula a língua. Quaisquer que sejam os termos pelos quais queiramos designar esse movimento pendular, os polos são sempre o nome próprio e o nome de classe. Podemos chamar o movimento do concreto para o abstrato de "indução", ou de "fé", ou de "lançamento poético de modelos", e podemos chamar o movimento do abstrato para o concreto de "dedução", ou "obra", ou "aplicação de modelos", mas sempre sabemos que um movimento funciona em função do outro. Um não é apenas inversão, mas também aspecto reflexivo e espelho do outro. A vida é uma contemplação invertida, porque ao passar do concreto ao abstrato concretiza o abstrato. E a vida contemplativa é uma atividade invertida, porque, ao passar do abstrato ao concreto, faz abstração do concreto. Com efeito, podemos dizer que a vida ativa é, em certo sentido, a verdadeira contemplação, porque se afasta do concreto. E, no mesmo sentido, podemos dizer que a vida contemplativa é a verdadeira atividade, porque concretiza. E essa visão da vida como movimento pendular entre o concreto e o abstrato, essa visão da vida como movimento que se choca contra duas barreiras e que são estruturalmente barreiras da língua, é, creio, a visão do homem do futuro. Este homem será, por assim dizer, uma existência duplamente aberta. Será aberta para o concreto, porque no choque com o inarticulável, que é o ponto máximo alcançado pela contemplação, articulará um nome próprio novo e será poeta. E será aberta para o abstrato, porque no choque com o inarticulável, que é o ponto máximo alcançado pela atividade, articulará um modelo novo, uma teoria. Será este homem do futuro um ser que terá consciência, por essas duas aberturas, da sua condição e de sua liberdade. A sua condição será a do prisioneiro da língua. E a sua liberdade será a de criador da língua. Ou, em palavras, a sua condição será a do prisioneiro de modelos, portanto, de mundos. E a sua liberdade será a de criador de modelos e, portanto, de mundos. A vida ativa desse ser do futuro será a criação por ética de mundos deliberados e substituíveis. E a vida contemplativa será a visão da dependência desses mundos todos do inefável. Este homem do futuro será um ser que poderá habitar uma multiplicidade de mundos de estruturas intercambiáveis, porque estará ancorado no chão fundante do inarticulado. A sua criação de mundos será um serviço ao inefável, e estes mundos serão obras a serem sacrificadas no altar do inefável pela contemplação redutiva.

O leitor dirá, ao tentar visualizar esta minha profecia, que o meu homem do futuro é indistinguível do Sísifo dos antigos. Que procuro substituir, na minha fantasia, o funcionário por Sísifo, e o paraíso da aposentadoria pelo Hades. Que a minha fantasia diz, no fundo, o seguinte: de duas uma. Ou o aparelho conseguirá evitar demissões em massa, e neste caso não haverá futuro. Será alcançado um estágio derradeiro de aposentadoria, no qual o homem estará mudado em aposentado desocupado e despreocupado. Isso será a plenitude do tempo. Ou a humanidade conseguirá demitir-se e estabelecer, no além do aparelho (agora já esvaziado de interesse), o inferno pendular e sísifico da ação contemplativa e da contemplação ativa. E que, para coroar essa visão absurda, advogo o empenho em prol do inferno e contra o paraíso. A objeção do leitor será válida, mas será válida apenas dentro do contexto dos valores modernos. Os valores que cercam a minha "visão", e que creio são os valores da atualidade, são outros. Têm eles a ver com o termo "penitência", ou, para falar menos escolasticamente, com a submissão àquilo que fundamenta o homem. Confesso que, falando modernamente, o meu homem do futuro vive no inferno, e a aposentadoria, se é que existe, existe no paraíso. Mas insisto que mais vale viver no inferno que não viver no paraíso. Porque ao viver no inferno futuro expiará a humanidade a culpa moderna. Essa expiação será o encontro consigo mesmo. O encontro com a sua condição e com a sua liberdade. O que resultará desse encontro? Confesso que o meu dom profético me abandona nesse ponto. Não consigo imaginar algo além da penitência, para a qual o demissionário se prepara atualmente ao abandonar o paraíso do aparelho e penetrar o inferno do absurdo. O meu dom profético não me permite ultrapassar a atualidade.

Este livro todo, além da diagnose subjetiva da situação atual, é, portanto, também prognose e recomendação de terapia. É, portanto, ridiculamente presunçoso. Mas se considerarmos qual a diagnose, qual a prognose e qual a terapia recomendada, talvez a presunção se dissipe, embora se conserve a ridicularidade. A diagnose é esta: somos seres alienados do nosso fundamento, porque nos arrogamos, criminalmente, a dignidade ontológica de seres inteiramente incondicionados. A prognose é esta: dada esta nossa alienação, seremos transformados em seres inteiramente condicionados pelo aparelho, que passará a ser o nosso fundamento, ou conseguiremos escapar a esse castigo derradeiro e cairemos no abismo do absurdo. E a terapia recomendada é esta: submetemo-nos ao absurdo, na esperança inconfessa de nele encontrarmos um significado. Com efeito, a terapia é uma aposta pascalina: suicídio por suicídio, vale mais escolher o absurdo. Visto assim, talvez não seja este livro tão presunçoso. Recomenda, afinal, apenas o abandono de uma abstração como o é a nossa "realidade", resultado de um modelo absurdo, e recomenda o salto para aquele terreno concreto no além de todos os modelos igualmente absurdos. Mas não deixa de ser ridículo por isso. Pois não é ridículo recomendar algo que não pode ser evitado? Que mais podemos fazer a não ser escolher o absurdo concreto? Não é uma escolha. Se percebemos a nossa realidade como aparelho, só podemos cair no absurdo. Recomendar essa queda é redundante. Mas o que este livro procura mostrar é que essa queda o é apenas do ponto de vista moderno. De um outro ponto de vista é uma subida. No fundo, este livro grita: subamos ao inferno. A rebelião contra o aparelho que recomenda é a submissão ao inferno. Porque na situação atual o Deus dos antigos pode ser vivenciado apenas informalmente. Por culpa das gerações que nos antecederam e O aborreceram. Aceitemos o desafio. Aceitemos a religiosidade que nos é imposta. Uma religiosidade concreta e do concreto. Com a esperança, apenas confessada, de recaptarmos assim um novo senso de realidade.

4.3.4. FIM

Morreremos. Não é preciso ser profeta inspirado para articular essa profecia. As idades anteriores à moderna estenderam o seu pensamento para além da morte. Puderam fazê-lo porque tinham um senso de realidade que abrangia e ultrapassava a morte. A Idade Moderna era toda ela uma tentativa de minimizar a morte, porque perdeu o senso de realidade. Sem esse senso a morte não pode ser ultrapassada. Mas tampouco pode-se viver sem ultrapassar a morte. Para poder viver sem senso da realidade, para poder viver sem ultrapassar a morte, os modernos a minimizavam ao estabelecer o homem como um ser fundante. Era a tentativa frustrada de negar a morte, ao desexistencializá-la e projetá-la para fora, ora para a coisa extensa, ora para a biologia. O resultado era o funcionário, que é a morte em vida. Negando a morte, conseguiu a Idade Moderna torná-la onipotente.

Nós, os atuais, encaramos a morte de olhos abertos. Essa morte onipresente que herdamos das gerações com as quais o Senhor se aborreceu. Para onde quer que nós viramos encaramos a morte. É ela que nos fundamenta. Ela nos fundamenta durante o nosso funcionamento no corriqueiro, e durante os momentos de solidão nos quais nos encontramos. Mas é como se fossem duas mortes. A morte que encontramos no corriqueiro é uma morte ordenada que se nos dá em prestações suaves. No corriqueiro morremos a todo passo aos poucos. Na solidão encontramos como que uma morte diferente. É uma morte que nos acena e nos convida para que com ela entremos em diálogo pendular, ativo e contemplativo. Essa morte nos convida para a vida. Aceitemos a segunda forma da morte. Neguemos a morte a prestações que é o funcionamento. Aceitemos a vida para a morte. E quem sabe essa morte como meta da vida não é o fim da vida? Recusemo-nos a estender os nossos pensamentos para além da morte, vivamos para a morte. Mas essa nossa recusa do querer ultrapassar a morte inclui a recusa de aceitar a morte como fim derradeiro. Se digo que a morte é o fim, já a estou ultrapassando. Nada posso dizer a respeito da morte, nem que ela seja o fim derradeiro. É assim, creio, em movimentos tão tênues e embrionários, que começamos a articular um novo senso de realidade. Não querendo falar o que não pode ser falado. Mas sabendo que o que não pode ser falado é o fundamento de tudo aquilo que pode ser falado. Em outras palavras: que apenas aquilo que não pode ser falado é significante. E que a morte não pode ser falada. E que é ela, portanto, o único significado. Não é este um primeiro movimento em prol da superação do absurdo?

POSFÁCIO
AS GERAÇÕES DE FLUSSER
FILOSOFIA COMO ARQUEOBIOGRAFIA

RODRIGO PETRONIO

MUNDOS E MEIOS

Em geral o nome de Vilém Flusser é associado à teoria da comunicação, às teorias das mídias e à filosofia da tecnologia, em especial ao campo de estudos da fotografia. Essa associação é correta. Afinal, essas são as matrizes da fase mundialmente mais conhecida de seu pensamento, relativa às décadas de 1970 e 1980. E essas duas décadas de fato compreendem algumas obras conhecidas, tais como *Natural:Mente* (1975), *Pós-História* (1979), *Filosofia da Caixa Preta* (1982), *Elogio à Superficialidade: O Universo das Imagens Técnicas* (1983) e *A Escrita: Há Futuro para o Alfabeto?* (1987). Contudo, uma análise detida de sua produção da década de 1960, uma de suas épocas mais fecundas, pode revelar a gênese de sua reflexão ulterior sobre os meios e as tecnologias. Essa gênese consiste em quatro vetores que hoje em dia parecem-nos alheios aos problemas nos estudos das tecnologias e dos meios: a ontologia, a analítica existencial, a fenomenologia e a epistemologia. Isso implica articulações inesperadas entre autores como Heidegger, Husserl e Wittgenstein e a filosofia da ciência.

Desde *A História do Diabo* (1958/1965), que empreende uma desconstrução do pensamento ocidental a partir de uma desconstrução dos atos intencionais de nossa consciência do bem e do mal, passando pelo pluralismo ontológico de uma obra como *Língua e Realidade* (1963) e por *Da Dúvida* (1965), proposta de refundação do pensamento moderno a partir de uma de suas categorias nucleares, o percurso de Flusser consiste em articular esses quatro vetores em direção a um objetivo comum: relativizar o conceito de *mundo*. Diferentemente das concepções românticas de mundo, do mundo da vida [*Lebenswelt*] de Dilthey ou das visões de mundo [*Weltanschauung*] do século XIX, em Flusser a suspensão do conceito *mundo* é metódica e ininterrupta. Estende-se para diversos domínios, fenômenos e extensões. Recobre vastos campos da experiência e do pensamento. Certamente Flusser recorre ao conceito de mundo a partir da abertura desocultante do ser-aí (*Dasein*) de Heidegger, conectada aos mundos-circundantes (*Umwelten*) da biologia existencial de Jakob von Uexküll, como Vicente Ferreira da Silva o fizera. Cosmologia e pluralismo tornam-se sinônimos. Há tantos mundos quanto operadores da percepção houver. Há tantos mundos quanto línguas houver. Há tantos mundos quanto clareiras existenciais se abrirem no horizonte da facticidade. Há tantos mundos quanto meios. A teoria existencial dos mundos é o trampolim para o salto subsequente de Flusser em direção à teoria dos *media*.

PÁG. 381

A fenomenologia das passagens e das reciprocidades entre mundo existencial e meio artificial é o eixo de seu pensamento.

O livro que o leitor tem em mãos, *O Último Juízo: Gerações* (1965-6), é uma das obras-primas produzidas por Flusser na década de 1960. Articula de modo surpreendente esses quatro vetores para propor uma compreensão do pensamento moderno, desde o século XVI até o século XX. E deste em direção ao futuro. Quais seriam os mundos desvelados por Flusser nesta obra? Como o conflito e a convivência entre esses mundos podem estar presentes em nossa experiência imediata e em nosso eventual futuro distante? Narrar a formação da totalidade dos mundos que coabitam e coexistem em nossa experiência contemporânea; imaginar cenários e desdobramentos futuros: estas são as tarefas nucleares desta obra.

ALEGORIAS E FIGURAS

Não por acaso, desde as primeiras páginas o mundo é visto como a realidade circundante. E no entanto essa realidade não é opaca. Guarda diversas camadas, estratos psíquicos e placas geológicas, diagramas de nossa presença e de nossa ancestralidade, ainda vivos e concorrendo por sua vez para que nos mantenhamos vivos. Decompor esse acorde composto da experiência e esse palimpsesto que se escava nas paisagens mais simples e imediatas constitui a tarefa precípua de Flusser. E para isso é preciso tomar o mundo com as mãos do poeta. Descrever a atmosfera da catedral gótica ainda preservada como uma cápsula extinta, mas cuja *forma mentis* que lhe deu ensejo ainda pode ser tocada e sentida dentro de nós. E também é preciso abordar esse mundo de modo elusivo. Realizar uma arqueologia dos restos que nos chegaram, *res derelictae*, lançados que estamos, nas praias da finitude e do abandono, em direção à morte. Formular uma ontologia desses vestígios sem função que habitam e enformam ainda hoje nossa subjetividade: eis o imperativo. Esse mundo aberto por Flusser se apoia na facticidade de Husserl e na percepção de que todo fenômeno é um feixe de adumbrações infinitas: iluminar uma das faces é ocultar as demais. Há que se suspender o juízo que nomeia os objetos que nos rodeiam, reconduzi-los a uma dimensão antecategorial, girar os fenômenos na imaginação para que possamos acessar todas as suas nuances eidéticas. Para tanto, de nada servem o tratado, o sistema, a historicismo. Deve-se enfrentar a abordagem elíptica, o ensaio, a digressão, a espiral infinita que une a dor imediata à dor imemorial, projetada em um tempo e em um espaço inextensos. E em virtude de tudo isso, esta obra pode ser vista como um dos mais brilhantes ensaios de filosofia jamais escritos em língua portuguesa.

O percurso realizado por Flusser parte de uma constatação: escavar as camadas objetivas do passado é escavar as camadas da subjetividade presente. O avanço moderno em direção à objetividade trouxe em si um outro imprevisto avanço: o desocultamento da subjetividade. Essa subjetividade é paradoxal. Pode ser tanto o vasto continente descoberto pela psicanálise quanto o solipsismo do indivíduo ensimesmado das metrópoles. Pode ser tanto a epifania de uma consciência que se descobre a si mesma quanto o absurdo dessa mesma consciência que se apreende divorciada de todos os signos, coisas, processos, seres e humanos. Contudo, devido a essa constituição estruturante da experiência imediata e do pensamento do século XX, toda filosofia deve ser uma arqueologia. E toda arqueologia deve ser uma autobiografia. E é exatamente isso que Flusser realiza nesta obra. Por isso, ao analisar a processão dos fatos objetivos da história, identifica-os a alegorias. A Culpa, a Maldição, o Castigo e a Penitência são as figuras conceituais que descrevem o percurso do pensamento que despertou para a imanência de sua própria forma, para a vacuidade de sua substância e para sua própria ausência de sentido. São também figuras do percurso de individuação do próprio Flusser. Imagens temporais de quem se salvou da bestialidade nazista e precisa articular o passado coletivo e o presente individual em uma mesma clareira do ser. O mundo se esvaziou e foi reduzido ao absurdo em decorrência dos mecanismos internos de que a consciência dispõe de produzir sistemas formais ao mesmo tempo perfeitos e circulares, absolutos e absurdos. As tautologias extrapolaram os mosteiros. Ganharam as universidades. Incorporaram-se às ruas, aos cafés, aos corpos, às peças orgânicas e inorgânicas cotidianas que circulam, amam, lutam, giram, trabalham, vegetam e morrem. Todos os dias. Ao explicitar os seus mecanismos internos, o mundo ganhou em transparência, mas perdeu em opacidade. Reduziu as camadas virtuais de seu interior antes oculto. A catedral é a *imago* dessa opacidade perdida. Os séculos XVI e XVII transformaram a alquimia e o mecanicismo em *modus operandi* da transformação e da explicitação do real. A luz oriental do fisicalismo, do empirismo e do materialismo, por sua vez, adentrou o Ocidente como uma promessa de redenção da matéria de seu torpor metafísico milenar.

A despeito da desinibição gigantesca da ciência e da tecnologia, essa redenção não se cumpriu. E tampouco o poderia. Porque a emancipação de um polo material não pôde deixar, ainda que à sua revelia, de produzir o seu contrário: o espiritual, o *cogito*, o pensamento puro, o sujeito transcendental, a submissão da filosofia e de todas as ciências ao *more geometrico*. O século XX é o leito de Procusto dessa evisceração do mundo. Um mundo que se tornara transparente e cuja transparência transformou a realidade mesma em uma substância opaca. Inaugura-se o problema por excelência da modernidade nessa figura invertida. A ontologia moderna pode ser caracterizada justamente

PÁG. 385

por isso: a emancipação da dimensão material da existência foi paradoxalmente conflagrada graças à ampliação dos modelos matemáticos e ao aprofundamento de processos abstrativos que desenraizam a experiência existencial, circunstanciada e viva. O que chamamos de mundo passa a ser a redução das camadas da experiência aos padrões da aritmética por meio das operações do *cogito*. O que chamamos de mundo material passa a ser decomposto pela geometria e confinado aos limites da extensão. E o que chamamos de pensamento a partir de Kant se confina aos contornos e aos limites da simples razão. Nasce o mito dedutivo da razão moderna. Como sombra do método indutivo e do experimentalismo, razão dedutiva e ciência se dissociam. Tornam-se meninas gêmeas inimigas, separadas no parto. A ruína da metafísica medieval ironicamente nos lançou em uma oscilação entre o empírico e o transcendental, como diagnosticou Foucault. Flusser amplia a microscopia e a macroscopia dessas imagens. Situa-as em um corte transversal, que transborda as *épistèmès* e confere um horizonte mais amplo ao projeto da arqueologia de Foucault.

Dentro desse percurso, mesmo a equação de Espinosa, segundo a qual a natureza é uma modalização de Deus, pode ser a chancela do panteísmo, mas não escapa aos ditames da geometria. O empiriocriticismo rasgou o véu da realidade. Desnudou os mecanismos do mundo. Ou seja: criou a expectativa de que a realidade pode ser compreendida em seu todo. Essa marcha da ciência em busca do esgotamento do campo da realidade é a marcha em busca de uma equivalência entre realidade e conhecimento. A ontologia de um Deus relojoeiro assume o palco. E a descoberta dos mecanismos simples que estruturam a natureza produz a possibilidade de prever o futuro e de reorganizar essa mesma natureza em sua totalidade. Chegamos assim a uma mística racional: a estrutura eidética das formas da sensibilidade é decalcada como se fosse a estrutura das engrenagens de uma maquinaria, tão complexa quanto vazia de vida. Não se trata de compreender a ontogênese do pensamento vivo. Trata-se de prever como as roldanas do mundo produzem o pensamento a partir de causas e consequências. Nasce a natureza em sua autonomia. Nasce a possibilidade de emergir dessa natureza e dessa concepção de natureza o grau máximo do autonomismo: o autômato. A ontologia moderna prepara passo a passo a sua própria erosão. O aparelho é a forma inextensa desse esvanecimento. Justamente ao santificar o mecanicismo, o aparelho é o instrumento que promove a impossibilidade de determinar o que venha a ser um ser mecânico, pois a própria biologia se apropria dos modelos mecânicos para pensar e remodelar o ser vivo. Justamente por santificar o humanismo, produz-se a destituição dos processos primários que nos caracterizam em nossa humanidade. O fundamento irracional da razão se torna cada vez mais translúcido para a experiência imediata. Materializa-se no aparelho. Funciona com os funcionários. Programa-se pelos programas. Torna-se uma realidade plena e amplamente desinibida por meio dos instrumentos. Esta é a Penitência que nos cabe desde o século XX. E que persiste, aberta e sem redenção, em direção ao futuro.

ENTROPIAS

Uma das alterações do pensamento moderno é a vetorização do tempo e do cosmos. Nesta obra que o leitor tem em mãos, Flusser identifica essa alteração, nuclear para seu pensamento ulterior. Um aspecto da modernidade ao qual retornará em outras obras, tais como *A Escrita* e *Elogio à Superficialidade*. A vetorização da natureza é um problema que vem sendo abordado pela epistemologia e pela filosofia da ciência desde o século XIX, desde Ludwig Boltzmann e a segunda lei da termodinâmica. Esse problema se relaciona à entropia. Trata-se da descrição de sistemas complexos não-lineares cuja energia se encontra em constante escoamento, para usar a expressão de Husserl, e cujo sentido tende sempre à diminuição e à morte. Essa vetorização da natureza encontra-se aqui representada pelo advento da Queda e pela escatologia messiânica das quatro alegorias. Contudo, esses mesmos sistemas abrem uma perspectiva inusitada ao papel desempenhado pelos meios e pelas tecnologias: a neguentropia.

A possibilidade de negar a dissipação da natureza. Os meios seriam forças de suspensão da entropia e do devir, impulsionadas paradoxalmente pela captação da finitude e da mortalidade por parte da consciência reflexiva.

Por meio de uma abordagem existencial e de um descritivismo fenomenológico, Flusser narra a formação do pensamento moderno e dos modos de vida da modernidade como resultados de uma dupla articulação entre mecanismos abstratos e a emergência de uma filosofia vitalista, como resposta a esse esvaziamento. Entretanto, a resposta, enquanto resposta, não pode se descolar da pergunta que a originou. Toda superação guarda em si aquilo que supera, diria Hegel. Toda desinibição continua atrelada à forma e à motivação do desejo de ruptura com a inibição que a produziu. Toda reação preserva o germe da ação que a ensejou. Em outras palavras: as antinomias modernas razão-intuição, corpo-alma, espírito-natureza, empírico-transcendental, orgânico-inorgânico não podem encontrar sua síntese em uma simples assimilação de um polo a outro. Naturalismo e espiritualismo, mecanicismo e biologismo, empirismo e transcendentalismo, entre outras antinomias, seriam apenas resultado do colapso da catedral metafísica. Falsas soluções para as antinomias modernas. Escombros e ruínas de um pensamento que não conseguiu produzir uma metafísica à altura de suas próprias contradições e das contradições do mundo.

PÁG. 389 Nesse sentido, faz espécie que Flusser quase não mencione Hegel, a não ser como um representante do panlogismo. Justamente Hegel, o autor que compreendeu a efetividade dessas contradições modernas e pretendeu lançar os fundamentos de uma síntese a partir da fenomenologia e da ciência da lógica, ou seja, da formulação de uma nova ontologia.

Uma das respostas à entropia é a alteração dos modelos empreendida pelo século XIX. A translação dos modelos mecanomorfos aos modelos biomorfos. Para Flusser esse avanço é parcial. O biologismo seria apenas o resultado natural e esperado do antropologismo e do historicismo do século XVIII. A reação prevista no interior da ação. Haja vista o recurso finalista de determinação da vida presente na teleonomia da biologia clássica. A maldição mecanicista decorrente desse colapso metafísico tem diversas consequências, ou seja, diversos castigos. O castigo da redução da vida ao celeiro do proselitismo e das mesquinharias pequeno-burguesas. O castigo da planificação dos valores. O castigo da compartimentação e da instrumentalização de todas as esferas do pensamento. Em resumo, o castigo daquilo que Rilke definiu como um *fazer sem imagens*: uma pura operação abstrata sem tônus anímico. Os verbos de ação passam a ter pacientes mas não agentes. Em um mundo de programas e aparelhos, as agências são destituídas de substância e de sujeito. Há, portanto, uma sujeição coletiva, sem que haja um sujeito ou um indivíduo que assine os protocolos da sujeição. Há performance, mas não há intencionalidade. Há movimento, mas não há desejo. Há mobilidade e transformação, mas não há devir. A penitência das sociedades tecnocinéticas é semelhante às penitências de Sísifo, de Prometeu, de Tântalo. Quanto mais dilatada a esfera de ação da captura, maior a inviabilidade de gozar com o objeto capturado. Quanto mais alto se eleva o acionista, maiores as quedas das ações, em sentido literal e em sentido figurado. Quanto mais o desejo parece se apropriar da água fluida da vida que corre entre as mãos, mais transparentes se tornam nossos corpos, permeáveis e permeados, sem órgãos, porém incapazes da reter o gosto de uma gota sequer.

FICÇÃO E MESSIAS

Pode-se argumentar que Flusser idealiza a transcendência e produz uma visão de modernidade sempre a reboque de uma esfumada era medieval. Esta, por sua vez, é pouco definida. As concepções de barroco e de renascimento são esquemáticas e pouco produtivas. A estrutura da obra pressupõe um *telos* que no fundo é negado no interior da obra como princípio. Haveria também um fatalismo subjacente à processão das alegorias. Um afunilamento negativo em torno do século XX, o que contradiz a renovação e a liberdade presentes na premissa geracional. Nada disso eclipsa o inconteste pioneirismo mundial de todo o pensamento de Flusser, e que apenas agora vem à tona em toda a sua amplitude.

A ontologia pluralista desenvolvida por Flusser ao longo de três décadas apenas agora se torna uma moeda corrente na academia, graças às ontologias pluralistas de pensadores como Peter Sloterdijk, Bruno Latour, Annemarie Mol, Markus Gabriel, Philippe Descola e Eduardo Viveiros de Castro. Flusser pode e deve ser uma referência não menos importante para esse debate do que o são Gabriel Tarde, Jean-Marie Guyau e Jakob von Uexküll. A suspensão da improdutiva dicotomia entre analíticos e continentais, levada a cabo em ambas as tradições nos últimos anos, em especial por meio do trabalho imenso de Adrian Moore no campo da metafísica, está contida *in nuce* em Flusser, a começar por suas leituras transgressoras de Heidegger e de Wittgenstein. O novo estatuto epistemológico conferido às categorias *ficção* e *narrativa* por pensadores como Michel Serres, Derrida, Jean-Luc Nancy, Giorgio Agamben, Peter Szendy, François Laruelle e Yuval Noah Harari se encontra descrito de modo cristalino em quase toda a obra do pensador judeu-tcheco-brasileiro. O anarquismo epistemológico de Flusser também é contemporâneo daquele desenvolvido por Paul Feyerabend como crítica à hegemonia do método de Popper. As noções de superfície e de imagens técnicas se entrelaçam à ontologia plana de Eli Hirsch, de Manuel DeLanda e do realismo especulativo. E, por fim, o conceito de algoritmo, desenvolvido por tantos autores contemporâneos e cada vez mais entendido como matriz da revolução de paradigma do século XXI, está contido nesta obra de 1965 sob os nomes de aparelho, campo, estrutura, operação, sistema, programa.

O afresco que desfila aos olhos do leitor é um afresco de mundos e de meios. Uma pluralidade de mundos virtuais e atuais, reais e tangenciais, passados, presentes e futuros, emergindo da experiência e dos fenômenos dados à consciência existencial a parir de uma fenomenologia das formas de vida. Essa pluralidade é equipolente. Não há uma substância ou uma criteriologia capaz de unificar todos esses mundos e meios vivos. Se a língua é o mito que molda o mundo, não existe *a* linguagem ou *o* ser, como o queriam Wittgenstein e Heidegger. A multiplicidade das línguas gera uma multiplicidade de mitos que estruturam multiplicidades de mundos distintos. Contudo, conferir esse valor à língua ou a uma estrutura lógica imanente aos fenômenos é concebê-las como cadáveres de Deus, como pensou Hegel e como reitera Flusser. A despeito dos valores negativos que essa hipótese de um Deus-morto possam vir a assumir, há uma simetria intramundana entre um Deus que nunca veio e o Deus-morto desde sempre. Do ponto de vista da imanência mundana, ambas as concepções mantêm a porta messiânica entreaberta. Escatologia e ateísmo se tocam. A profecia surge como coração

PÁG. 393   da filosofia, pois a filosofia não se ocupa mais das substâncias que unificam os mundos ou os transmundos metafísicos. Ocupa-se, sim, do sem-chão que constitui a essência do pensamento, da ação e da liberdade. Sempre em devir. Sempre por vir. Até a terceira e quarta geração.

Setembro de 2017

ILÉM FLUSSER

21. de dezembro de 1965.

Caro Celso, uma carta rápida com desculpas de não lhe ter escrito mais, o que não significa não ter pensado muito em Você. Quero agradecer o teu contacto com Ferrater Mora. Recebi carta dele expressando grande interesse pelo meu trabalho, e respondi pedindo oportunidade de publicar nos EEUU.
Estou imerso nas "Gerações", que, como Você se lembrará, é um ensaio sobre o desenvolvimento do sentido da realidade no curso da Idade Moderna. As quatro gerações são Renascimento (1350-1600), Barroco e romantismo, ~~Iluminis~~(1600-1850), éra vitoriana (1850-1940) e atualidade. Estou em 1889 (loucura de Nietzsche e construção da torre Eiffel) e não consigo pensar em outra coisa. Você me falta nesse trabalho.
A despeito disto, tenho escrito muito. E tenho feito conversa fiada com as pessoas que Você pode imaginar, e também com algumas caras novas. O meu programa para 66 ainda está por fazer:a)Europa (Itamarati) ou b) num "Instituto de Estudos Humanisticos" a ser fundado. Mas o importante são as Gerações a serem acabadas.
Não te faço perguntas, porque sei a respeito das tuas atividades. Não obstante, escreva.
Abraço de todos, também para Beti

14/3/66

Caro Celso,

    The Human Condition foi para mim uma espécie de revelação, no seguinte sentido: partindo de coordenadas do pensante quase inteiramente diferentes das minhas, e de axiomas parcialmente opostas, chega Arendt a conclusões muito próximas das minhas. E desenvolve o argumento num nível intelectual e estilístico elevado. A leitura foi para mim aventura. É óbvio que discordo de muita coisa. E de coisa básica, por exemplo da maneira como ela encara a "polis" como campo da "theoria" em oposição para a atividade. Discordo ainda de alguns aspectos da "skolé". Mas isto apenas prova que encontrei um parceiro. Obrigado.

    Tua irmã contou da tua vida. Não obstante, escreva. Aqui, enquanto estagna o mundo externo, precipitam-se os acontecimentos internos: escrevo feito maluco. Ultrapassei, mas não superei, todas as gerações e estou mergulhado na "atualidade" (nebbich). É curioso pensar que a tua ausência talvez se reflita naquilo que escrevo. Não é absurda a condição humana, que depende de tantas futilidades, como o é a geografia!

    Por razões econômicas, (e não eróticas), vou prostituir-me, viz: vou dar cursos a senhoras ricas que já se encheram de chá e simpatia. Sic transit gloria mundi. Mas, já que estou no latim: non olet.

    Vale, cresca et floresca, e que o Senhor te faça numeroso como a areia do mar, (falando, obviamente, de forma alegórica, e não literalmente).

                  Abraços.

VILÉM FLUSSER

7/5 /9c 6

C L
509 Lake str., apt. b 2,
Ithaca, NY 14850

Caro Celso,

   muito grato por teu telegrama rápido. Anexo a carta sugerida. Está certa? Tua irmã agora tomou o costume de substituir_te aquí em casa. Assim sei de Você e tua vida. As Gerações já foram entregues. Sairão, se Deus quiser, em março 68! Paciencia. Continuo escrevendo feito maluco. Por enquanto não preparei a viagem, apenas escrevi cartas pedindo convites. Estou dando muita aula e fui convidado para a Escola de Arte Dramática (turma do Décio e Anatol). O livro do Paz é excelente e deve ser uma pess ôa interessantissima. Gostei muito da parte que descreve a aniquilição por diluição no ambiente. Acho que ele pegou um aspecto muito importante da solidão humana. Também fiquei impressionado pela análise do imperialismo azteca e espanhol, e aprendí muita coisa. Creio que ele exagera chauvinisticamente a importância da contribuição mexicana, e que romantiza a revolução mexicana. Sabemos dessas tendências para o exagero daquí mesmo, não é verdade? Seja como fôr, creio que se trata de uma obra que se enquadra com igual valor na lista das pesquizas fenomenológicas e existenciais mais importantes de atualidade. Obrigado por ter me posto em contacto com esse pensamento.

     Abraço para Beti e Você

VILÉM FLUSSER
Salvador Mendonça 76, Correio Shopping Center Iguatemí,
São Paulo.

São Paulo, 8 de dezembro de 1967

Ilmo. sr.
prof. Leônidas Hegenberg,
Depart. de Humanidades,
ITA,
S. Jpsé dos Campos.

Caro amigo,

      agradeço sinceramente a remessa da Revista ITA nº 3. Gostei muito e quero dar-lhe meus parabens pelo éxito do seu esforço de continuá-la. Fiquei também muito contente de ver o meu artigo publicado.

      Estou com muita saudade de uma bôa conversa cosnigo. Agora, nas férias, poderia vir para almoçar ou jantar conosco. Tenho muita coisa a contar-lhe, especialmente sôbre meu trabalho atual: "Reflexões sôbre a Traduzibilidade". Meu livro "Até a Terceira e Quarta Geração", (história subjetiva da ontologia moderna) será editado pela Grijalve no âmbito da Editora universitária.

      Telefone para combinarmos algo. 817809. E dê lembranças à sua senhora, também da minha.

      Muito cordialmente

BIBLIOTECA VILÉM FLUSSER

Inspirada na pesquisa de doutorado de Rodrigo Maltez Novaes e em seu trabalho no Arquivo de Berlim, a Biblioteca Vilém Flusser seguirá uma organização cronológica baseada na produção do filósofo tcheco-brasileiro, algo que nunca antes foi feito. Será dividida também em quatro vertentes: monografias, cursos, ensaios-artigos e correspondência. Rodrigo Petronio será responsável pela fortuna crítica e pelos textos de apresentação e de situação de cada livro, tanto no interior da obra de Flusser como no contexto da filosofia do século XX. Esse tipo de organização arquivista poderá servir como modelo para novas recombinações e reedições ao redor do mundo.

A Biblioteca Vilém Flusser se pretende aberta e plural. Deseja contar com a participação de grandes pesquisadores da obra de Flusser e também de artistas, escritores e novos leitores que mantenham um diálogo intenso com o filósofo. Apesar de a maior parte da sua obra ter sido produzida em português, a parte alemã dos seus escritos é a internacionalmente mais conhecida, e ainda pouco traduzida para o português. Por isso, outro objetivo da Biblioteca é trazer ao leitor brasileiro a produção de Flusser em outros idiomas e ainda inédita em língua portuguesa.

Outro ponto alto do projeto será a edição de sua vasta correspondência com intelectuais de todo o mundo, e, em especial, com Milton Vargas, Celso Lafer, David Flusser, Sergio Rouanet, Dora Ferreira da Silva, Vicente Ferreira da Silva e Abraham Moles. Longe de ser um mero apêndice a seus livros e ensaios, a correspondência revela uma das essências do legado de Flusser: a inspiração radicalmente dialógica, perspectivista e polifônica de seu pensamento.

Rodrigo Maltez Novaes é artista plástico, tradutor e editor. Trabalhou na reorganização geral do Arquivo Vilém Flusser de Berlim, onde foi pesquisador residente (2009-2014), além de ser um dos responsáveis por sua digitalização integral, projeto feito em parceria com a PUC-SP e FAPESP. Desenvolve doutorado sobre Flusser na European Graduate School (Suíça), e lecionou na Universidade de Arte de Berlim. Em 2012, co-fundou o Metaflux Lab, pelo qual lecionou sobre a obra de Vilém Flusser como professor convidado na Universidade de Edimburgo, Universidade Humboldt, Centro de Design Interativo de Copenhagen, Instituto Sandberg, Universidade de Design de Lucerna, Universidade de Newcastle e Universidade de Lüneburg. Traduziu diversas obras de Flusser do português para o inglês, para editoras como a University of Minnesota Press, Atropos Press, Metaflux e Univocal. Foi editor do *Caderno Sesc_Videobrasil 12* 2017 (Edições Sesc), e de algumas obras de Flusser escritas originalmente em inglês. Atualmente é Editor Chefe da Metaflux Publishing. Vive e trabalha em São Paulo.

Rodrigo Petronio nasceu em 1975, em São Paulo. É escritor e filósofo. Autor, organizador e editor de diversas obras. Doutor em Literatura Comparada (UERJ). Desenvolveu doutorado-sanduíche como bolsista Capes na Stanford University, sob orientação de Hans Ulrich Gumbrecht. Formado em Letras Clássicas (USP), tem dois Mestrados: em Ciência da Religião (PUC-SP), sobre o filósofo contemporâneo Peter Sloterdijk, e em Literatura Comparada (UERJ), sobre literatura, arte e filosofia na Renascença. Professor Titular da Faculdade de Comunicação (Facom) da Fundação Armando Álvares Penteado (FAAP), onde é professor-coordenador de dois cursos de pós-graduação: Escrita Criativa e Roteiro para Cinema e Televisão. Atua no mercado editorial há vinte e dois anos (1995-2017). Organizador dos três volumes das Obras Completas do filósofo brasileiro Vicente Ferreira da Silva (É Realizações Editora, 2010-2012).

VOCÊ PODE INTERESSAR-SE TAMBÉM POR:

Este livro ocupa um lugar central na obra do filósofo brasileiro Vicente Ferreira da Silva (1916-1963). Encontram-se aqui reunidos seus ensaios sobre religiões, arte, poesia e literatura, bem como suas teses extremamente originais sobre o pensamento mítico, ou seja, a fase mais madura de suas investigações.

facebook.com/erealizacoeseditora
twitter.com/erealizacoes
instagram.com/erealizacoes
youtube.com/editorae
issuu.com/editora_e
erealizacoes.com.br
atendimento@erealizacoes.com.br